COMPUTER TUTOR

M A BAIG

Windows
Word Processing
Internet
Spreadsheet
Presentations
Database

FEROZSONS (PVT)LTD.
LAHORE-RAWALPINDI-KARACHI

I would like to express my gratitude to all my colleagues for their support during the compilation of this book, especially Moulana Yaqoob Qasmi for his advice and encouragement, a begrudging thank you to my son, Mobusher, whose blunt critical observations kept me on my toes! Also, my appreciation indeed for my wife Robina's unstinting support and belief in this project which provided a comfortable launch pad.

ISBN 969 0 01836 1

First Published 2003 by
Ferozsons (Pvt.) Ltd.
60, Shahrah-e-Quaid-e-Azam, Lahore-Pakistan
277, Peshawar Road, Rawalpindi
Mehran Heights, Main Clifton Road, Karachi

Baig, M A

Computer Tutor

Graphics, composition, layout and Cover design by: **M A Baig**

Typeset in 12.5 on 14.5 point Times New Roman
Printed and Bound in Pakistan by
Ferozsons (Pvt.) Ltd., Lahore.

I dedicate this book to my brave little girl, Aysha Baig, who has

fought a rare medical condition for several years -

and she is winning.

Foreword

آپ نے یہ کتاب حاصل کی ہے کمپیوٹنگ سیکھنے یا پھر کمپیوٹنگ میں مزید مہارت حاصل کرنے کے لیے۔ میں آپ کو سبز باغ ہرگز نہیں دکھاتا، بلکہ یہ بات واضح کرنا چاہوں گا کہ اس کتاب میں کوئی پراسرار طاقت ہے اور نہ کوئی طلسمی راز، البتہ اگر آپ نے اسے اپنی توجہ کا مرکز بناتے ہوئے تھوڑی سی محنت سے کام لیا اور اس کا مطالعہ دل لگا کر کیا تو انشااللہ بنیادی کمپیوٹنگ میں مہارت کا اعزاز اس کے آخری صفحے پر آپ کا انتظار کر رہا ہے۔ یہ وعدہ نہیں بلکہ ایک معاہدہ ہے لیکن کیونکہ اس ایک ہی کتاب میں کمپیوٹنگ کے تمام اہم شعبہ جات کو شامل کیا گیا ہے اس لئے ہر مضمون ایک نچوڑ کی شکل میں پیش کیا گیا ہے۔ یہ نہایت ہی ضروری ہے کہ آپ اس کے ہر صفحہ کو غور سے سمجھئے اور اس سلسلے میں ہرگز جلد بازی یا بے تابی سے کام نہ لیجئے۔

یہ کتاب کمپیوٹنگ کے ایک ایسے کورس کی شکل میں پیش کی جارہی ہے جو کہ سیکھنے والے کو نہ صرف کمپیوٹنگ کے بنیادی اصولوں سے متعارف کروائے گا بلکہ اسے جدید کمپیوٹنگ کے اہم ترین اجزاء کی بنیادی مہارت سے روشناس کرائے گا، اور یہ سبھی کچھ بغیر ایک اُستاد کی مدد کرنا ہے۔ اس مقصد کے لئے آسان زبان اور تصاویر کا کثرت سے استعمال کیا گیا ہے اور تمام تراکیب کو قدم بہ قدم ہدایات کے ساتھ سمجھایا گیا ہے۔ یہ کتاب ان لوگوں کے لئے خاص طور پر مفید ثابت ہوگی جو کہ مصروفیت یا دیگر وجوہات کی بنا پر ایک نصابی کورس کرنے سے قاصر ہوں۔

کمپیوٹنگ گذشتہ بیس سال سے میرا مشغلہ رہا ہے اور مختلف کورسز کی شکل میں مُجھے جو ٹریننگ ملی ہے اس کے لئے میں شکرگزار ہوں لیکن میں وثوق سے کہہ سکتا ہوں کہ میں نے زیادہ تر کمپیوٹنگ اسی طرز کی کتابوں کی مدد سے خود سیکھی ہے۔ ونڈوز کے جدید پروگراموں میں اس مقصد کے لیئے وسیع پیمانے پر امدادی تراکیب شامل کی جاتی ہیں، جن کی مدد سے ان پروگراموں کو اگر بآسانی نہیں تو تھوڑی محنت کے ساتھ ضرور سیکھا جاسکتا ہے لیکن اس کے لئے بنیادی علم اشد ضروری ہے۔ اس کتاب کا نصب العین اسی بنیادی مہارت کا مُہیا کرنا ہے۔ ونڈوز کی کمپیوٹنگ کے اہم بنیادی شعبوں کے علاوہ کتاب میں مائیکروسافٹ آفس کے پروگراموں ورڈ، ایکسیل، پاور پوائنٹ، ایکسیس، آوٹ لُک ایکسپریس اور انٹرنیٹ ایکسپلوزر کو مرکزی اہمیت دی گئی ہے۔ یہ پروگرام اب دنیا بھر میں کاروباری اداروں سے لے کر تعلیمی اداروں تک کمپیوٹنگ کا ایک اہم ترین حصہ بن کر سامنے آئے ہیں۔ مُجھے یقین ہے کہ اس کتابی کورس کو مکمل کر لینے کے بعد آپ اُن تمام تراکیب و تدابیر سے لیس ہوں گے جو کہ ونڈوز کی کمپیوٹنگ میں اعلیٰ ترین مہارت حاصل کرنے کے لئے اشد ضروری ہیں۔ اب یہ آپ پر منحصر ہے کہ کمپیوٹنگ کے پر یعنی (wings) حاصل کر لینے کے بعد آپ کی اُڑان کی سمت اور اونچائی کیا ہوگی لیکن یاد رکھیئے پیراشوٹ کا استعمال منع ہے!!

You have got this book because you want to learn computing or improve your existing IT skills. Lets get one thing straight, this book has no magical powers and I am not going to promise you IT wizardry by the mere acquisition of it. However, give it the attention, time, perseverance and your commitment, and computer literacy awaits you at the other end of it. By the time you have finished and absorbed this book, you ought to be adequately familiar with the principles of Word Processing, Database, Spreadsheet, Presentations, the Internet, Email and various other aspects of general computing. Microsoft Office modules, Word (word processing), Excel (spreadsheet), Access (database), PowerPoint (presentations), Outlook Express and Internet Explorer, the most widely used packages in the world of computing, are prominently featured in this book. These packages dominate home and office computing throughout the world. I have tried to compile this book in the form of as complete and versatile a computing course as possible in a compact format. But, becuase so much has been covered the coverage has been kept to a concentrated form. Therefore you must not try to skip or skim any part of it. The main aim of the book is to provide computer training without a teacher. This, I hope, will reflect in the way things are explained, step by step in easy language and with the help of actual graphics and screen shots. The intention here is to provide the reader a quick and convenient alternative to enrolled tuition. It will be a useful learning tool for those, who do not have the resources or the time to learn computing through acknowledged institutes of technology. Computing has been my hobby for over 20 years now. Although I am grateful for the computer training I have received over the years, I feel no shame in claiming that MOST of my computing knowledge is self-taught. Modern computing packages are easy to learn, provided you are equipped with the fundamentals. I have often come across new PC packages, which look daunting at first glance, but once you jump in, things start unfolding in a logical manner. However, this is not always possible without some patience, perseverance and of course, the knowledge of the basics - so bear with me. My task here is to get you airborne into the IT world. Once you got your computing 'wings', its up to you where you want to go and how high you want to fly. Your perseverance, determination and your will to learn are the essential qualifications required.

And remember, parachute is not an option!

Before you dive in, a few explanations. . . . . ابتداء سے پہلے چند وضاحتیں

To XP or Not to XP? - ونڈوز ایکس پی

اس کتاب کی پلاننگ کے وقت ونڈوز ایکس پی اور آفس ایکس پی مارکیٹ میں آچکے تھے لیکن ایکس پی کو اس کتاب کا حصہ نہ بنانے کا فیصلہ میں نے اس کا تبصرہ پڑھنے کے بعد کیا اور اب تک جو تجربات سامنے آئے ہیں اُن کی روشنی میں یہ فیصلہ بالکل درست ثابت ہوا ہے۔ یورپ اور برطانیہ میں ابھی ونڈوز 98 کا کئی سال تک تسلط رہے گا، وہاں ابھی تک 95 کو استعمال کیا جا رہا ہے۔ لاکھوں کی تعداد میں اس وقت استعمال کئے جانے والے کمپیوٹر ایکس پی کے استعمال کے لئے موزوں ثابت نہیں ہونگے۔ نہ صرف یہ کہ ایکس پی کو انسٹال کرنے کے لئے ونڈوز 98 سے چھ گنا زیادہ میمری چاہیے بلکہ یہ بھی ایک حقیقت ہے کہ سینکڑوں اقسام کے پرانے پی سی آلات کے لئے بھی یہ مناسب نہیں ہے۔ میں ہرگز یہ تاثر نہیں دینا چاہتا کہ ایکس پی ایک اچھا سسٹم نہیں ہے لیکن یہ ضرور کہوں گا کہ اس میں اور ونڈوز 98 میں جہاں تک ایک آپریٹنگ سسٹم کے کام کرنے کا تعلق ہے تو کچھ زیادہ فرق نہیں ہے اور جہاں تک آفس ایکس پی کا تعلق ہے تو اسے ایک نظر دیکھ لینے کے بعد میں اس بات کی تصدیق کرتا ہوں کہ یہ ہرگز ایک انقلابی پیکج نہیں بلکہ یہ آفس 97/2000 کی ایک سنوری قسم ہے کیونکہ آفس 97/2000 نہایت ہی اعلیٰ معیار کے پیکیجز ہیں اس لئے ان کی نئی ساخت بھی ظاہر ہے اسی معیار کی ہی ہوگی۔ میرے خیال میں اگر آپ اپنے موجودہ سافٹ ویئر کی کارکردگی سے مطمئن ہیں تو اسے ابھی ہرگز تبدیل مت کیجیے۔

The question was not difficult at all. This book was in its planning stages when Windows XP and Office XP were launched and I could easily have accommodated them. From my experience with UK IT scene, Windows 98 is still the dominant operating system with even Windows 95 refusing to go away. Although my future projects will naturally induct the XP, I really think that the majority out there will prefer to ride on Windows 98 for at least some years to come - until the average PC specification catches up with the XP. I am fully aware of the Hype and trend factors but lets be realistic. There are literally millions of computers in the world, which are running happily with Windows 95/98 but will struggle running the XP. A very large number of PCs would simply not be able to run XP with spec limitations and driver software problems involving hundreds of types of peripherals out there. It needs over 1000mb to just install compared with 200mb for Win98. The difference between Windows 98 the XP, in terms of functionality, is not going to be a great deal. But please note, I am not saying XP is bad, I am simply stating that Windows 98 is good enough for now for a most people, and will be good enough for a few years to come yet.

As for the Office XP, my first look has confirmed my expectations that it is roughly the same product as the trusted 97/2000 versions with new make up. I regard the Office97/2000 suites as the outstanding software packages and any improvement of an excellent product is never going to make it anything less. Having had a look at the Office XP, I can confirm that there is not a great deal of difference between this new kid on the block and its predecessors.

English and Urdu, why two languages? اردو اور انگریزی دونوں زبانیں کیوں؟

یہ تو ہم جانتے ہیں کہ کمپیوٹنگ سیکھنے کے لئے انگریزی کا جاننا ضروری ہے۔ تو پھر اس کتاب میں اردو کا استعمال کیوں؟ اس بات میں تو کوئی شک نہیں ہے کہ پاکستان میں لوگوں کی ایک بڑی تعداد انگریزی سمجھتی ہے لیکن یہ بھی ایک حقیقت ہے کہ اکثریت اردو سے زیادہ مانوس ہے۔ مُجھے یقین ہے کہ دو زبانوں کا یہ فارمیٹ دونوں کیٹیگری کے لوگوں کے لئے فائدے مند ثابت ہوگا۔ بلکہ یہ بھی ممکن ہے کہ یہ کتاب کسی حد تک اُن کی انگریزی کو بھی بہتر بنانے میں مدد دے! اردو اور انگریزی کو ایک دوسرے پر ترجیح نہیں دی گئی لیکن کتاب میں زیادہ تر صفحات پر اردو عبارت کو انگریزی سے پہلے درج کیا گیا ہے۔ کتاب کے مطالعے کے لئے آپ دونوں میں سے کسی ایک زبان کو اختیار کر سکتے ہیں لیکن اگر ہو سکے تو دونوں کو پڑھیے۔ عبارت کا چھوٹا سائز کتاب میں زیادہ سے زیادہ معلومات شامل کرنے کے لئے کیا گیا ہے۔ نوٹ کیجیے: کتاب میں جہاں انگریزی کے الفاظ کا براہِ راست ترجمہ موزوں نہیں تھا وہاں رومن اردو یا انگریزی ہی کو استعمال کیا گیا ہے۔

Unlike some European countries, computing in Pakistan is very much in English. Therefore, anyone who wants to learn computing, needs to know English - so why bring in Urdu? Despite the fact that a great many people in Pakistan are familiar with the English language, the overwhelming majority is much more comfortable with Urdu. I am sure the twin language format will help a great many people who are still in the process of refining their skills in English. May be this book can, inadvertently, also help them improve their English while learning computing! Generally, Urdu has been placed before English in most cases. In some cases, there is more information in english version, so read both if you can. A small text size has been used to maximise the contents of this concise book.

پی سی کے اہم اجزاء - Main PC Components

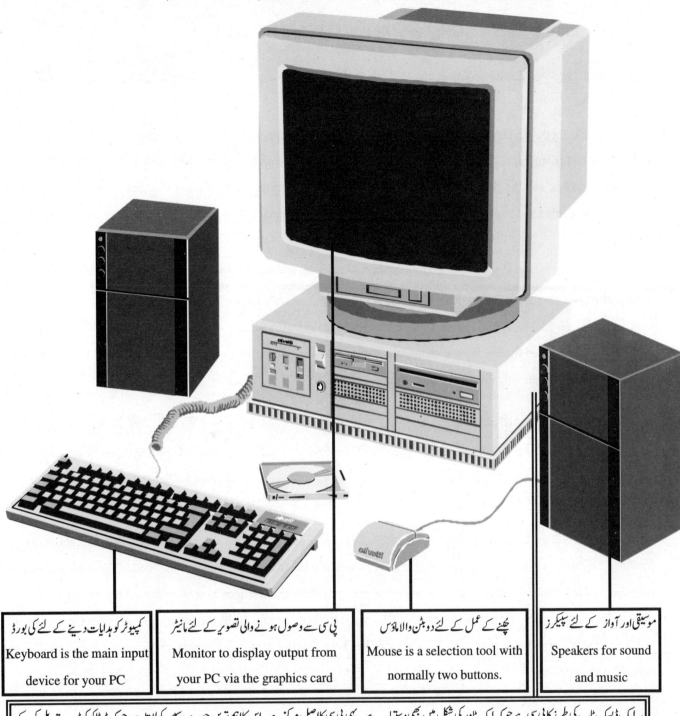

کمپیوٹر کو ہدایات دینے کے لئے کی بورڈ Keyboard is the main input device for your PC	پی سی سے وصول ہونے والی تصویر کے لئے مانیٹر Monitor to display output from your PC via the graphics card	چننے کے عمل کے لئے دو بٹن والا ماؤس Mouse is a selection tool with normally two buttons.	موسیقی اور آواز کے لئے سپیکرز Speakers for sound and music

یہ ایک ڈیسک ٹاپ کی طرز کا پی سی ہے جو کہ ایک ٹاور کی شکل میں بھی دستیاب ہے۔ یہی پی سی کا اصل مرکز ہے۔ اس کا اہم ترین حصہ پروسیسر کہلاتا ہے، جو کہ ڈیٹا کو کوڈ سے تبدیل کر کے تحریر، تصاویر اور آواز کی صورت میں ہم تک پہنچاتا ہے۔ اس میں مختلف اقسام کے سرکٹ بورڈ جیسا کہ ساؤنڈ کارڈ اور گرافک کارڈ وغیرہ یہ کام سرانجام دیتے ہیں۔

This is a desktop PC, which also comes in a 'Tower' design and is the 'engine' of a PC. The most important part in it is its processor (CPU), which converts data into output in the form of sound and graphics. It distributes instructions to various circuit boards called 'Cards'. Graphics card displays graphics through monitor, sound card outputs sound through speakers and Modem card manages Internet connection via a telephone.

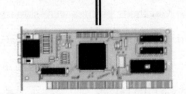

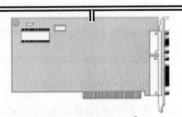

What's What - Hardware - Some vital PC components

کیا کیا ہے۔ ہارڈ ویئر۔پی سی کے چند اہم ترین اجزاء

پی سی: یعنی کہ پرسنل کمپیوٹر اسّی کی دھائی میں کمپیوٹنگ کی انفرادی ضروریات کو پورا کرنے کے لئے وجود میں آیا۔اس سے پہلے بھاری جسامت والے مین فریم کمپیوٹر کاروباری اداروں میں استعمال کیے جاتے تھے۔ آیئے پی سی کے چند اہم ترین اجزاء کا جائزہ لیں۔

What is a PC? - PC stands for Personal Computer. As the name suggests, the personal computer is to cater for the needs of a person exclusively as a stand-alone system rather than a Mainframe computer being shared by the employees of an organisation. This was the popular term for this new type of computer when it was introduced in the mid-eighties. Previously, you either had huge mainframe computers or little micro-computers. Let's take a look at the main components of a modern PC.

مدر بورڈ: مدر بورڈ پی سی کا مرکزی سرکٹ بورڈ ہے اور پی سی کے تمام دوسرے اجزاء اس بورڈ سے منسلک ہوتے ہیں۔اسے پی سی کا کمانڈ سنٹر کہا جاسکتا ہے۔

Motherboard: This is the main circuit board on which various smaller circuit boards and components are fitted via pin slots and connectors. This board is fitted inside a tower or a desktop and acts as the platform on which, all computing operations are processed by one of it's components. If the processor is regarded as the central performer in a computer, then motherboard is most certainly the stage it performs on.

پروسیسر: جسامت کے لحاظ سے بسکٹ کے سائز جتنا پروسیسر کمپیوٹر کا دماغ ہے۔ یہاں ہی سے کمپیوٹر کو اس کی لاکھوں سرگرمیوں کی ہدایات ملتی ہیں۔مائیکرو پروسیسر انٹیل نامی کمپنی نے 1979ء میں ایجاد کیا۔ ابتدائی پی سی 8086 پروسیسر سے لیس تھے۔تب سے پروسیسر کے ڈیزائن میں انقلابی تبدیلیاں آئی ہیں۔انٹیل اور اے ایم ڈی میں سخت مقابلہ اس انقلاب میں مثبت ثابت ہوا ہے، گذشتہ بیس سال کے دوران کمپیوٹنگ کا سب سے زیادہ ترقی کرنے والا جزو اس کا پروسیسر ہی ہے۔ آجکل کے جدید کمپیوٹر کے پروسیسر کی رفتار پندرہ سے بیس سو میگا ہرٹز ہے اور رفتار کے یہ ہندسے متواتر بڑھتے رہیں گے۔اگر آپکا کمپیوٹر جدید ترین نہیں ہے تو فکر کی بات نہیں ہے۔اگر اس میں ونڈوز اور آفس چل رہے ہیں تو وہ اس کتاب کے لیئے موزوں ہے۔

Processor: This is the ever-changing part of the PC set-up. No bigger than a biscuit, this is the engine and brain of the PC. Intel, the original inventor and manufacturer of the Pentium processors, once dominated the world processor market. But over the past few years, AMD, a small chip maker in the early nineties, has risen to challenge the Intel monopoly and has very effectively become their serious competitor. The result has been a rapid development of this component by both giants in a sustained effort to beat each other. The customer has been the true winner as faster chips have been made available at very affordable prices.

PC started life in the early eighties after the introduction of the first microprocessor in 1979. The early processors, 8086 and 8088 were of very modest speed. These were followed by the faster 286 and 386 chips, which remained standard for a long time. In 1991, the ground-breaking 486 came on to the scene. It dominated the processor market until a totally new concept, called Pentium, came along in the mid nineties. The processor revolution had begun. Introduction of GUI (Graphic User Interface) operating systems, like Windows, was now stretching available processors to their limits. Early Pentiums had a speed of a mere 60 and 75 megahertz. This was soon followed by 90, 100, 133, and 166 megahertz processors. Ever larger and more sophisticated applications, coupled with competition between Intel and AMD, resulted in ever-faster processors coming on to the market almost every few months. Soon, the 200, 300, 400 and 500 Megahertz barriers were surpassed in relatively short period. Current standard is anything from 1000 megahertz (1GigaHertz) to 2500 Megahertz (2.5 GigaHertz). I am sure this will carry on infinitely, but do not feel small if your spec is not in this region. One of my computers is an early Pentium (P166) and it still does almost every thing my main machine does - admittedly a little slower.

میمری: میمری دو قسم کی ہوتی ہے۔ ROM یعنی ریڈ اونلی میمری جو کہ مستقل بنیادوں پر کمپیوٹر میں فکس ہوتی ہے۔اس میں کمپیوٹر کے مختلف اجزاء کے متعلق بنیادی معلومات کو محفوظ کیا جاتا ہے جو کمپیوٹر بند کرنے کے بعد آئندہ استعمال کے لئے بھی محفوظ رہتی ہیں۔RAM یعنی رینڈم ایکسس میمری عارضی میمری ہوتی ہے۔ کمپیوٹر آن کرنے کے بعد اس میں پروگرام (جیسا کہ ونڈوز) لوڈ ہونا شروع ہو جاتے ہیں اور جب کمپیوٹر کو آف کیا جاتا ہے تو میمری دوبارہ خالی ہو جاتی ہے۔ یہی میمری آپکے تمام پروگرام لوڈ کرتی ہے۔اسی میمری کی تعداد کمپیوٹر کی رفتار پر اثر انداز ہوتی ہے۔اس کی کمی سے کمپیوٹر یک وقت زیادہ پروگرام نہیں چلا سکتا یا اُنہیں تیز رفتاری سے نہیں چلا سکتا۔عام طور پر یہ میمری بآسانی بڑھائی جاسکتی ہے۔ چند سال پہلے میمری کمپیوٹر کا مہنگا ترین حصہ تھی۔ آجکل یہ سب سے کم خرچ جزو ہے۔ آپ کے کمپیوٹر میں میمری کی مقدار معلوم کرنے کے کئی طریقے ہیں جب آپ کمپیوٹر کو آن کرتے ہیں تو سکرین پر دی جانے والی معلومات میں یہ بھی شامل ہوتی ہے۔یہ کنٹرول پینل میں بھی درج ہوتی ہے جس کے بارے میں آگے چل کر مزید بتایا جائے گا۔

Memory: There are two main types of memory, RAM (Random Access Memory) and ROM (Read Only Memory). ROM is permanent type of memory and is fitted inside your PC in the form of a fixed chip. It's contents remain unchanged and it's purpose is to make your PC remember its specification and settings even when it is switched off. RAM, on the other hand, is temporary type of memory, which is fitted in your PC in a changeable and removable form in a series of slots on the motherboard. In its older format, it came in the shape of an oblong card (a circuit board), with 72-pin fitting and known as SIMMs (Single Inline Memory Modules). Its current form is the more efficient 168 pin DIMMs (Duel Inline Memory Modules). When you start your PC, all your programmes are loaded temporarily in it, including Windows and any other programmes you decide to run in Windows. When you exit those programmes and eventually exit Windows, RAM empties itself to be ready for next time you start your PC. Provided you have enough memory in your system, you can run (load) several applications at the same time and switch between them. Beware though, more programmes you run at the same time, the slower your PC becomes as it gets overloaded. Similarly, more RAM you have, the faster your PC will run. But before you go rushing to your PC store and buy their entire stock of memory, it's worth knowing that 'more memory faster PC' rule has it's limits. For example, upgrading a PC with 16mb memory to 64mb would make a significant difference in performance, but upgrading a PC from existing 64mb to 128mb, would not make such a huge difference. Current standard is 64MB to 128MB but since the collapse of memory prices, 256mb will soon become standard. There are various ways to find out how much memory your PC has. Try to locate this figure amongst the info displayed on your screen during the start-up sequence of your computer. This is also displayed in Windows Control Panel (more on this later).

ہارڈ ڈسک: ہارڈ ڈسک یا ہارڈ ڈرائیو کو اکثر میمری کی ایک قسم کہا جاتا ہے۔ حقیقت میں ہارڈ ڈرائیو کمپیوٹر کا سٹور روم ہے۔اس میں کمپیوٹر کے تمام پروگرامز اور ڈیٹا محفوظ کیا جاتا ہے، اگرچہ ہارڈ ڈرائیو پر محفوظ کیا ہوا ڈیٹا مستقل طور پر محفوظ ہی رہتا ہے لیکن حسبِ ضرورت اس میں موجود پروگراموں کو (ایک ٹیپ کیسیٹ کی طرح) مٹایا اور ریکارڈ کیا جاسکتا ہے۔ اسے عام طور پر :C ڈرائیو کہا جاتا ہے اس کو کئی حصوں (partitions) میں تقسیم بھی کیا جاسکتا ہے۔ہارڈ ڈرائیو کو کبھی بھی مکمل طور پر پروگراموں سے لوڈ نہیں کرنا چاہیئے ورنہ آپکا پی سی کام نہیں کرے گا یا ناقابلِ برداشت حد تک کم رفتار ہو کر رہ جائے گا۔

Hard Disk: We just talked about running programmes in memory. They are run from their storage place known as the Hard Disk - often referred to as the C Drive; this is the storage device inside your tower or Desktop and everything on your system is stored here including Windows. It also stores your data files (documents and pictures etc.) It can be divided into more than one drive, called Partitions. A drive can have several partitions to make best use of its capacity and efficiency, but if yours is not partitioned, do not worry about it. Its storage capacity could be anything from a few hundred megabytes to several gigabytes. Never let this run out of space or your system will slow down to a grinding halt. So, do not install programmes unless you need them, and keep checking the available space on your drive.

فلاپی ڈرائیو: اسکو A: ڈرائیو بھی کہا جاتا ہے۔ اس میں ساڑھے تین انچ کی فلاپی ڈسک استعمال ہوتی ہے۔ یہ ایک کمپیوٹر سے دوسرے کمپیوٹر تک ڈیٹا منتقل کرنے کے کام آتی ہے۔

Floppy Disk: This is your 3.5" drive, which is also known as the A: drive. Twenty years on, this resilient little device is still going strong. It is ideal to transfer small files from one PC to another. It can read two types of disks called 'floppies', 720-Kilobyte (Double Density) and1.44MegaByte (High Density). I guess it will eventually be replaced by the CD Writers and their media but it is nowhere near its retirement yet.

سی ڈی / ڈی وی ڈی: سی ڈی رام کے ذریعے آپ پی سی پر ڈیٹا سی ڈی کے علاوہ آڈیو سی ڈی بھی چلا سکتے ہیں۔ ایک سی ڈی میں ساڑھے چار سو فلاپی ڈسک جتنا ڈیٹا ریکارڈ کرنے کی گنجائش ہوتی ہے۔ جبکہ DVD میں چھ ہزار فلاپی ڈسک جتنا ڈیٹا ریکارڈ کیا جاسکتا ہے!! ڈی وی ڈی رائٹر اور سی ڈی رائٹر میں ڈسک پر ڈیٹا اور موسیقی ریکارڈ کرنے کی اہلیت ہوتی ہے۔

CD-ROM: This is your CD reader and player. Current range is from 24 speed to 70 speed but even an 8 speed is quite fast for normal operations. A CD can store up to 650 megabyte of data (this equals 450 floppies!). The DVD and CD-Writers are rapidly superseding even this advanced device. A **DVD** is similar to CD-ROM but with up to 14 times more capacity (this equals 6000 Floppies!!) Ideal for high quality movies. DVDs are backward compatible, meaning you can read your older CDs in your DVD drive but you can not read DVD Disks in your CD-ROM drive. **CD-Writer** is like CD-ROM with the ability to actually create music and Data CDs.

گرافک کارڈ: گرافک کارڈ پروسیسر سے ملنے والے ڈیٹا کو تصویر میں تبدیل کر کے مانیٹر تک پہنچاتا ہے۔ جدید گرافک کے لئے زیادہ میمری والے گرافک کارڈز درکار ہیں۔ حالیہ اسٹینڈرڈ 16 سے 64 میگابائٹ ہے لیکن ونڈوز کے بنیادی استعمال کے لئے 2 سے 4 میگابائٹ والے گرافک کارڈز بھی قابل قبول ہیں۔

Graphics Card. This small circuit board puts picture on your monitor. Better the graphics card, better the quality of your image. Most modern PCs have Graphics cards with 32mb of Graphics memory. This gives you a choice of resolution (quality of picture), good handling of 3D graphics and it also helps to speed up operations. But do not despair if your graphics memory is less than that, I have operated systems with only 2MB graphics cards without major problems. Most people do not require high performance graphics cards.

ساؤنڈ کارڈ: جس طرح گرافک کارڈ پروسیسر سے ملنے والے ڈیٹا کو تصویر میں تبدیل کر کے مانیٹر تک پہنچاتا ہے اسی طرح ساؤنڈ کارڈ ڈیٹا کو آواز میں تبدیل کر کے سپیکرز تک پہنچاتا ہے۔ آج کل تمام ساؤنڈ کارڈز قابلِ قبول کوالٹی کے ہوتے ہیں۔ البتہ اگر کمپیوٹر پر میوزک کی کمپوزیشن درکار ہو تو اس کے لئے اعلیٰ ترین کوالٹی کے ساؤنڈ کارڈز دستیاب ہیں۔

Sound Card. Another circuit board, similar to the graphics card, This handles all your sounds and music. These come in various quality standards, 16 bit, 32bit, 64bit etc. These are normally very good even in their minimum specification versions. Unless you are to use your PC for music compositions, a 16 bit is more than enough for most multimedia applications.

موڈم: یہ سرکٹ بورڈ انٹرنیٹ تک رسائی کے لئے استعمال ہوتا ہے۔ موجودہ اسٹینڈرڈ 56K ہے جبکہ 36.6K بھی کسی حد تک قابلِ قبول ہے لیکن 28.8 اور 14.4 اب موجودہ انٹرنیٹ گرافک کے لئے کم رفتار اور آجکل کی ویب سائٹس کے لئے غیر موزوں ہیں۔

Modem: yet another circuit board, which handles the Internet connection. Their current standard is 56K (this means data transfer rate is 56000 bps or bits per second) Some of the older systems may have the 36.6K version but even this is not too slow but 28.8K and 14.4k versions should be avoided as they are obsolete now.

مانیٹر: موجودہ اسٹینڈرڈ 15 انچ سکرین ہے جبکہ 17 انچ بھی اب کثرت سے استعمال ہو رہا ہے، علاوہ ازیں فلیٹ سکرین مانیٹرز کی قیمتوں میں بھی متواتر کمی دیکھنے میں آرہی ہے

Monitor. Current standard is 15" SVGA monitor with 17" becoming more common. With ever falling prices, flat screen monitors are also becoming popular.

What's What - Software - Windows and some of its important Applications

کیا کیا ہے - سافٹ ویئر - ونڈوز اور اس میں چلنے والے چند اہم ترین پروگرام

ڈاس: ڈاس کا مطلب ہے ڈسک آپریٹنگ سسٹم۔ اسّی کی دہائی میں جب پی سی کا اجراء ہوا تو ڈاس کو اُسکا آپریٹنگ سسٹم چُنا گیا۔ یہ ایک کمانڈ لائن سسٹم تھا یعنی اسکو چلانے کے لئے سکرین پر کمانڈز کو ٹائپ کرنا پڑتا تھا لیکن ڈاس میں چلنے والے پروگرام آج کے پروگراموں سے کارکردگی کے لحاظ سے کچھ زیادہ مختلف نہیں تھے۔ خاص طور پر ڈاس کے آخری سالوں میں ان پروگراموں نے بہت ترقی کی۔ حقیقت میں ونڈوز کے پہلے چند ورشن ڈاس رنگین ساخت کے تھے۔ ڈاس اب بھی ونڈوز کے پسِ منظر میں موجود ہے بلکہ آپ اب بھی ونڈوز میں ڈاس کے پروگرام چلا سکتے ہیں۔ ونڈوز میں چلنے والی گیمز در اصل ڈاس ہی میں تشکیل دی جاتی ہیں اگر آپ ڈاس سے مانوس نہیں ہیں تو کوئی بات نہیں۔ ونڈوز کے ہوتے ہوئے اب ڈاس کو سیکھنے کی ضرورت نہیں ہے۔

DOS : which stands for **D**isk **O**perating **S**ystem, is the predecessor of today's powerful operating system Microsoft Windows. When the Personal Computer came on to the scene in the eighties, DOS was its operating system. It was a command line based system with a mono interface. This means that, to carry out any operations, you had to type in the commands, which were made up of common English and mathematical symbols and punctuation marks. Here is an example;

In order to copy a file named letter1 from C drive (from inside of the computer) to A drive (floppy disk), you had to type the followings in it's entirety and without missing a dot or even a space.

copy C:\letter1.txt a:

DOS is still very much alive and works under present day Windows. In fact, the early versions of Windows were DOS with a graphical Interface. You can still run programmes created for DOS within Windows. Most of the games are still basically DOS programmes running under Windows. If you are not familiar with it, then don't worry about it.

ونڈوز: ونڈوز ایک آپریٹنگ سسٹم ہے۔ اگر اسکا موازنہ ٹی وی یا ٹیلی وژن سے کیا جائے تو اس کی حیثیت ایک ٹی وی یا ٹیلی وژن اسٹیشن جیسی ہے جس کے بغیر آپ ٹیلی وژن پر کوئی پروگرام نہیں دیکھ سکتے۔ اگرچہ ونڈوز کا اہم ترین کردار اس میں مختلف پروگراموں کو چلانا ہے لیکن اس کے جدید ترین ورشنز میں چھوٹے پیمانے پر کام آنے والے کئی پروگرام بھی شامل کر دیئے گئے ہیں جن کے ذریعے بنیادی ورڈ پروسیسنگ اور گرافکس کا کام انجام دیا جا سکتا ہے لیکن پیشہ ورانہ اور کاروباری مقاصد کے لئے زیادہ طاقت ور پروگراموں کا استعمال درکار ہوتا ہے۔ ونڈوز مختلف اقسام کے پروگرام چلانے کے علاوہ فائلوں کے نظام کو ترتیب دینے، پرنٹ کرنے، مختلف اجزاء (سکینر، پرنٹر اور سی ڈی وغیرہ) کو ہر پروگرام میں استعمال کرنے کے قابل بنانے کا کام انجام دینے کے کام آتی ہے۔

Windows: Windows is the operating system for your PC. It operates all your programmes on your computer. A good analogy would be the relationship between a Television set, TV stations and TV programmes. Think of your PC as a TV and Windows as a TV station. A PC without Windows is like a blank screen with no programmes. Just like TV stations have different programmes produced by independent producers on different topics, Windows has different packages created by different software companies for different purposes. Essentially, Windows itself is just an operating system within which different types of programmes run for different applications. Having said that, recent versions of Windows have some useful packages built within their own structure. Wordpad, for example, is quite a useful word processor. There is a graphics package called 'Paint' - to draw and manipulate graphics and pictures, a calculator, a CD player etc. These packages will carry out basic tasks but for real powerful computing, you have to use independent packages, created specifically for a given task. Windows additional tasks include file management, setting up drivers for other peripherals and tuning the system. Windows early versions were basically DOS with a Graphic User Interface (GUI) until Windows 3 came along with all its colours and icons. But it was Windows 95 which really set the standards and is the basis for Windows 98, NT, ME, 2000 and now, even the XP.

مائیکروسافٹ آفس: آفس مختلف پروگراموں کا ایک مجموعہ سویٹ (Suite) ہے جو دُنیا بھر کے دفاتر میں استعمال ہو رہا ہے۔ اس طرح کے کئی دوسرے مجموعے بھی ہیں جیسا کہ لوٹس سمارٹ سویٹ لیکن سب سے زیادہ استعمال ہونے والا ایسا مجموعہ آفس ہی ہے اور اسی لئے اس کتاب میں اسے مرکزی اہمیت دی جا رہی ہے۔ ہر مجموعے کی طرح اس میں بھی چار اہم اجزاء ہیں: ورڈ پروسیسنگ کے لئے ورڈ، سپریڈ شیٹ کے لئے ایکسیل، پریزینٹیشن کے لئے پاور پوائنٹ اور ڈیٹا بیس کے لئے ایکسیس۔ ان میں سے ایکسیس صرف پروفیشنل ورشن میں دستیاب ہے جبکہ دوسرے تین اجزاء مائیکروسافٹ آفس کے مستقل ممبر ہیں۔ آفس کے تمام پروگرام آپس میں ڈیٹا کا تبادلہ بآسانی کر سکتے ہیں اور ان کے ٹول اور مینیوز ایک دوسرے سے بہت ملتے جلتے ہیں۔

Microsoft Office: Microsoft office is a complete office suite (several programmes bundled together). Although, there are other such packages of considerable quality - like the Lotus SmartSuite, Microsoft Office is the most widely used package in the world and will be prominently featured in this book. It comprises of several major applications to perform most of the computing needs of a modern office. It has four major components; M S Word, the multi-purpose word processing programme and an industry standard; M S Excel, a versatile spreadsheet package; Access, a powerful data base programme; and PowerPoint, an exciting presentations software. Each of these programmes is a huge and powerful application in its own individual right. The magic of these programmes is that they have many features common between them and they are a lot more inter-compatible than packages not designed to work as parts of a suite.

ورڈ پروسیسنگ کے لئے مائیکروسافٹ ورڈ: ورڈ پروسیسنگ کے لئے سب سے زیادہ استعمال ہونے والا پروگرام ہے۔ جدید ورڈ پروسیسنگ نے نہ صرف ٹائپ رائٹر کا خاتمہ کر دیا ہے، بلکہ ورڈ جیسے پروگراموں نے کاروباری کاغذات کی تیاری میں انقلابی تبدیلیاں متعارف کروائی ہیں۔ اب سے صرف چند سال پہلے جو کاغذات صرف پرنٹنگ پریس ہی میں تیار ہو سکتے تھے اب کمپیوٹر اور ایک پرنٹر کی مدد سے ورڈ جیسے پروگراموں کو استعمال میں لاتے ہوئے گھر یا آفس کی چار دیواری میں ہی میں تیار کئے جا سکتے ہیں۔

M S Word - For Word Processing: Word is Microsoft's world leading word processing package. Word processing is simply composing any document on screen by typing in the text and then manipulating it to the required format. This activity replaces the typewriter in the offices with the added ability to perform tasks well beyond the capabilities of even the most sophisticated typewriters. Modern word processing packages not only handle text in hundreds of different ways, but they can create document with pictures, graphics, tables and diagrams.

سپریڈ شیٹ کے لئے مائیکروسافٹ ایکسیل: یہ ایک کثیر المقاصد پیکج ہے، جو عام طور پر اکاؤنٹنگ کے لئے آئیڈیل سمجھا جاتا ہے، لیکن اس کو سیکھ کر ہی یہ احساس ہوتا ہے کہ اس کو کتنے مختلف مقاصد کے لیے استعمال کیا جا سکتا ہے۔ اس کی سکرین خانوں کے ایک گرڈ پر مشتمل ہوتی ہے اور ہر خانے میں الفاظ اور نمبر ٹائپ کئے جا سکتے ہیں، جن کو حسابی فارمولوں کی مدد سے ایک دوسرے سے منسلک کیا جا سکتا ہے۔ سپریڈ شیٹ کی سب سے اہم خصوصیت کہ یہ لاکھوں نمبروں کو حسبِ ضرورت فارمولوں کی مدد سے جمع تقسیم کرنے کے بعد نتائج کو گراف اور چارٹ کی شکل میں سکرین پر دکھا دیتی ہے۔ اس طرح کسی تحقیق یا تجزیئے کے نتائج کا سرسری جائزہ ایک نظر میں ایسے چارٹس اور گرافوں کی مدد سے بآسانی لیا جا سکتا ہے۔

M S Excel - for SpreadSheet: Excel is Microsoft's premier spreadsheet software. Spreadsheet is a versatile software. It is literally a sheet, spread across a grid of cells labelled alphabetically at the top and numerically downwards. This arrangement, as you can imagine, gives each cell a unique reference. The cells are able to contain text, figures and shapes with the ability to carry formulae in the background to invisibly carry out complex calculations. These cells can be linked to each other to carry out calculations automatically. Its single most useful feature is its ability to take great many sets of numbers, carry out required calculations on them, and represent their results in the form of Graphs and Charts.

پریزینٹیشن کے لئے پاور پوائنٹ: اگرچہ یہ بھی ایک کثیر المقاصد پیکج ہے لیکن اس کو کاروباری دُنیا میں زیادہ تر پریزنٹیشن پیش کرنے کے لئے استعمال کیا جاتا ہے۔ پریزنٹیشن ایک مخصوص موضوع پر ایک تصویری، تحریری اور زبانی پیشکش کو کہتے ہیں۔ پاور پوائنٹ کی مدد سے پیشکش کرنے والا اپنے سامنے موجود ناظر کو تصاویر، چارٹ اور اہم نقاط کی عبارت کے ساتھ زیادہ زوردار طریقے سے اپنے نقطۂ نظر کو پیش کر سکتا ہے۔ اس میں تیار کردہ صفحات کو جنہیں سلائیڈ کہا جاتا ہے کئی مختلف طریقوں سے دکھایا جاسکتا ہے (جیسا کہ سلائیڈ پروجیکٹر کے ساتھ بڑی سکرین پر)۔ اس کے علاوہ اس پروگرام کو درجنوں دوسرے مقاصد کے لئے استعمال کیا جاسکتا ہے بلکہ میری رائے میں تو پاور پوائنٹ ایک ڈیسک ٹاپ پبلشنگ پیکج سے کم نہیں ہے۔

M S PowerPoint - For Presentations: Microsoft PowerPoint has become the industry standard for businessmen and salesmen of the world to do their presentations in. A presentation is a gathering of information on a subject and presenting of it to a group of people in the form of visual slides flowing in a logical manner from start to end. It has become an important feature of company meetings and briefings - an executive tool. It is equally useful for students, teachers and engineers alike. In fact there is something in it for everyone. I have used it for creating animated presentations to flowcharts at work and from raffle tickets to birthday cards at home! I have even seen books written in it.

ڈیٹابیس کے لئے ایکسیس: ایکسیس صرف آفس کے پروفیشنل ورژن کا حصہ ہے اور اس کا واحد کام نہایت ہی طاقتور ڈیٹابیس کا ترتیب دینا ہے۔ ڈیٹابیس سادہ ترین الفاظ میں ایک فہرست کو کہتے ہیں۔ ایک ایسی فہرست جس میں شامل اشیاء کے متعلق ہر قسم کی معلومات ایک مخصوص انداز میں ایک ٹیبل کی شکل میں درج ہوں۔ ایسی فہرست آپ کی سی ڈی کا مجموعہ بھی ہو سکتی ہے اور آپ کے شہر کی آبادی بھی لیکن کمپیوٹرائزڈ ڈیٹابیس کی اصل طاقت اس کی لاکھوں کی تعداد کے اندراج میں سے صرف مطلوبہ معلومات تک یکدم رسائی ہے۔ مثال کے طور پر اگر ایک بڑے شہر کی آبادی میں سے صرف ایک مخصوص عمر کے لوگوں کے نام و پتے درکار ہوں تو یہ معلومات چند سیکنڈ میں حاصل کی جاسکتی ہیں جبکہ بغیر کمپیوٹر کے یہی معلومات اکٹھی کرنے کے لئے شائد کئی دن بلکہ ہفتے لگ جائیں۔

M S Access - For Database: Database: In the simplest form, a database is a list of records. It could be a list of all of your music CDs with fields or columns for name of the artist, number of songs on each CD, its unique number in the collection, price, year bought and so on. On the other hand, it could be a comprehensive record for all the people of a big city with their names, addresses and all sort of other information. One of the benefits of such records, to be compiled as electronic database, is its powerful function to extract information from that database.

Example: If you needed to look up how many Vital Signs CDs you have, you would probably do a physical browsing of your CD rack rather than switch on your PC to check. However, if the authorities of a large town needed to list all the children between 8 and 10 years of age with blood group C for an emergency vaccination, it would take less than a minute for the database to extract that information. Same task, when carried out manually, would take several days by a team of town officials to compile.

ای میل کے لئے آوٹ لُک ایکسپریس: انٹرنیٹ کا ایک بڑا فائدہ ای میل ہے، جو کہ اب دنیا بھر میں رابطے کے لئے ایک اہم ذریعہ ہے۔ اس کی مدد سے ہم اب چند سیکنڈ میں اپنے پیغام اور اہم کاغذات دنیا بھر میں کہیں بھی بآسانی بھیج سکتے ہیں۔ اس مقصد کے لئے سب سے زیادہ استعمال ہونے والا پروگرام آوٹ لک ایکسپریس ہے جو کہ ونڈوز کا حصہ ہے تاہم انٹرنیٹ کی سروس مُہیا کرنے والی چند بڑی کمپنیوں کا اپنا ای میل پروگرام ہوتا ہے، جیسا کہ اے او ایل (AOL) اور کمپیوسروّ (Compuserve) وغیرہ۔ یاد رکھیئے آوٹ لک ایکسپریس اور مائیکروسافٹ آوٹ لک دو مختلف پروگرام ہیں۔ آوٹ لک ایکسپریس ایک الیکٹرونک ڈائری کی طرز کا پروگرام ہے، جس میں ای میل کی سہولت بھی موجود ہے جبکہ آوٹ لک ایکسپریس ای میل کا اسپیشلسٹ پروگرام ہے۔

Outlook Express for Email: Email Stands for Electronic mail and is one of the greatest advantages that Internet offers. This is the instant mail system, which is convenient and extremely economical. The most commonly used package for this purpose is Outlook Express, which also comes bundled with Windows. Some of the ISP (Internet Service Providers) use their own software package (e.g. AOL and Compuserve) but most ISP use Outlook Express as the default email package. Do not confuse this with Microsoft Outlook, which is a philofax type scheduler with email facility. Outlook Express is a specialist email application with a host of powerful features.

انٹرنیٹ کے لئے انٹرنیٹ ایکسپلورر: انٹرنیٹ ویسے تو گذشتہ چالیس سال سے وجود میں ہے، لیکن 1990ء کے بعد پی سی کی مقبولیت نے انٹرنیٹ کو اب دُنیا میں ہر اس جگہ پُہنچا دیا ہے جہاں ٹیلیفون موجود ہے۔ انٹرنیٹ تک رسائی کے لئے انٹرنیٹ ایکسپلورر اور نیٹ سکیپ نیویگیٹر جیسے پروگراموں کی ضرورت ہوتی ہے۔ چند سال پہلے تک نیٹ سکیپ نیویگیٹر سب سے زیادہ استعمال ہونے والا پروگرام تھا چونکہ انٹرنیٹ ایکسپلورر کو ونڈوز کا حصہ بنادیا گیا ہے اس لئے یہ انٹرنیٹ تک رسائی کے لئے اب سب سے زیادہ استعمال ہونے والا پروگرام ہے۔ کچھ آئی ٹی پروفیشنلز کے خیال میں نیٹ سکیپ نیویگیٹر اب بھی ایک بہترین پیکج ہے۔ اس سلسلے میں شائد آپ ان دونوں حریف کمپنیوں کے کورٹ کیس کے بارے میں بھی جانتے ہوں۔

Internet Explorer & the Internet: Internet has most definitely been the buzz word in computing for the past many years. The phenomenal spread and success of the Internet has made the world one big cyber society. Everything you see on the Internet is located on storage devices provided by the Internet Service providing companies all over the world. Just like any other application, you need a software package to access the Internet. Packages like Navigator (from Netscape) and Internet Explorer (from Microsoft) do just that. Internet Explorer now comes bundled with Windows and, therefore, is the most widely used package for this purpose. Netscape saw this bundling together of two Microsoft products as a 'bully tactics' by its giant rival. You probably know about the long drawn out court case as a result.

......اور مزید بہت کچھ

ان پروگراموں کے علاوہ روزمرہ کی کمپیوٹنگ میں کچھ ایسے پروگراموں کی بھی ضرورت پڑتی ہے، جو کہ ایک مخصوص مقصد کے لئے ہوتے ہیں۔ ہزاروں کی تعداد میں ایسے پروگرام موجود ہیں۔ شائد ہی کوئی ایسا موضوع رہ گیا ہو، جس کے لئے سافٹ ویئر نہ بنایا گیا ہو۔ سب سے مقبول ترین پروگراموں میں گرافک پروگرام شامل ہیں، جنھیں تصاویر اور ڈرائنگ بنانے یا اُن میں حسبِ ضرورت تبدیلیوں کے لئے استعمال کیا جاتا ہے۔ اس سلسلے میں مقبول ترین پروگرام پینٹ شاپ پرو ہے جو کہ کم قیمت میں کثیر المقاصد فیچرز کے لحاظ سے اپنا ثانی نہیں رکھتا۔ اس کے علاوہ پروفیشنل درجے کے پروگرام اڈوبی فوٹوشاپ، اڈوبی الیوسٹریٹر اور کورل ڈرا گرافک کے میدان میں جانے مانے نام ہیں۔ آٹوکیڈ اور ٹربوکیڈ کو پیشہ ور ڈرافٹسمین ان کو ڈرائنگ اور نقشے بنانے کے لئے استعمال کرتے ہیں۔ اکاؤنٹس کے پیچیدہ طریقہ کو خودکار بنانے کے لئے سیج اور انٹیوٹک کے اکاؤنٹس کے مختلف پیکیجز استعمال ہو رہے ہیں۔ ٹیکسٹ برج اور امنی پیج کے او سی آر پروگرام عبارت کو سکین کرنے کے بعد اسے ورڈ پروسیسنگ کے قابل بنادیتے ہیں۔ انسائیکلوپیڈیا میں سے مائیکروسافٹ انکارٹا اور برٹینیکا معلوماتِ عامہ کا ایک سمندر ہیں۔ یورپ اور امریکہ میں آٹوروٹ جیسے پیکیجز ملک میں کسی بھی ایک مقام سے دوسری جگہ کا راستہ بآسانی دکھا سکتے ہیں۔ ان جیسے سینکڑوں کمرشل پروگراموں کے علاوہ ہزاروں کی تعداد میں کمپیوٹر پروگرام شیئرویئر اور فری ویئر لائبریریوں میں بھی دستیاب ہیں۔ یہ سافٹ ویئر ان پروگرامرز کے بنائے ہوئے ہوتے ہیں، جو کہ یا تو پروگرامنگ ایک مشغلے کے طور پر کرتے ہیں یا جن کے پروگرام کمرشل کمپنیوں نے خریدنے سے انکار کر دیا ہو۔ ان میں سے کچھ تو مفت میں دستیاب ہیں (فری ویئر) اور باقی ماندہ کو استعمال کرنے کے لئے ایک معمولی رقم ادا کرنی پڑتی ہے (شیئرویئر)۔

......and much more

In addition to the main packages we have just had a look at, there are specialist applications dedicated to specific tasks. There are literally hundreds of software packages available these days in dozens of categories and it is difficult to think of a topic that has been left out. Amongst the most widely used are graphic packages. These are programs to create, enhance and manipulate photos, images, drawings and clipart. Paint shop Pro is a widely used graphics package, known for its versatility and is very good value for money. Adobe PhotoShop, Illustrator and CorelDraw suite are professional standard packages to manipulate graphics with hundreds of tools. AutoCAD and TruboCAD are well known CAD (Computer Aided Design) packages used by draftsmen to create precision technical drawings and designs of products. There are packages to automate complex accounting tasks; Sage and Intuit have a host of such applications. OCR (Optical Character Recognition) programs help to scan the text into word-processors in an editable format; Textbridge and Omnipage are two of the best. Encyclopaedia Britannica and Microsoft Encarta are the premium packages for reference and research purposes. Packages like the AutoRoute can pinpoint an address and street by street route to it in seconds. In addition to hundreds of these commercial packages, there are thousands more available on the shareware and freeware libraries. These are small applications created by amateur programmers and are either totally free on the Internet or sold for a small charge.

Some other important software for general computing

روزمرّہ کی کمپیوٹنگ کے لئے کچھ مزید اہم پروگرام

ونڈوز اور اس کے اہم ترین پروگراموں کے علاوہ روزمرہ کی کمپیوٹنگ میں کئی مخصوص کاموں کو سرانجام دینے کے لئے مختلف اقسام کے چند چھوٹے پروگراموں کی بھی ضرورت پڑتی ہے، جنہیں یوٹلیٹیز (utilities) بھی کہا جاتا ہے۔

In addition to Windows and its major applications, smaller programs are often needed to carry out various tasks in every day general computing. Such programs are often called utilities.

وِن زِپ: یہ پروگرام فائلوں کو دبا کر اُن کے حجم یعنی سائز کو کم کرنے کے کام آتا ہے۔ انٹرنیٹ کے ذریعے فائلوں کی منتقلی کے لئے یہ نہایت ہی کارآمد پروگرام ہے۔ ایسی فائلوں کے سائز کو کم کرنے سے ان کی منتقلی تیز رفتاری سے ہوتی ہے اور جسے ایسی فائلیں بھیجی جارہی ہوں وہ اسی پروگرام کو استعمال کرتے ہوئے انھیں کھول کر انکی اصلی حالت میں تبدیل کر لیتا ہے۔ وِن زِپ انٹرنیٹ پر سے بآسانی حاصل کی جاسکتی ہے۔

Winzip: This is a software which can compress (zip) files to make them smaller in size and it also decompresses (unzip) them back to normal when required. It is particularly useful to send large files over the Internet, which would take a lot longer to download in their standard format. Winzip is easily available on the Internet.

اڈوبی ایکروبیٹ ریڈر: اکثر اوقات جب کسی ایک مخصوص پروگرام میں ایک فائل تیار کی جاتی ہے تو اسے کسی اور کمپیوٹر پر کھولنے کے لئے اس پروگرام کا دوسرے کمپیوٹر پر موجود ہونا عام طور پر لازمی ہوتا ہے ورنہ آپ وہ فائل نہیں دیکھ پائیں گے۔ مثال کے طور پر اگر آپ مائیکروسافٹ پاورپوائنٹ میں ایک پریزینٹیشن تیار کریں اور اسے کسی ایسے کمپیوٹر پر چلانا چاہیں، جس میں پاورپوائنٹ موجود نہ ہو تو ایسا ممکن نہ ہوگا۔ اس مسئلے کا حل اڈوبی سافٹ ویئر والوں نے اڈوبی ایکروبیٹ کی شکل میں پیش کیا ہے۔ ایکروبیٹ ایک ایسا سافٹ ویئر ہے، جو کہ مختلف اقسام کی فائلوں کو تبدیل کر کے اُنھیں **PDF** فورمیٹ میں ڈھال دیتا ہے، اگرچہ اڈوبی ایکروبیٹ ایک کمرشل پروگرام ہے، لیکن اس کے ذریعے بنائی ہوئی **PDF** فائلوں کو دیکھنے اور پڑھنے کے لئے ایکروبیٹ ریڈر نامی پروگرام اڈوبی والے مفت میں تقسیم کرتے ہیں اور یہ انٹرنیٹ پر مُفت دستیاب ہے۔

Adobe Acrobat Reader:

When a file is created in a given application, in many cases that particular file will not open in another package. For example if someone sent you a presentation created in Microsoft PowerPoint, and you did not have PowerPoint on your system, then you would not be able to view it. Software developers Adobe came up with the solution. They created two applications, Acrobat to create and convert other files into a standard called **PDF** (Portable Document Format) and Acrobat Reader, which only reads PDF files. They market the full Acrobat package just like any other commercial package, whereas they freely distribute the Acrobat Reader utility on the Internet. This way, a lot of documents can be exchanged without the compatibility problem.

اینٹی وائرس سافٹ ویئر: اس قسم کے سافٹ ویئر آپ کے کمپیوٹر کو وائرس سے محفوظ رکھتے ہیں۔ وائرس ایک ایسے پروگرام کو کہتے ہیں، جس کا مقصد آپ کے ڈیٹا اور کمپیوٹر کو نقصان پُہنچانا ہوتا ہے۔ یہ اُن لوگوں کی مجرمانہ شرارتیں ہیں، جو کہ کمپیوٹر پروگرامنگ میں مہارت رکھتے ہوں۔ اس سلسلے میں نورٹن اینٹی وائرس، میکافی اور پی سی سلین مشہور ترین پروگرام ہیں جو کہ آپ کے کمپیوٹر کو وائرس کے اثرات سے بچانے میں مدد دیتے ہیں، لیکن میری رائے میں آپ کے ڈیٹا کو محفوظ رکھنے کا بہترین طریقہ بیک اَپ یعنی اس کی کاپی بنا کر کمپیوٹر سے علیحدہ رکھنا ہے اس کے لئے فلاپی ڈسک، بیک اَپ کارٹریجیز (ٹیپ)، سی ڈی رائٹر وغیرہ کا استعمال کیا جاسکتا ہے۔

Anti Virus Software:

Software, which protects your data from those malicious computer programs, called viruses. Norton, Macafee and PC Cillin are the better known packages. Although, they are a good first defense against viruses, I believe the ultimate security is backup up (save on disk, tape or CD). You must back up your important data to ensure all is not lost when some thing unexpected happens to your system.

Keyboard - کی بورڈ

یہاں کی بورڈ کی اہم ترین کیز (Keys) کا مختصر تعارف کروایا جارہا ہے۔ مزید تفصیل کتاب کے مختلف حصوں میں مناسب وقت پر دی جائے گی۔ چند کیز (Key) کو اُن کی کم اہمیت کی وجہ سے نظرانداز کردیا گیا ہے۔

ان کو فنکشن کیز کہتے ہیں ایف 1 سے لے کر ایف 12 تک کی یہ بارہ کیز (Key) مختلف پروگراموں میں مختلف کام دیتی ہیں، لیکن چند ایک کیز تقریباً ہر پروگرام میں ایک مخصوص عمل کے لئے مشہور ہیں، جیساکہ ایف 1 کو مدد کی (Key) جانا جاتا ہے۔ کسی پروگرام میں اس کو دبانے سے آپ کو سکرین پہ اُس پروگرام کے بارے میں اس کے مختلف پہلوؤں کے متعلق مفید ہدایات و معلومات مل سکتی ہیں۔

These 12 keys are known as Function keys and have different functions in different packages. A few are well know for a specific task in any package. F1, for example, is known as the Help key. In most packages, pressing F1 brings on-screen help, which can be useful.

کیپیٹل اور نمبر موڈ کے آن یا آف ہونے کی نشاندہی کے لئے لائیں۔

LEDs to indicate if the Capital or Number lock is on or off

اسکیپ کی۔ کینسل کرنے والی کی۔

Escape key Normally used for cancellations

کورٹی سٹائل کی یہ ترتیب بالکل ٹائپ رائٹر کی طرز پہ ہے اور اس میں ایلفابیٹ اور نمبروں کے علاوہ جمع، تفریق اور بریکٹوں وغیرہ کے نشانات بھی ہیں۔

This main part of the Key board is just like a typewriter laid out in QWERTY style. In addition to letters and numbers, it has punctuation marks and other useful symbols.

ڈیلیٹ اور بیک سپیس کیز۔ یہ مٹانے کے کام آتی ہیں۔

Delete & Back Spece keys for deleting text and

کلکولیٹر کی ترتیب میں نمبروں کی کیز

Numbers Keys in Calculator layout

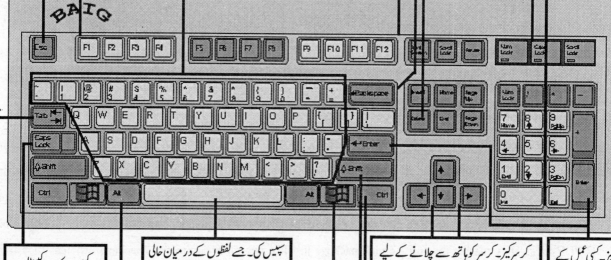

کیپس لاک۔ کیپیٹل (بڑے حروف) لکھنے کے لیے

Caps Lock- to type in CAPITAL letters

سپیس کی۔ جسے لفظوں کے درمیان خالی جگہ ڈالنے کے لئے استعمال کیا جاتا ہے۔

Space key is used to put space between words

کرسر کیز۔ کرسر کو ہاتھ سے چلانے کے لیے

cursor (Arrows) keys for manual cursor movements

انیٹر کیز۔ کسی عمل کے مکمل ہونے پر نئی سطر کے لئے

Enter Keys: To end an action or start of a new line

شفٹ اور کنٹرول کیز۔ دوسری کیز کے ساتھ مل کر مزید کئی مفید کام انجام دیتی ہیں۔

Shift & Control keys: combine with other keys for some more useful functions

اولٹ کی۔ سپیس کی کے بائیں طرف اس کے کئی کام ہیں جیساکہ ونڈوز میں ماؤس کے بغیر کام کرنے کے لیے۔ یہ دوسری کیز کے ساتھ مل کر مزید کئی کام انجام دیتی ہے

Alt key; on the left of space key. It has many uses, such as working menus without the mouse. It also combines with other keys for many more useful functions.

ٹیب کی۔ ایک جگہ سے دوسری جگہ جمپ کرنے کے لئے

Tab key, to jump form one place to the next

ونڈوز کی۔ سٹارٹ بٹن کو بغیر ماؤس کے چلانے کے لئے اور دوسری کیز کے ساتھ مل کر مزید کئی شورٹ کٹس کے کام انجام دیتی ہے۔

Windows key : can lauch Start button without mouse and combines with other keys for some great short cuts

Mouse ماؤس

The most common form of a mouse comes with two buttons, left and right, the most used being the left. Mouse is electronically linked with the PC to put a pointer on the screen which moves inline with the physical movements of the mouse. The pointer is generally an arrow- head or in the shape of the letter I, hence the name I-beam. It can take various other shapes depending on the task being performed.

عام استعمال ہونے والے ماؤس کے دو اہم بٹن ہوتے ہیں۔ دایاں اور بایاں۔ دونوں میں سے بایاں بٹن کثرت سے استعمال ہوتا ہے۔ ماؤس کا پوائنٹر سکرین پر ایک تیر نما شکل میں رونما ہوتا ہے اور اس کا تعلق ماؤس کی حرکت سے منسلک ہے۔ اس کا تیر نما پوائنٹر عبارت کو ترتیب دیتے وقت انگریزی حرف آئی کی شکل اختیار کر لیتا ہے، جسے آئی بیم بولتے ہیں۔ اسی طرح ماؤس کا پوائنٹر مختلف موڈ میں مختلف شکلیں اختیار کر لیتا ہے۔

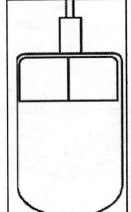

The **left mouse button** is essentially a selection button. You drag the mouse to move its arrow pointer or (i-beam) on the screen and click (a quick pressing down and release) to select in various forms depending what is being clicked. Much under rated is the **Right mouse button.** One of its main functions is to display a small menu, giving you some commands or short cuts relevant to the area you are in at the time.

ماؤس کا بایاں بٹن سکرین پر زیادہ تر چناؤ یعنی سلیکشن کا کام سرانجام دیتا ہے۔ جس سمت آپ ماؤس کو رگڑتے ہوئے حرکت دیں گے اُسی سمت کو سکرین پر ماؤس کا پوائنٹر بھی حرکت کرے گا۔ چناؤ کا عمل ماؤس کے بائیں بٹن کو دبا کر چھوڑنے سے (جسے کلِک کرنا کہتے ہیں) کیا جاتا ہے۔ ماؤس کے دائیں بٹن کو عام لوگ استعمال نہیں کرتے، حالانکہ یہ نہایت ہی کار آمد بٹن ہے۔ اس کو کلِک کرنے سے ایک مینیو سامنے آتی ہے، جس میں آپ ونڈوز یا اس کے کسی پروگرام کے جس حصے میں ہوں وہاں سے وابستہ کئی اہم ترین کمانڈ: شارٹ کٹ کی صورت میں دستیاب ہوتی ہیں۔

You can get mouse with additional buttons performing all sorts of functions. A scroll wheel is one such feature, which is becoming increasingly popular for its ability to scroll up and down the pages of your document.

آج کل دو سے زیادہ بٹنوں والے ماؤس بھی دستیاب ہیں، جن میں سکرول ویل والا ماؤس قابلِ ذکر ہے جس کی مدد سے آپ سکرین پر موجود ڈاکومنٹ کو بآسانی اوپر اور نیچے لے جاسکتے ہیں۔

Printers - پرنٹرز

Three types of printers make up the printer market today. پرنٹنگ کے لئے پرنٹرز کی تین بڑی اقسام ہیں۔

Laser - لیزر

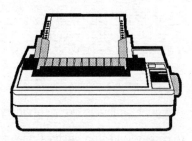

لیزر پرنٹرز دوسرے پرنٹرز سے خریدنے اور چلانے میں قدرے مہنگے ہوتے ہیں لیکن تیز رفتاری، بھاری استعمال اور عُمدہ عبارت (text) کی کوالٹی کی وجہ سے کاروباری اداروں کے لئے آئیڈیل ہوتے ہیں، تاہم تصویری پرنٹنگ میں یہ انک جیٹ جیسی فوٹو کوالٹی والی کارکردگی نہیں رکھتے۔

Laser printers are expensive to buy and maintain but are ideal for speed, quality and bulk printing. They are

Ink Jet - انک جیٹ

گھریلو کمپیوٹنگ کے لئے آئیڈیل پرنٹر ہے، یہ کوالٹی پرنٹنگ میں اپنا ثانی نہیں رکھتا۔ خاص طور پر اس کو اگر ہائی ریزولوشن میں استعمال کرتے ہوئے کوٹڈ پیپر پر پرنٹ کیا جائے تو فوٹو کوالٹی حاصل ہو سکتی ہے۔

Most popular printing concept for home computing. It has no match in quality printing, especially at higher resolutions and particularly in conjunction with coated paper. It can print photo quality images.

Dot Matrix - ڈاٹ میٹرکس

ڈاٹ میٹرکس پرنٹر ٹائپ رائٹر کی طرز کا ایک پُرانا پرنٹر ہے جو کہ اب صرف وہاں استعمال ہوتا ہے جہاں کاربن کاپی پرنٹنگ اور متواتر (roll) سٹیشنری پر پرنٹنگ درکار ہو جیسا کہ کئی کاروباری اداروں میں اب بھی ضروری ہے۔

Dot matrix is an old concept based on typewriter principles but it is still going strong where a carbon copy and continuous stationery is still required, mainly by the businesses.

Other Computing Peripherals - کمپیوٹنگ کے دوسرے اہم آلات

Scanner - سکینر

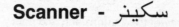

Scanner has become a popular PC peripheral, which enables the user to scan images and text directly into their PC. If it has parallel connections, then it can share the Parallel port of your PC with the printer. However, most of the current generation scanners are USB port compatible only. Most modern PC come with USB port.

سکینر ایک کار آمد آلہ ہے، جس کی مدد سے آپ تصاویر اور عبارت اپنے کمپیوٹر میں منتقل کر سکتے ہیں۔ یہ دو قسم کی فٹنگ میں دستیاب ہے۔ پیرالل پورٹ اور یو ایس بی پورٹ۔ اگر آپ کا سکینر پیرالل پورٹ والا ہے تو یہ پی سی کی پیرالل پورٹ میں نصب ہو گا لیکن آج کل عام طور پر سکینر USB پورٹ کے ساتھ بنائے جا رہے ہیں۔ اس طرز کے سکینر کے لئے یہ لازمی ہے کہ آپ کے پی سی میں USB پورٹ موجود ہو۔

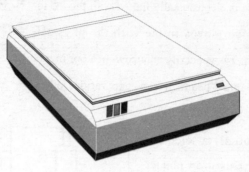

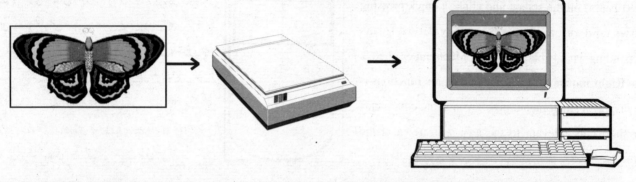

Digital Camera - ڈجیٹل کیمرہ

ڈجیٹل کیمرہ ایک عام کیمرہ کی مانند ہوتا ہے۔ فرق یہ ہے کہ بجائے فلم کے اس میں میمری کارڈ یا ڈسک ڈالی جاتی ہے ڈجیٹل کیمرہ تصویر کو ایک الیکٹرونک فائل کی شکل میں محفوظ کر لیتا ہے۔ اس کے بعد تصاویر کو بآسانی پی سی میں منتقل کر دیا جاتا ہے۔ جہاں تصاویر میں مطلوبہ تبدیلیوں کے بعد انہیں پرنٹ کیا جا سکتا ہے یا ای میل کے ذریعے دنیا کے کسی بھی حصے میں بھیجا جا سکتا ہے۔ یہ سب کچھ چند منٹ کے اندر سر انجام دیا جا سکتا ہے۔ ڈجیٹل کیمرے کی کوالٹی میں گذشتہ چند سالوں میں انقلابی تبدیلیاں آئی ہیں اور اب ڈجیٹل کیمرے تصویر کی کوالٹی کے لحاظ سے روایتی کیمروں کے ہم پلہ ہیں۔

A digital camera is like an ordinary camera with the ablity to capture and store images electoronically in digital format. These pictures are saved on a disk or a memory card and transferred to the PC to be manipulated , printed, or emailed across the world - all within a few minutes. Digital Cameras started life with relatively- poor picuture quality up till even recently. Now, the advancing technology has put the digital camera on par with its conventional counterpart. Cameras with 4 mega pixel resolution are quite common now.

CD Writer - سی ڈی رائٹر

سی ڈی رائٹر نہ صرف ایک عام سی ڈی رام کی طرح کام کرتا ہے، بلکہ اس میں ڈیٹا اور موسیقی والی سی ڈی کو سی ڈی ڈسک پر ریکارڈ کرنے کی اہلیت بھی ہوتی ہے۔ یہ ایک مکمل سی ڈی کی کاپی بھی بنا سکتا ہے لیکن شائد اس کی سب سے اہم خوبی یہ ہے کہ یہ آپ کے کمپیوٹر کا ڈیٹا ایک سی ڈی ری رائٹر ڈسک پر اُسی طرح لکھ اور مٹا سکتا ہے، جس طرح کہ ایک فلاپی ڈسک پر

CD-Writer works very much like an ordinary CD drive with the added benefit of writing music and data CDs. Not only that, it can also write and erase data to and from a special Re-writeable CD

DVD Rom - ڈی وی ڈی رام

ڈی وی ڈی رام بڑی تعداد میں ڈیٹا ایک ڈسک کی شکل میں اکٹھا کرنے کی تازہ ترین ایجاد ہے۔ ایک ڈی وی ڈی میں تقریباً 30 سی ڈی کے برابر جگہ ہوتی ہے۔ ڈی وی ڈی کو زیادہ تر فلموں کے لئے استعمال کیا جا رہا ہے لیکن مستقبل قریب میں ڈی وی ڈی رائٹر کی آمد پر یہ سی ڈی رام اور سی ڈی رائٹر کی جگہ لے لے گی۔

DVD-Rom is the latest effort to put a very large amount of data on a single disk. Its capacity is an equivalent of 30 CDs. Currently used mainly for movies, DVD will eventually replace the ordinary CD drives and CD Writers with its re-writeable version.

Commonly Used Computing Terms کمپیوٹنگ کی اصطلاح میں عام استعمال ہونے والے الفاظ

The following collection should be helpful to understand some of the most commonly used PC jargon

یہاں کمپیوٹنگ کی اصطلاح میں عام استعمال ہونے والے الفاظ کی مختصر تفصیل دی جارہی ہے۔

ASCII - (pronounced Aski) American Standard Code for Information Interchange: A standard cross-platform coding system for characters in computer systems.

اے ایس سی سی آئی (اسکا تلفظ ایسکی ہے) اور یہ کمپیوٹر پر حروف اور ہندسوں کی کوڈنگ کو ترتیب دینے کا ایک نظام ہے۔

Bandwidth: A measure of the information carrying capability of a line or channel

بینڈ وِیتھ: یہ ٹیلیفون لائنوں کی ڈیٹا کی ترسیل میں اُن کی صلاحیت کا ایک پیمانہ ہے۔ جیسا کہ ایک ڈجیٹل لائن ایک عام اینالاگ لائن سے قدرے بہتر صلاحیت کی حامل ہوتی ہے۔

BCC - **Blind Carbon Copy**: An e-mail copy sent to a given address without the other recipients knowing about it.

بلائنڈ کاربن کاپی: ایک ای میل کی اُس کاپی کو کہتے ہیں جس کے بھیجے جانے کا علم اُسی ای میل کے دوسرے وصول کرنے والوں کو نہ ہو۔ یہ سہولت تقریباً ہر ای میل پیکیج میں موجود ہے۔

Bios - **Basic Input-Output System**: Stored on a permanent ROM chip, which allows the PC to interface to its keyboard, screen and disks. This also stores a set of instructions needed to boot up an operating system.

بائیس۔ بیسک ان پُٹ آوٹ پُٹ سسٹم: ایک چپ کی شکل میں ہر کمپیوٹر میں موجود ہوتا ہے۔ کمپیوٹر کو بند کر دینے کے بعد بھی اس میں ضروری ہدایات محفوظ رہتی ہیں۔

Boot Disk: A floppy disk, which has necessary files on it to enable a computer to start up when it's hard drive is not functioning properly.

بوٹ ڈسک: ایک ایسی ڈسک جس پر کمپیوٹر میں خرابی کی صورت میں اس کو سٹارٹ کرنے کے لئے ضروری فائلیں موجود ہوں۔

Boot-Up: This simply means the starting process of your computer. Just like you put the boots on when you go out!

بوٹ اپ: اس سے مراد کمپیوٹر کو سٹارٹ کرنا ہے جیسا کہ آپ کہیں جانے سے پہلے بوٹ پہنتے ہیں۔

Burning: Another term for writing CDs in a CD-Writer.

برننگ: ایک سی ڈی کی سی ڈی رائٹر کے ذریعے کاپی کرنے کے عمل کو کہتے ہیں۔

Card: Many computer peripherals are referred to as such. Sounds like some hard type of paper doesn't it? These are actually circuit boards to be precise. Examples are Graphic cards, Sound cards and modems.

کارڈ: کمپیوٹر کے کئی اجزاء کو کارڈ کہا جاتا ہے جیسا کہ گرافک کارڈ اور ساؤنڈ کارڈ۔ یہ کارڈ بورڈ کی مانند پلاسٹک کے سرکٹ بورڈ ہوتے ہیں، جو کہ کمپیوٹر میں مختلف کام سرانجام دیتے ہیں۔

CC - Carbon Copy: As the name suggests, it is an e-mail copy sent to others as well as to the main recipient.

سی سی۔ کاربن کاپی: آپ جب ایک ای میل بھیجتے ہیں تو اس کی ایک کاپی کسی تیسرے فرد کو بھی بھیجی جاسکتی ہے ایسی ای میل کو کاربن کاپی کہتے ہیں جو ایک سے زیادہ افراد کو بھی بھیجی جاسکتی ہے۔

CD-R CD Recordable: Term to describe the CD media which can only be used for recording once - like an LP.

سی ڈی۔ آر: یعنی سی ڈی ریکارڈ ایبل۔ یہ اس سی ڈی کو کہتے ہیں جو کہ صرف ایک دفعہ ریکارڈ کی جاسکے جیسا کہ ایک ریکارڈ پلیئر پر چلنے والا ایل پی جس پر صرف ایک ہی ریکاڈنگ ممکن ہوتی ہے۔

CD-RW - CD ReWritable: CD media, which can be used for recording time and again - like video cassettes.

سی ڈی۔ آر ڈبلیو: یعنی سی ڈی ری رائٹ ایبل۔ یہ اس سی ڈی کو کہتے ہیں جسے بار بار ریکاڈنگ کے لئے استعمال کیا جاسکے جس طرح وڈیو یا آڈیو کیسیٹ وغیرہ۔

Clipboard: Computer's temporary area where it stores anything you cut or copy to paste somewhere else.

کلپ بورڈ: کمپیوٹر کی میمری میں وہ عارضی جگہ جہاں کاپی کیا ہوا یا کاٹا ہوا ڈیٹا سٹور کیا جاتا ہے، جسے آپ پیسٹ کی مدد سے کہیں اور منتقل کرسکتے ہیں۔

Compression: The process of compacting a file to make it smaller in size for easier transfer and storage. This is done by compression software like Winzip. The process is reversed when the file is needed again.

کمپریشن: کسی فائل کے سائز کو وِن زپ جیسے سافٹ ویئر کی مدد سے دبا کر کم کرنے کے عمل کو کہتے ہیں۔ اس طرح فائلوں کی منتقلی میں آسانی رہتی ہے بالخصوص انٹرنیٹ پر۔

Crash: When a computer is not responding it is said to be crashed.

کریش: کمپیوٹر کی اُس حالت کو کہتے ہیں، جب یہ اچانک کام کرنا بند کردے۔

Commonly Used Computing Terms - 2- کمپیوٹنگ کی اصطلاح میں عام استعمال ہونے والے الفاظ

Default: A setting or a choice already selected by the computer, which, in most cases, can be changed. Example; When you load up windows, the background is preset by Microsoft, which you can change if you wanted to.

ڈی فالٹ: ایک ایسی سیٹنگ یا چناؤ جو کمپیوٹر میں پہلے ہی سے موجود ہو اور جسے عام طور پر استعمال کرنے والے کی مرضی کے مطابق تبدیل کیا جاسکتا ہو۔

Desktop: Windows main screen where you have 'My computer', 'Recycle Bin' and your program shortcuts.

ڈیسک ٹاپ: ونڈوز کی پہلی سکرین جہاں مائی کمپیوٹر، ری سائیکل بن اور آپ کے پروگراموں کی شارٹ کٹس ہوتی ہیں۔

Dialogue Box: This is a box in windows (a smaller window), which gives you a choice of actions to select from.

ڈائیلاگ باکس: یہ ونڈوز میں اس باکس کو کہتے ہیں جو کہ آپ کو مختلف یا ایک سے زیادہ اعمال میں سے مُفید ترین کو چننے کا موقع دیتا ہو۔

Directory: This is the main folder under which sub-folders (sub-directories) or/and files relevant to it are stored.

ڈائریکٹری: اسے فولڈر بھی کہتے ہیں اور اس کے اندر سب فولڈر (سب ڈائریکٹری) اور فائلیں سٹور کی جاتی ہیں۔ یہ مختلف پروگراموں کی فائلوں کو علیٰحدہ علیٰحدہ رکھنے کے لئے ہوتی ہیں۔

Drive: Computer's storage components (Hard drive, floppy drive, and CD-ROM drive). This could also mean one of the partitions (see partition) on your computer's storage Hard drive (C drive, D drive and so on).

ڈرائیو: کمپیوٹر کا ڈیٹا سٹور کرنے اور اس کی منتقلی کرنے والے اجزاء جیسا کہ ہارڈ ڈرائیو، فلاپی ڈرائیو اور سی ڈی رام ڈرائیو۔ یاد رہے کہ کمپیوٹر کی ہارڈ ڈرائیو پر پارٹیشن کو بھی ڈرائیو کہتے ہیں۔

Driver: A piece of software which enables Windows to recognise peripherals like modems, sound cards, printers and scanners etc. Such peripherals would not work properly without the appropriate driver software.

ڈرائیور: ایک سافٹ ویئر جو کہ آپریٹنگ سسٹم کو اس کے اہم آلات (موڈم، ساؤنڈ کارڈز اور پرنٹرز وغیرہ) سے رابطہ کرنے میں مدد کرتا ہے اور جس کے بغیر یہ ٹھیک طرح کام نہیں کر سکتے۔

File: An item created in a computer package, e.g. a letter or a picture. Files come in many different formats.

فائل: کسی کمپیوٹر پیکیج میں تیار کئے گئے آئٹم کو فائل کہتے ہیں۔ یہ ایک خط بھی ہو سکتا ہے اور ایک تصویر بھی۔ فائلوں کی کئی اقسام ہوتی ہیں۔

Fire Wall: Software Security device preventing unauthorised outside access to a network.

فائیر وال: سافٹ ویئر کی شکل میں ایک حفاظتی نظام جو کہ ایک نیٹ ورک کو غیر قانونی پر بیرونی رسائی سے محفوظ رکھتا ہے۔

Folder: A storage place for files, this could be a main directory or a sub-directory - they are all folders.

فولڈر: ایک طرز کی فائلوں کو علیٰحدہ رکھنے کے لئے ایک مخصوص جگہ۔ یہ ایک ڈائریکٹری بھی ہو سکتی ہے اور ایک سب ڈائریکٹری بھی۔ یہ سبھی فولڈرز کہلاتے ہیں۔

Fonts: Many different text styles offered by most Windows packages.

فانٹس: کمپیوٹر کے پروگراموں میں عبارتی تحریر کے مختلف انداز۔

Format: To format a disk (Floppy or Hard Disk) means to clean it all up (this wipes all previous data on it!) to prepare it to be used (new) or reused afresh. Never format a hard disk until you really know what you are doing.

فورمیٹ: ایک ڈسک کو مکمل طور پر صاف کر کے اسے دوبارہ استعمال کے قابل بنانے کے عمل کو فورمیٹ کہتے ہیں۔ یہ عمل ڈسک پر تمام ڈیٹا کو مکمل طور پر صاف کر دیتا ہے۔

Freeware: Software publicly available (From the Internet etc.) for use free of charge. Also see 'shareware'.

فری ویئر: انٹرنیٹ وغیرہ پر مُفت میں دستیاب کمپیوٹر سافٹ ویئر۔ اس سلسلے میں شیئر ویئر کو بھی دیکھئے۔

FTP - File Transfer Protocol: Used for the transfer of programs or files from one host on the Internet to another computer. Such transfer requires a specific FTP software application such as CuteFTP or AceFTP.

ایف ٹی پی: (فائل ٹرانسفر پروٹوکال) انٹرنیٹ کے ذریعے ایک کمپیوٹر سے دوسرے کمپیوٹر تک فائلوں یا ڈیٹا کی منتقلی۔ اس مقصد کے لئے ایک مخصوص سافٹ ویئر کی ضرورت ہوتی ہے۔

GUI - Graphical User Interface: Menu-driven graphical computer software such as Windows as opposed to DOS.

جی یو آئی: (گرافک یوزر انٹرفیس) ایک ایسے آپریٹنگ سسٹم کو کہتے ہیں، جو کہ تصاویری مینیوز کی مدد سے چلایا جائے جیسا کہ ونڈوز نہ کہ ڈاس جو کہ کمانڈ لائن آپریٹنگ سسٹم تھا۔

Commonly Used Computing Terms - 3- کمپیوٹنگ کی اصطلاح میں عام استعمال ہونے والے الفاظ

Homepage: Another name for a personal website - also the opening page of a website.

ہوم پیج: عام طور پر اس سے مراد ایک انفرادی ویب سائٹ ہے، علاوہ ازیں ایک ویب سائٹ کی پہلی سکرین کو بھی ہوم یا ہوم پیج کے نام سے جانا جاتا ہے۔

HTML- Hyper Text Markup Language: The coding language used to create pages you see on the Internet.

ایچ ٹی ایم ایل (ہائپر ٹیکسٹ مارک اپ لینگوئج): یہ اس پروگرامنگ زبان کا نام ہے، جسے انٹرنیٹ کے صفحات کی تشکیل وترتیب کے لئے استعمال کیا جاتا ہے۔

Hyperlinks: These are the 'sensitive' parts of a web page clicking which will take you to a relevant page within that website or another website. Hyperlinks can be text or images.

ہائپر لنکس: یہ انٹرنیٹ کے ایک صفحے پر وہ عبارت یا تصاویر ہیں، جن پر کلِک کرنے سے آپ کو کسی اور صفحے، تصویر یا ویب سائٹ کی طرف لے جایا جاتا ہے۔

IDE - Intelligent Drive Electronics: These along with Enhanced IDE are the most commonly used disk drives.

آئی ڈی ای (انٹیلی جنٹ ڈرائیو الیکٹرونکس): یہ سٹوریج کے لئے کثرت سے استعمال ہونے والی موجودہ دور کی ہارڈ ڈرائیو کا ایک اسٹینڈرڈ ہے۔ انہانسڈ آئی ڈی ای بھی اسی کی ایک جدید قسم ہے۔

ISDN: Integrated Services Digital Network: Faster digital telecomm connection than standard phone line connection.

آئی ایس ڈی این (انٹیگریٹیڈ سروسز ڈیجیٹل نیٹ ورک): عام ٹیلی فون لائن سے زیادہ تیز رفتار انٹرنیٹ کنیکشن۔

Java: Programming language originated by Sun Microsystems.

جاوا: ایک پروگرامنگ زبان جسے سن مائیکروسسٹم نے تجدید کیا۔

LCD - Liquid Crystal Display: a kind of compact screen like the one used for laptops.

ایل سی ڈی: (لیکوڈ کرسٹل ڈسپلے): ایک ہلکی اور پتلی نوعیت کی کمپیوٹر سکرین جسے لیپ ٹاپ اور جدید طرز کے ڈیسک ٹاپ مانیٹر کے طور پر استعمال کیا جاتا ہے۔

Lock-up:This is when your computer 'freezes' and you can not get any response through mouse or keyboard. You should try to get out of this through Warm Bootup (see Warm boot-up). Switching off should only be the last resort.

لاک اپ: کمپیوٹر میں کسی عارضی خرابی کی وجہ سے اس کا رک جانا۔ ایسی صورت میں وارم بوٹ کا طریقہ آزمانا چاہیئے اور سوئچ آف کو صرف آخری حربے کے طور پر استعمال کرنا چاہیئے۔

OCR - Optical Character Recognition: A procedure used to scan text via a scanner using special software to take the text into word processor in an editable text form rather than in an image form.

او سی آر (آپٹیکل کیریکٹر ری کگنیشن): کاغذی تحریر کو سکینر کی مدد سے ایک تصویری شکل کی بجائے عبارتی حالت میں کمپیوٹر کے ایک ورڈ پروسیسر میں منتقل کرنے کے عمل کو کہتے ہیں۔

Partition: A large hard disk is more efficient if it is divided into two or more smaller divisions called partitions. Each partition becomes a separate drive within the physical mechanism of the hard disk.

پارٹیشن: ایک بڑی ڈسک ڈرائیو کو دو یا تین حصوں میں تقسیم کر کے اسے زیادہ کار آمد طریقے سے استعمال کیا جا سکتا ہے۔ ایسی ہر پارٹیشن ایک علیحدہ ڈرائیو کی حیثیت اختیار کر لیتی ہے۔

Path: Route to a file through drives, directories or folders.

پاتھ: ایک فائل تک رسائی کا راستہ (ڈرائیو، ڈائریکٹری یا فولڈر فائل)۔

PCI: Standard for PC peripherals like sound & graphic cards, this superceded the older ISA type of such devices.

پی سی آئی: کمپیوٹر کارڈ جیسا کہ ساؤنڈ اور گرافک کارڈز کا ایک اسٹینڈرڈ ہے، اس نے پرانی قسم کے آئی ایس اے طرز کے ایسے اجزا کی جگہ لی۔

PCMCIA - Personal Computer Memory Card International Association: Standard for credit-card size adapters for laptop computers e.g. memory cards, modems, network adapters etc.

پی سی ایم سی آئی اے۔ (پرسنل کمپیوٹر میمری کارڈ انٹرنیشنل ایسوسی ایشن): لیپ ٹاپ میں استعمال ہونے والے کریڈٹ کارڈ کے سائز جتنے اجزاء (موڈم اور نیٹ ورک کارڈ وغیرہ) کا اسٹینڈرڈ

Plug and Play (PnP): A term for the PC components which, when installed, get detected by the computer automatically and often configured with minimum effort (theoratically speaking!).

پلگ اینڈ پلے۔ (پی این پی): کمپیوٹر کے وہ آلات جو کمپیوٹر میں انسٹال کرنے کے بعد ایک خودکار طریقے کی مدد سے کم سے کم سیٹنگ کی ضرورت کے ساتھ کام کرنا شروع کر دیتے ہیں۔

Commonly Used Computing Terms - 4- کمپیوٹنگ کی اصطلاح میں عام استعمال ہونے والے الفاظ

POP-Point Of Presence: Location you dial to get on the net پی او پی (پوائنٹ آف پریزینس): انٹرنیٹ کنکشن کے لئے وہ مقام جہاں آپ ڈائیل کرتے ہیں۔

Port: A connecting channel at the back of your PC - e.g. parallel and USB ports to connect printers and scanners.

پورٹ: آپ کے پی سی کے ساتھ کسی آلات کو لگانے کے لئے ایک ساکٹ جیسا کہ پرنٹر یا سکینر کے لئے پیرالل یا یو ایس بی پورٹ۔

Prompt: When computer is waiting for your input, it is said to be prompting you to act. This usually is a Yes/No/Cancel or similar dialogue box prompting you to chose one of the given options.

پرامپٹ: یہ اُس صورتِ حال کو کہتے ہیں جب کمپیوٹر آپ کے ردِ عمل کا انتظار کر رہا ہو، جیسا کہ ایک ڈائیلاگ باکس جس میں سے آپ کو یس / نو / کینسل میں سے ایک کو چننا ہوتا ہے۔

PS2: Originally a range of IBM computers, now the term is associated with the fittings for mice and keyboards onmost modern ATX systems, which are different from the 'serial' fittings on the AT type systems of the recent past.

پی ایس ٹو: یہ کبھی آئی بی ایم کے کمپیوٹروں کی ایک ساخت تھی۔ آج کل اسے ماؤس اور کی بورڈ کی ایک مخصوص فٹنگ سے منسوب کیا جاتا ہے، جو کہ پرانی طرز کے سیریل فٹنگ سے مختلف ہیں۔

Router: A device that forwards data between networks, thus connecting computers and hosts.

روٹر: ایک ایسے آلے کو کہتے ہیں، جو کہ نیٹ ورکس کے درمیان ڈیٹا کی ترسیل اور تقسیم کے کام آتا ہے۔

SCSI: Pronounced 'Scuzzy' , these are a type of data peripherals (CD drives, Hard drives etc.) capable of transferring data at much faster rate than standard peripherals. It requires a SCSI card to connect to a computer.

ایس سی ایس آئی (سکزی): یہ ڈسک ڈرائیوز (سی ڈی، ہارڈ ڈرائیو) کی ایک قدرے تیز رفتار ساخت ہے اور اس کے استعمال کے لئے ایک مخصوص سکزی کارڈ کی ضرورت ہوتی ہے۔

Server: A networked main computer that provides shared resources - documents, files etc, or network service.

سرور: ایک ایسے مرکزی کمپیوٹر کو کہتے ہیں، جو کہ نیٹ ورکس کے ذریعے یک وقت ایک سے زیادہ کمپیوٹروں کو معلومات فراہم کر سکے۔

Shareware: Software publicly available for downloading. However, if the shareware is copied or used, a fee should be paid to the creator of the software. (also See freeware).

شیئر ویئر: ایسا سافٹ ویئر جو خریدنے سے پہلے چلا کر دیکھنے کے لیے مفت میں دستیاب ہو، جبکہ اسکے متواتر استعمال کی صورت میں اس کے پروگرامر کو اس کا معاوضہ دینا درکار ہوتا ہے۔

SIMMs (Single In-line Memory Modules): Older memory chips as opposed to the modern day DIMMS (D=Duel)

سمز (سنگل ان لائن میمری ماجولز): قدرے پرانے 72 پن کی ساکٹ والے میمری چپ جن کی جگہ اب جدید 168 پن والے ڈمز (ڈیول ان لائن میمری ماجول) نے لے لی ہے۔

Sub Directory-(sub-folder) : A directory inside the main directory. سب ڈائریکٹری (سب فولڈر): ایک ڈائریکٹری کے اندر ڈائریکٹری۔

Toggle: This is like an on/off switch With one click, you switch it on and with a second one, you switch it off.

ٹاگل: اس سے مراد آن اور آف کا عمل ہے جو کہ ہاں اور نہیں کے لئے بھی استعمال ہو سکتا ہے یعنی ایک کلک کرنے سے ایک عمل اور دوسری کلک کرنے سے اُسکا متضاد عمل کارونما ہونا۔

Uploading:Transferring files to a remote computer - e.g. uploading of files from your computer to your website.

اپ لوڈنگ: فائلوں کو کسی دُور کے کمپیوٹر تک پہنچانے کا عمل جیسا کہ ایک ویب سائٹ کو تیار کر لینے کے بعد اسے انٹرنیٹ پر منتقل کیا جاتا ہے۔

URL - Universal Resource Locator: The full path leading to a document on the Internet - or simply the address of a website. For example, the URL of my website is **http://www.mabaig.co.uk**

یو آر ایل (یونیورسل ری سورس لوکیٹر) انٹرنیٹ پر کسی ویب سائٹ یا صفحے کی رسائی کے لئے پورا پتہ ۔ جیسا کہ میری ویب سائٹ کا پتہ **http://www.mabaig.co.uk** ہے

USB: Universal Serial Bus: The latest type of PC port for connecting peripherals like mouse, printers, scanners to your system in a more efficient way than the older serial and parallel ports.

یو ایس بی (یونیورسل سیریل بس): آپ کے پی سی سے ماؤس اور پرنٹر وغیرہ کو لگانے کے لئے جدید طرز کی پورٹس جو کہ پرانی قسم کی سیریل اور پیرالل پورٹس سے بہتر کارکردگی کی حامل ہیں۔

Virus: A program created specifically to sabotage computers. These are small programs which can be stealthily attached to emails, small programs and files on the internet to get to your system and corrupt its local files.

وائرس: ایک ایسے پروگرام کو کہتے ہیں، جس کا مقصد ہی کمپیوٹروں کو سبوتاژ کرنا ہوتا ہے۔ یہ پروگرام ای میل اور انٹرنیٹ اور غیر معیاری ذرائع سے حاصل کردہ سافٹ ویئر کے ساتھ آپ کے کمپیوٹر تک رسائی حاصل کر سکتے ہیں اور اس طرح یہ آپ کے کمپیوٹر کے آپریٹنگ سسٹم یا ڈسک کو نقصان پہنچا کر انھیں ناقابلِ استعمال کر سکتے ہیں۔

Warm Bootup:This is the reviving attempt to get out of a **lockup** by pressing Alt, Ctrl and Delete keys at the same time then waiting (patiently!) for the on-screen instructions. A cold bootup is when you start your system from cold.

وارم بوٹ اپ: کسی عارضی خرابی کی وجہ سے کمپیوٹر لاک اپ ہو جانے کی صورت میں آلٹ، کنٹرول اور ڈیلیٹ کی کیز کو بیک وقت دبا کر سکرین پر نمودار ہونے والی ہدایات کے مطابق اس صورتِ حال سے نکل آنے کے عمل کو وارم بوٹ اپ کہتے ہیں جبکہ کولڈ بوٹ اپ کمپیوٹر کو بالکل نئے سرے سے چلانے کو کہتے ہیں۔

Wizard: An automated function within a program to accomplish a task by answering a few questions.

وزرڈ: کمپیوٹر پروگراموں میں کسی کام کی تشکیل کے لئے ایک خودکار طریقہ، جس میں آپ سے چند سوال پوچھے جانے کے بعد اس کام کی تکمیل ہو جاتی ہے۔

WWW (World Wide Web): Basically, hypertext document storage and retreival system - the graphical Internet.

ڈبلیو ڈبلیو ڈبلیو (ورلڈ وائڈ ویب): ہائپر ٹیکسٹ ڈاکومنٹ کی سٹورج اور رسائی کا طریقہ یعنی کہ آپ کا با تصاویر انٹرنیٹ۔

Zip: A method of compressing files to make them smaller in size - Unzip is to decompress such files for re-use.

زِپ: کمپیوٹر کی بڑی فائلوں کے سائز کو دباؤ اور نچوڑ کے طریقے سے کم کرنے کے عمل کو زپ کہتے ہیں جبکہ ایسی فائلوں کو دوبارہ استعمال کرنے کے لئے کھولنے کے عمل کو اَن زپ کہتے ہیں۔

اور کچھ ایموٹیکان بھی . . . . . . and some Emoticons

Emoticons are icons expressing emotions. These are often used in emails and on-line chatting to make the conversation more meaningful and fun. Personally, I prefer the use of plain written English rather than the emoticons but they do have an element of usefulness. Emoticons come in two forms. One is graphical, which are mentioned in the email section of this book, and the other form is created by using keyboard symbols. Here are the most used examples. I am sure you can create your own - but do not waste too much time on things like this and get on with the book!!

ایموٹیکان اُن تصاویر کو کہتے ہیں جو کہ انسانی جذبات کی ترجمانی کریں۔ ان کو ای میل اور ان لائن چیٹ کے لئے استعمال کیا جاتا ہے۔ ذاتی طور پر میں روایتی انداز ہی میں عبارتی پیغامات کو درج کرنا پسند کرتا ہوں لیکن ان کے استعمال کا مفید ہونے سے اختلاف نہیں ہے۔ ایموٹیکان کی دو اقسام ہوتی ہیں ایک تو تصویری طرز کے کارٹون نما گرافکس اور دوسری کی بورڈ کے مختلف کیریکٹر جیسا کہ کولون (:) یا بریکٹ وغیرہ۔ یہاں ان کی کچھ مثالیں دی جا رہی ہیں اور امید ہے کہ آپ ان میں بآسانی اپنی ایجادوں کا بھی اضافہ کر سکیں گے لیکن ان پر زیادہ وقت مت ضائع کیجیے!

Smiley face made up of Colon, minus and Bracket	:-)	مسکراہٹ والے چہرے کا نشان جو کہ کولون، منفی کے نشان اور بریکٹ کی مدد سے بنایا گیا ہے۔
Laughter face made up of Colon, minus and D	:-D	قہقہے والے چہرے کا نشان جو کہ کولون، منفی کے نشان اور ڈی کے ہندسے کی مدد سے بنایا گیا ہے۔
Winking made up of Semi-colon, minus and Bracket	;-)	آنکھ جھپکنے کا نشان جو کہ سیمی کولون، منفی کے نشان اور ڈی کے ہندسے کی مدد سے بنایا گیا ہے۔
No comments with Colon, minus and X	:-X	خاموشی کا چہرہ جو کہ کولون، منفی کے نشان اور ایکس کے ہندسے کی مدد سے بنایا گیا ہے۔
Glum face made up of Colon, minus and Bracket	:-(	ناراضگی کا نشان جو کہ کولون، منفی کے نشان اور بریکٹ کی مدد سے بنایا گیا ہے۔
Smile face with glasses made up of Colon, minus and Bracket	8-)	چشموں اور مسکراہٹ والے کول چہرے کا نشان جو کہ 8، منفی کے نشان اور بریکٹ کی مدد سے بنایا گیا ہے۔
Surprised face made up of an O , Colon and greater than symbol.	>:o	حیرت سے چونک جانے والے چہرے کا نشان جو کہ O، کولون اور greater than کے نشانوں کی مدد سے بنایا گیا ہے۔

8-]
>:o

ونڈوز

اگر کمپیوٹنگ کا نام دنگل ہوتا اور سافٹ ویئر پروگرام پہلوان کہلاتے تو یقیناً ونڈوز کو ایک اکھاڑہ کہا جاتا ہے۔ اس موازنے کا مقصد یہ ہے کہ ونڈوز کا بڑا مقصد ایک ایسا پلیٹ فارم ہے، جس میں پروگراموں کو چلایا جاتا ہے۔ حقیقت یہ ہے کہ کمپیوٹر استعمال کرنے والوں کی اکثریت کو ونڈوز کے متعلق صرف بنیادی معلومات سے زیادہ جاننا ضروری نہیں ہوتا۔ ونڈوز ایک آپریٹنگ سسٹم ہے اور عام طور پر لوگ اس میں چلنے والے پروگراموں ہی کی ٹریننگ پر اکتفا کرتے ہیں۔ لیکن آپ کو ایک مکمل بنیادی تربیّت دینے کی خاطر یہاں ونڈوز کے متعلق مختصر تفصیلات دی جا رہی ہیں۔ یاد رہے کہ ہم کتاب کے مختلف حصوں میں ونڈوز کے بارے میں مزید سیکھیں گے، کیونکہ ونڈوز 98 اس وقت سب سے زیادہ استعمال ہونے والا آپریٹنگ سسٹم ہے اس وجہ سے اس کتاب کے لئے ونڈوز 98 ہی کو استعمال کیا گیا ہے لیکن یہ یاد رکھیئے کہ اگر آپ ونڈوز 98 کی جگہ اس کا کوئی اور ورشن استعمال کر رہے ہیں تو اس کا ہرگز یہ مطلب نہیں ہے کہ یہ کتاب آپ کے لئے کار آمد نہیں ہے۔ اول تو ونڈوز 95، 98، ایم ای اور ونڈوز 2000 کے بنیادی اصول ایک ہی ہیں اور ان تمام آپریٹنگ سسٹم میں چلنے والے دوسرے پروگراموں کے چلنے میں کوئی خاطر خواہ فرق نہیں ہو گا۔ مثال کے طور پر ونڈوز 95، 98، ایم ای اور ونڈوز 2000 بلکہ ونڈوز ایکس پی میں بھی مائیکر سافٹ آفس 98 بالکل ایک ہی طریقے سے چلے گا۔ سافٹ ویئر بنانے والے تو چاہیں گے کہ ہم ہر سال اُن کا نیا ورشن خریدیں لیکن اپنے کمپیوٹر کی ونڈوز کے ورشن یا کسی اور پیکیج کو اس وقت تک مت تبدیل کیجئے جب تک آپ کو یقین ہو جائے کہ آپ جو کچھ کرنا چاہتے ہیں وہ آپکے موجودہ ورشن میں نہیں ہو پاتا۔

If computing was called wrestling and the software programs were known as wrestlers, then Windows would most certainly have been called a ring. It's a platform for hundreds of different applications to run within. The fact is that a lot of people do not have to learn a great deal about Windows as long as they know its basic operations. It is usually the applications running in Windows that people are trained in. However, to give you a sound understanding of modern computing, we will dig a little deeper here too. We will also continue to learn about other Windows elements during the course of the book. The reason Windows 98 was chosen for this book was simple - it is the most widely used operating system in the world despite the introduction of ME, 2000 and now XP and is set to remain so for some time yet. Having said that, there may be many differences between all of these versions, but essentially they remain the same operating systems each with its own set of incremental changes. Even XP would have many of its predecessor's features and functions. The programs, with very few compatibility issues, would run in all of these systems in a similar way. For example, Office 97 applications will run in all of these versions of Windows in a similar fashion. The software producers would want us to change to their latest versions every year. But be smart, don't change for the sake of it. Make sure you change to the latest version of an operating system, or any package for that matter, only when you know the previous version won't do what you want it to do.

Windows

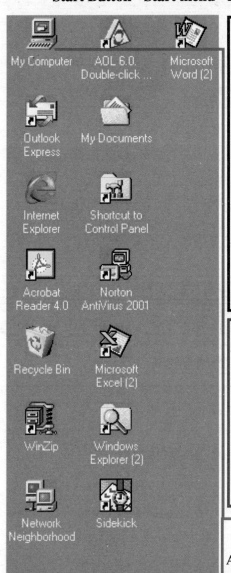

مجھے یقین ہے کہ آپ میں سے اکثریت اس کتاب کو شروع کرنے سے پہلے کمپیوٹر کے بُنیادی استعمال سے آگاہ ہوگی یعنی اسے آن اور آف کرنے کا طریقہ اور پروگراموں کا آغاز وغیرہ لیکن آیئے اس پر بھی ایک سرسری نظر ڈال لیں۔ کمپیوٹر کو آن کرنے کے بعد جب ونڈوز لوڈ ہو جائے تو ونڈوز کی ابتدائی سکرین آپ کے سامنے آجائیگی۔ اس کو ڈیسک ٹاپ بولتے ہیں یعنی کہ جس طرح ایک دفتر میں ایک ڈیسک کا بالائی حصہ ہوتا ہے۔ یہیں پر آپ کے پروگراموں کی شارٹ کٹ آیئکان کی شکل میں پائی جاتی ہیں تا کہ آپ بآسانی اُنہیں یہیں سے کھول سکیں۔

I am sure the majority of you will be aware of the basic operations of a PC but let's take a quick look at it for the benefit of those of you who are relatively new to computing. After switching on your Windows PC, it should load Windows and bring you to its main screen called the **Desktop**. This is where the short-cuts to your programs are placed in the form of small icons to conveniently launch your programs from here.

اس سکرین کے نچلے حصے میں جو پٹی ہے اس کو ٹاسک بار کہتے ہیں۔ یہاں آپ کے استعمال کئے جانے والے پروگراموں کے بارے میں تفصیل دی جاتی ہے۔ اس بار کے دائیں طرف کمپیوٹر کی گھڑی ہے اور بائیں جانب اس کے پروگراموں کا آغاز کرنے کے لئے سٹارٹ بٹن۔

The bottom of this screen is called **Task bar** and it displays current applications running. On the right of this bar is your computer's clock and in the left hand corner is the **Start** button, the gateway to all the programmes running on your system.

ڈیسک ٹاپ پر مائی کمپیوٹر بٹن آپ کے کمپیوٹر میں داخل ہونے کے لئے ایک دوسرا دروازہ ہے۔

Another route to your computer's inner components is **My computer** icon.

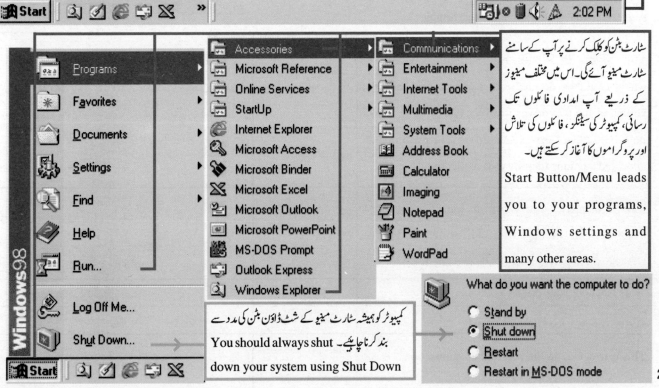

سٹارٹ بٹن کو کلِک کرنے پر آپ کے سامنے سٹارٹ مینیو آئے گی۔ اس میں مختلف مینیوز کے ذریعے آپ امدادی فائلوں تک رسائی، کمپیوٹر کی سیٹنگز، فائلوں کی تلاش اور پروگراموں کا آغاز کر سکتے ہیں۔

Start Button/Menu leads you to your programs, Windows settings and many other areas.

کمپیوٹر کو ہمیشہ سٹارٹ مینیو کے شٹ ڈاؤن بٹن کی مدد سے بند کرنا چاہیئے۔

You should always shut down your system using Shut Down

My Computer - مائی کمپیوٹر

1
2
3

اس کے ذریعے آپ اپنے کمپیوٹر کے مختلف اجزاء کے بارے میں معلومات حاصل کرنے کے علاوہ ان کی سیٹنگز کو بھی حسبِ ضرورت تبدیل کر سکتے ہیں۔ اسے ڈبل کلِک کرنے پر آپ مندرجہ ذیل ونڈو کو کھولیں گے۔ یہاں آپ کے کمپیوٹر کے مختلف اجزاء کے بارے میں معلومات ہیں۔ آپ کی سکرین یہاں دی ہوئی تصاویر (A یا B) سے کچھ مختلف بھی ہو سکتی ہے۔ یہ اس لئے کہ ونڈوز کے زیادہ تر اجزاء استعمال کرنے والے کی مرضی کے مطابق ترتیب دیئے جاسکتے ہیں لیکن ان کا مقاصد اور عمل ایک ہی ہوتا ہے۔ مثال کے طور پر اگر آپ چاہیں تو مائی کمپیوٹر کے نام کو تبدیل کر سکتے ہیں۔ ایسا کرنے کے لئے مائی کمپیوٹر کے آئیکان (تصویر **1**) پر دائیں کلک کیجئے اور سامنے آنے والی مینیو میں سے Rename پر کلک کیجیے۔ مائی کمپیوٹر آئیکان اب (تصویر **2**) کی طرح نظر آئے گا۔ یہاں اپنی مرضی کے مطابق نیا نام ٹائپ کیجیے (تصویر **3**) اور اس کے بعد Enter Key کو دباتے ہوئے اس عمل کو مکمل کیجیے۔ آپ یہی تکنیک دوسرے آئیکان اور فائلوں کے نام تبدیل کرنے کے لئے بھی استعمال کر سکتے ہیں۔ لیکن یہ یقین کر لیجئے کہ جس فائل کا نام تبدیل کیا جا رہا ہو وہ کھلی ہوئی نہ ہو۔

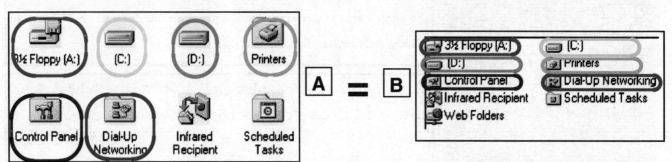

3½ Floppy (A:)
A
B
3½ Floppy (A:)

Another route to your computer's inner components is **My computer** icon. Double click this and you will see the above window open up. The contents of this window could be like Fig **A** or Fig **B** or even slightly different but they are the same in their functionality. You will find that almost all parts of Windows can be customised to the individual preferences of the user. You can even change the name of My Computer Icon. Right click on it and select Rename from the resulting menu. The Icon will look like (Fig 2), type in whatever name you want (Fig 3) and press Enter. You can use this technique to rename other Icons and files - making sure the target file is not being used.

This is your **Floppy Drive** (**A** drive) and as the name suggests it takes three and half inch floppies	**31/2 Floppy (A:)**	یہ فلاپی ڈرائیو ہے، جسے **A** ڈرائیو بھی کہا جاتا ہے ساڑھے تین کا مطلب اس میں استعمال ہونے والی فلاپی ڈسک کا سائز ہے یعنی ساڑھے تین انچ۔
This is your PC's main internal storage Drive **C**: which could be divided into partition or could also be one of the two drives in which case **C**: and **D**: will both be the hard drives. All drives and partitions are allocated a unique identity alphabetically.	**(C:)**	یہ پی سی کی اندرونی ڈرائیو ہے، جس پر ڈیٹا اور پروگرام محفوظ کئے جاتے ہیں۔ اس کو عام طور پر سی (C) ڈرائیو کہا جاتا ہے لیکن اس کو ایک سے زیادہ حصوں میں تقسیم کیا جاسکتا ہے جنہیں پارٹیشن کہتے ہیں اور یہ بھی ممکن ہے کہ کئی کمپیوٹر دو علیحدہ ڈرائیو سے لیس ہوں۔ ہر ڈرائیو یا اس کی پارٹیشن ایک مخصوص حرف سے جانی جاتی ہے۔
This is usually your CD-rom but in a two drive system, or in the case of a partitioned hard drive, CD-rom drive will automatically become **E**:	**(D:)**	**D** ڈرائیو عام طور پر سی ڈی رام ہوتی ہے لیکن پی سی میں دو ڈرائیو ہونے یا پھر ایک ڈرائیو کا پارٹیشن ہونے کی صورت میں یہ ڈرائیو نمبر 2 ہو گی جبکہ ایسی صورت میں سی ڈی رام **E** ڈرائیو کہلائے گی۔
This is where your printer is set up	**Printers**	یہ پرنٹر کو سیٹ اپ کرنے کے لیے ہے۔
See next pages for **Control Panel**	**Control Panel**	کنٹرول پینل ایک اہم حصہ ہے۔ اسے اگلے صفحات پر بیان کیا جائے گا۔
This is to set up an Internet dial up connection.	**Dial-Up Network**	یہاں انٹرنیٹ کی ڈائیلنگ کو سیٹ اپ کیا جاتا ہے۔

Control Panel - کنٹرول پینل

Add/Remove Programs
Display
Keyboard
Modems
Mouse
Network
Sounds

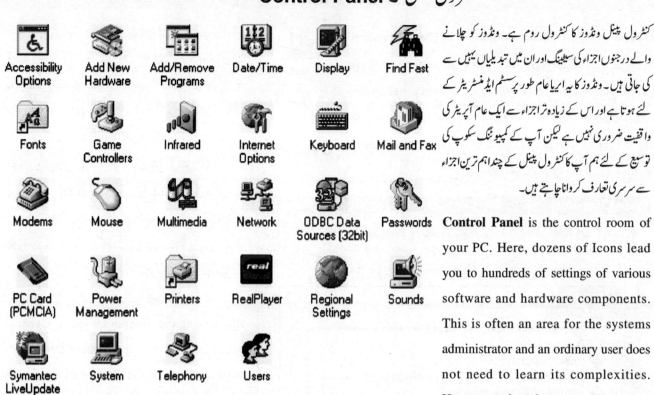

کنٹرول پینل ونڈوز کا کنٹرول روم ہے۔ ونڈوز کو چلانے والے درجنوں اجزاء کی سیٹینگ اور ان میں تبدیلیاں یہیں سے کی جاتی ہیں۔ ونڈوز کا یہ ایریا عام طور پر سسٹم ایڈ منسٹریٹر کے لئے ہوتا ہے اور اس کے زیادہ تر اجزاء سے ایک عام آپریٹر کی واقفیت ضروری نہیں ہے لیکن آپ کے کمپیوٹنگ سکوپ کی توسیع کے لئے ہم آپ کا کنٹرول پینل کے چند اہم ترین اجزاء سے سرسری تعارف کروانا چاہتے ہیں۔

Control Panel is the control room of your PC. Here, dozens of Icons lead you to hundreds of settings of various software and hardware components. This is often an area for the systems administrator and an ordinary user does not need to learn its complexities. However, to broaden you computing scope, we will introduce you to some of the more important of these components in Control Panel.

ایڈ نیو ہارڈ ویئر کے ذریعے آپ کے کمپیوٹر میں کسی نئے آلات (جیسا کہ موڈم وغیرہ) کے اضانے کے بعد اُنھیں چلانے والے سافٹ ویئر کو سیٹ اپ کرنے کے لئے ہے۔

Add New Hardware sets up the software (called Drivers) needed for any additional components (Modems, scanners and printers etc) that you may add to your PC.

Add/Remove Programs

جیسا کہ نام سے عیاں ہے یہ نئے پروگراموں کو انسٹال کرنے اور پرانے غیر ضروری پروگراموں کو پی سی کی ہارڈ ڈرائیو سے مٹانے کے لئے ہے۔

As the name suggests, this adds new programes and uninstall old programes from your hard drive.

Display

Background
Screen Saver
Appearance
Effects
Web
Settings

ڈسپلے میں آپ مانیٹر کی سکرین پر تصویر کو اپنی مرضی کے مطابق ترتیب دے سکتے ہیں یہاں آپ ونڈوز کی سکرین کا پسِ منظر اور سکرین سیوّر اور اسی طرح کے سپیشل افیکٹ چُن سکتے ہیں۔

Here you can chose different settings for the way your screen looks like. You can chose a different background, screen saver and other effects.

Keyboard

اگر آپ کے کی بورڈ کی کچھ کیز کو دبانے سے ان پر پڑا ہوا نشان ٹائپ ہونے کی بجائے کچھ اور ٹائپ ہوتا ہے تو اس کی سیٹنگ دُرست نہیں۔ یہ عام طور پر امریکن اور برطانوی ساخت کے کی بورڈز کے درمیان چند ایک کیز کے فرق ہونے کی وجہ سے ہے جو کہ کی اس ونڈو میں دُرست کیا جاسکتا ہے۔

If you key-in (type) a symbol and the keyboard returns some other character, then your keyboard settings may not be compatible with the origin of your keyboard. Here, you can change these and other settings of your keyboard.

اس ونڈو میں موڈم کی سیٹ اپ کی جاتی ہے۔ یہاں موڈم کو ٹیسٹ کرنے اور اس کے ڈرائیور سافٹ ویئر کو انسٹال یا تبدیل کرنے کے بٹن موجود ہیں۔

Modems

This is to set up your Modem, its properties and to test its signals. You can also install or update Modem's driver software through this window. It also gives you info on what port is being used by the modem.

Mouse

اگر آپ بائیں ہاتھ سے لکھتے ہیں تو شائد آپ کے لئے بائیں ہاتھ سے ماؤس کا استعمال زیادہ بہتر ہو۔ آپ اس ونڈو میں ایسی تبدیلیاں حسبِ ضرورت کر سکتے ہیں۔

If you are left-handed, you can make the mouse left handed in this window amongst other things.

Network

ایک سے زیادہ کمپیوٹروں کا نیٹ ورک بنانے کے لئے ہے تاکہ وہ ایک دوسرے کے آلات اور ڈیٹا کو استعمال کر سکیں۔ اس کے لئے نیٹ ورک کارڈ اور تاریں درکار ہیں۔

For connecting computers using Network cards and cables so that they can share data and peripherals.

Control Panel ۔ کنٹرول پینل

Perhaps the most important window in Control Panel is System, and especially its **Device manager** tab. This gives you useful info on almost every hardware component in your PC. Here you will also find listings on the **Windows version** installed on your system, its **total memory** and the **type of processor**.

System

سسٹم

System

کنٹرول پینل کا اہم ترین حصہ سسٹم ہے اس میں ونڈوز کے ورشن، اس کی میمری اور پروسیسر کی کے متعلق معلومات کے علاوہ پی سی کے دوسرے اہم اجزا کے بارے میں ضروری معلومات درج ہوتی ہیں اور خاص طور پر اس کا Device Manager ٹیب جس میں آپ کے کمپیوٹر کے متعلق کار آمد معلومات موجود ہیں اہمیت کا حامل ہے۔

کنٹرول پینل میں System کے بٹن کو ڈبل کلک کرنے سے System Properties کی ونڈو سامنے آئے گی۔ اس کے Device Manager ٹیب پر کلک کرنے کے بعد View devices by type کے دائرے میں کلک کیجئے تو بائیں جانب نظر آنے والی سکرین سے ملتی جلتی ونڈو سامنے آئے گی۔ یہیں آپ کے کمپیوٹر کے تمام اہم مشینی آلات کی تفصیلات درج ہیں۔

By clicking the **System** button in **Control panel** you come to the **System Properties** window. Click on the **Device Manager** tab and click in the **View devices by type** button and you will see a window similar to the one depicted on the left, listing all of your PC's peripherals.

System Properties
General
Device Manager
Hardware Profiles
Performance
View devices by type
View devices by connection
Computer
CDROM
Memorex CDRW/DVD 6424-4
Disk drives
Display adapters
NVIDIA RIVA TNT2 Model 64/Model 64 Pro
EPSON USB Printer Devices
Floppy disk controllers
Hard disk controllers
Imaging Device
Keyboard
Modem
Olitec Speed'Com 2000 V2
Monitors
Mouse
Network adapters
Properties
Refresh
Remove
Print...
OK
Cancel

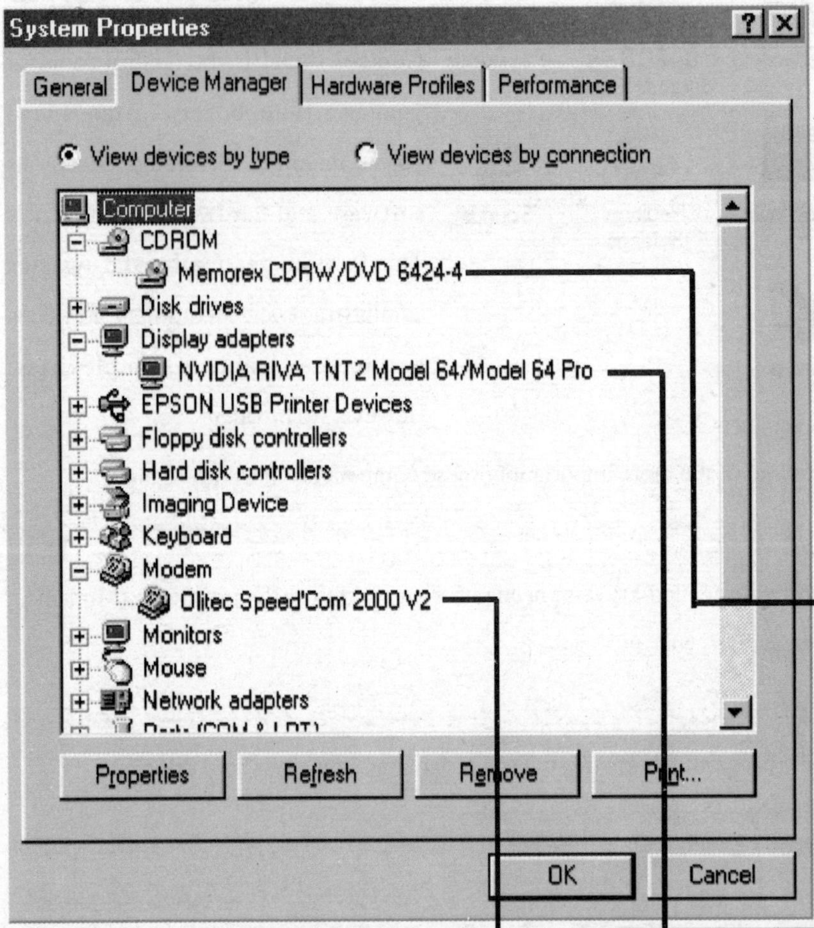

یہاں کمپیوٹر میں استعمال ہونے والی سی ڈی رام کی تفصیلات درج ہیں جن میں اس کی ساخت، طرز اور ماڈل نمبر درج ہے۔

Here, this listing shows the type of CD-rom installed in this computer. It gives details of the make, model and type of the peripheral in use

اسی طرح موڈم کا بھی یہاں نام اور ماڈل وغیرہ موجود ہے جبکہ اس کے بارے میں دیگر تمام معلومات اس کو کلک کرنے کے بعد Properties کے بٹن کو کلک کرتے ہوئے ایک علیحدہ ونڈو میں دیکھا جا سکتا ہے

Similarly, you are given the model of the Modem here. You can find out all the other info about it in the **Properties** window (click the modem name once and then click on the **Properties** button).

Display Adapter آپ کے کمپیوٹر میں گرافک کارڈ کی تفصیلات دیتا ہے۔ گرافک کارڈ آپ کے مانیٹر کو پروسیسر سے ملنے والی ہدایات کے مطابق ڈیٹا کو تصویر میں تبدیل کر دیتا ہے۔ یہاں اس کی پراپرٹیز کی سکرین میں اس کے ڈرائیور سافٹ ویئر کی تفصیل بھی درج ہوتی ہے۔

Display Adapter is another term for Graphic Card, which converts the data from the processor to put the picture on your monitor. In its properties screen, it also gives details of the driver software being used for it.

وارننگ: نوٹ کیجئے کہ جب تک آپ مزید تجربہ حاصل نہیں کر لیتے کنٹرول پینل کے اس حصے میں دی ہوئی سیٹنگ میں کسی قسم کی تبدیلی سے گریز کیجئے۔ ورنہ آپ اپنے لئے مسائل پیدا کر سکتے ہیں اور آپ کی کمپیوٹر سیٹنگ خراب ہو سکتی ہے۔

Warning: Until you have more experience and are sure you know what you are doing it is not advisable for you to change any of the settings in this area of the Control Panel. Or else you may create unwanted problems for yourself.

Windows Explorer ـ 1 ـ ونڈوز ایکسپلورر

ونڈوز ایکسپلورر (اسے انٹرنیٹ ایکسپلورر سے ماخوذ مت کیجئے) ونڈوز کے سب سے زیادہ کار آمد اجزاء میں سے ایک ہے۔ اس کا اہم مقصد آپ کے کمپیوٹر پر موجود فائلوں کی ترتیب و تنظیم ہے۔ ایکسپلورر میں آپ اپنی فائلوں اور ڈائریکٹریوں کو بآسانی کاپی، کٹ، پیسٹ اور ڈیلیٹ یعنی مٹانے کے عمل کو سر انجام دے سکتے ہیں۔ ان فائلوں اور ڈائریکٹریوں کی ازسرِ نو تنظیم بھی اپنی مرضی کے مطابق تشکیل دے سکتے ہیں۔ آپ یہاں اُن فائلوں کی تلاش کر سکتے ہیں جن کے محفوظ کئے گئے مقام کو آپ بھول چکے ہوں۔ آیئے ایکسپلورر کی کچھ اہم خصوصیات کو ایک نظر دیکھیں۔

Windows Explorer (do not confuse it with the Internet Explorer) is one of the most used modules within the Windows operating system. Its main task is to help you organise all that exists on your system - i.e. files. After all, there is nothing else on your system other than thousands of files. Within explorer you can copy, cut, paste and delete files. You can shift them from one location to another. Organise them easily, neatly and quickly in different folders with your preferred hierarchy. You can even use it to find files you can not remember where you saved them. Let's check out some of its most useful functions.

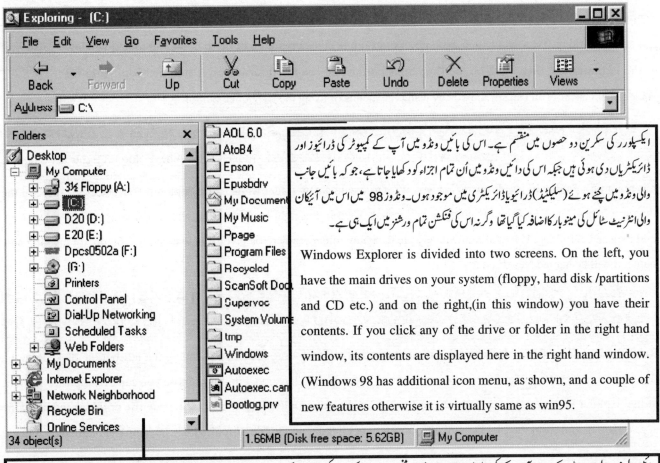

ایکسپلورر کی سکرین دو حصوں میں منقسم ہے۔ اس کی بائیں ونڈو میں آپ کے کمپیوٹر کی ڈرائیوز اور ڈائریکٹریاں دی ہوئی ہیں جبکہ اس کی دائیں ونڈو میں اُن تمام اجزاء کو دکھایا جاتا ہے، جو کہ بائیں جانب والی ونڈو میں چُنے ہوئے (سلیکٹیڈ) ڈرائیو یا ڈائریکٹری میں موجود ہوں۔ ونڈوز 98 میں اس میں آیکان والی انٹرنیٹ سٹائل کی مینو بار کا اضافہ کیا گیا تھا وگرنہ اس کی فنکشن تمام ورشنز میں ایک ہی ہے۔

Windows Explorer is divided into two screens. On the left, you have the main drives on your system (floppy, hard disk /partitions and CD etc.) and on the right,(in this window) you have their contents. If you click any of the drive or folder in the right hand window, its contents are displayed here in the right hand window. (Windows 98 has additional icon menu, as shown, and a couple of new features otherwise it is virtually same as win95.

دائیں طرف والی اس ونڈو کے اجزاء آپ کے کمپیوٹر میں موجود ڈرائیوز پر منحصر ہے جیسا کہ اس کمپیوٹر میں ایک سے زیادہ ہارڈ ڈرائیو اور دو سی ڈی رام موجود ہیں۔ عام طور پر ایک اوسط پی سی میں ایک فلاپی ڈرائیو (جو **A:** کہلائے گی)، ایک ہارڈ ڈرائیو (جو **C:** کہلائے گی) اور ایک سی ڈی رام ڈرائیو (جو **D:** کہلائے گی) ہوتی ہیں۔ اگر آپ کی ہارڈ ڈرائیو دو حصوں میں تقسیم ہے تو دوسرا حصہ **D:** کہلائے گا جبکہ ایسی صورت میں سی ڈی رام پھر **E:** کہلائے گی۔ اگر آپ کی ہارڈ ڈرائیو تین پارٹیشن میں تقسیم ہے تو پھر سی ڈی رام **F:** کہلائے گی۔

Contents of this window will depend on individual computers' specification. This computer, for example, has more than one hard drive and more than one CD drive. Most computers will have one floppy drive (**A**: drive), one hard drive (most likely to be assigned as **C**: drive) and one CD-ROM drive (most likely to be assigned as **D**: drive). Any additional drive will be allocated drive letters in an alphabetical way as can be seen in the above-illustrated case.

ٹپ: ونڈوز ایکسپلورر کئی مختلف طریقوں سے کھولا جا سکتا لیکن میرا پسندیدہ اور آسان ترین طریقہ کی بورڈ پر ونڈوز (Windows key) اور ای (E) والی کیز کو اکھٹے دبانے سے ہے۔

Tip: To access Explorer, you can use the **Start-Programs-Windows Explorer** route or create a shortcut on the desktop, but my favourite method is **Windows key+E** (press Windows key and the E key together)

ونڈوز ایکسپلورر ـ Windows Explorer - 2

ایکسپلورر کی دائیں جانب والی ونڈو میں دی ہوئی فائلوں اور فولڈرز کو مختلف انداز میں دیکھا جا سکتا ہے۔ اس سلسلے میں Views کے بٹن میں دیئے ہوئے مختلف طریقوں کو آزما کر دیکھئے۔ خاص طور پر اس کی Details آپشن میں آپ کی فائلوں اور فولڈرز کے بارے میں مفید معلومات موجود ہیں (جیسا کہ اُن کا سائز، طرز اور تاریخِ اجراء وغیرہ)

Different Views in Explorer: The **Views** button in Explorer lets you chose how you want to view the contents of the selected drive or folder. Select a folder from the left window and experiment with the various view options offered in this button. For example, **Details** option gives you some useful information (size, type and date of creation) on the individual files in the selected folder.

ایکسپلورر میں ایک اور مفید بٹن پراپرٹیز (Properties) ہے۔ اس کی مدد سے آپ کسی بھی چنے ہوئے (سلیکٹیڈ) اجزاء کے بارے میں مزید تفصیلات حاصل کر سکتے ہیں اور اُن کی سیٹنگز کو حسبِ ضرورت تبدیل بھی کر سکتے ہیں۔ ونڈوز 95 استعمال کرنے والوں کے لئے نوٹ: آپ ان بٹنوں کی کمانڈز کو مینیوز کے ذریعے یا بائیں ماؤس بٹن کے ذریعے حاصل کر سکتے ہیں۔

Properties Button: Another useful button which gives you a great deal of information and setting options on just about anything you select within explorer. For example click any folder or drive in the right-hand window of the Explorer and then click on the Properties button and see the information it supplies you. **Note** for Windows 95 users: You can still do this by using the menus or using the right click button.

ایکسپلورر میں نیا فولڈر بنانے کے لئے پہلے بائیں ونڈو میں ڈرائیو یا ڈائریکٹری کا انتخاب کیجئے اور پھر دائیں ونڈو میں ماؤس کا دایاں بٹن دباتے ہوئے مینیو میں سے New کو چنئے اور پھر اگلی مینیو میں سے Folder کا انتخاب کیجئے۔ New Folder کے نام کا نیا فولڈر بن کر آپ کے سامنے آجائے گا اور اب آپ اس کو اپنی پسند کا نام دے سکتے ہیں۔

Create a new folder in Explorer: When you want to create a new folder while using Explorer, first select the drive or the directory where the new folder is going to be located. Then in the right-hand window, right click your mouse, select New and then select Folder. This will immediately create a new folder ready to be given a new name (if you do not give it a new name, it will be named New Folder!).

ایکسپلورر میں فولڈرز یا ڈائریکٹریوں کو آپ بآسانی ایک جگہ سے دوسری جگہ تک گھسیٹ (drag) کر لیجا سکتے ہیں۔ آپ فولڈرز اور فائلوں کی اس طرح کی منتقلی میں مزید آسانی کے لئے ایکسپلورر کی دو کاپیاں بھی کھول سکتے ہیں۔ یہاں آپ کاپی، کٹ، پیسٹ اور ڈیلیٹ کمانڈز کو مطلوبہ فائل یا فولڈر کے اوپر ماؤس کی دائیں کلِک کرتے ہوئے سامنے آنے والی مینیو میں سے چن سکتے ہیں۔

Relocate a file or a folder from one location to another: Simply drag (Click and keeping the left button clicked drag) a file or even a complete folder from its current location to the desired location. For this purpose you can even open two copies of the Explorer for convenience. You can use **Copy**, **Cut**, **Paste** or **Delete** by left clicking on any file or folder and using the appropriate button from the tool bar at the top or by right clicking on the file or folder and choosing the required command from the resulting menu.

ایکسپلورر میں ماؤس کی دائیں کلِک کی مینیو کی مدد سے آپ فائلوں اور فولڈرز کے ناموں میں حسبِ پسند تبدیلی کے لئے Rename کمانڈ بھی استعمال کر سکتے ہیں۔ اگر آپ کے سسٹم پر اینٹی وائرس سافٹ ویئر موجود ہے تو دائیں بٹن کی مینیو میں اس کی کمانڈ موجود ہو گی جو کہ ایکسپلورر میں کسی بھی فولڈر یا انفرادی فائل کو چیک کر سکتی ہے۔ اسی طرح اگر آپ کے سسٹم پر فائلوں کو کمپریس اور ڈی کمپریس کرنے والا سافٹ ویئر موجود ہے تو دائیں بٹن کی مینیو میں اس کی بھی کمانڈ موجود ہو گی اور یہ عمل بھی یہیں سے سرانجام دیا جا سکتا ہے۔

Right Click Menu also offers you the **Rename** command to change the name of files and folders. If you have installed anti virus software on your system, the right click will also offer you the command to do a virus check on the selected file or folder. Similarly, if you have compression software like Winzip installed on the system, the right click menu will also have a command to cater for that.

ونڈوز 98 میں انٹرنیٹ براؤزر کی طرز کے یہ بٹن آپ کو اُن فولڈرز اور ڈائریکٹریوں تک بآسانی دوبارہ رسائی دلاتے ہیں جن کو آپ موجودہ سیشن میں استعمال کر چکے ہوں۔

Windows 98 Explorer has Internet browser style additional buttons to navigate through various folders and directories you have just been through in one session.

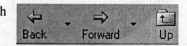

File Formats - فائل فورمیٹس

فائل کسی کمپیوٹر پروگرام میں ترتیب دیئے جانے والے پراجیکٹ کو کہتے ہیں، جیسا کہ ورڈ میں ایک خط کا لکھا جانا یا پھر ایک گرافک پیکیج میں ایک تصویر کا بنایا جانا۔ مختلف پروگراموں کی فائلوں کی مختلف اقسام ہوتی ہیں۔ عام طور پر فائل کے نام کے آخر میں ایک نقطے کے بعد دیئے ہوئے تین حروف اس فائل کی قسم کی نشاندہی کرتے ہیں ان تین حروف کو ایکس ٹینشن کہا جاتا ہے۔ ایک عبارتی فائل کی ایکس ٹینشن **.Txt** ہوگی جبکہ ایک بٹ میپ (تصویر) کی ایکس ٹینشن **.BMP** ہوگی۔

Just like different programs perform different tasks, their files are often different types too. A word-processing programme, for example, would save files in text format and a photo-editing package would save files in a picture format. File names are usually followed by a dot and three letters. These unique three letters are referred to as an extension and this indicates what type of file it is. A text file, for example, has extension .txt and a bitmap graphic would have .bmp as its extension.

Here are some of the most popular file formats. چند اہم ترین اقسام درج ذیل ہیں۔

مائیکروسافٹ ورڈ کی فائلوں کو ڈاکومنٹ کہا جاتا ہے اور ان کی ایکس ٹینشن Doc ہوتی ہے۔

Doc: Microsoft Word files are known as Documents and have the extension **.Doc**

ٹیکسٹ فائلیں تقریباً ہر ورڈ پروسیسنگ پروگرام میں استعمال ہوسکتی ہیں لیکن یہ عام طور پر صرف ایک سادہ طرزِ تحریر تک محدود ہوتی ہیں۔

Txt: These are simple text files and can be read by most word processors.

Htm (ایچ ٹی ایم) یا **Html** (ایچ ٹی ایم ایل) فائلیں انٹرنیٹ کے لئے استعمال ہوتی ہیں۔

Html: (also **Htm**) These are HyperText Markup Language files used primarily for the Internet

زِپ فائل کسی بھی طرز کی فائل کی جسامت یعنی سائز کو کم کرتے ہوئے بنائی جاتی ہے۔ اس فائل کو ایک خاص پروگرام کے ساتھ ترتیب دیا جاتا ہے اور اسی پروگرام کے ساتھ اسے دوبارہ اس کی اصلی حالت میں تبدیل کیا جاتا ہے۔

Zip: These are compressed files. Most file types, regardless of their origin and type can be compressed (compacted to make them smaller, then decompacted when required) using compression software.

Exe (ایکسی) فائل ایک پروگرام کا آغاز کرنے کے لئے استعمال ہوتی ہیں۔ کئی چھوٹے پروگرام صرف اسی ایک فائل پر مشتمل ہوتے ہیں۔

Exe: These are executables, the files which launch a programme or a procedure - like an installation process.

اسی طرح تصاویر اور ڈرائنگ کے لئے بھی مختلف قسموں کے فائل فورمیٹ استعمال کئے جاتے ہیں۔ ان میں سے کچھ تو صرف ایک مخصوص پیکیج ہی تک محدود ہوتے ہیں اور کچھ تقریباً ہر پروگرام میں استعمال ہوسکتے ہیں۔

Graphic files are photos, drawings and images. Some of these are uniquely compatible with one particular package, many others are compatible with a large number of different graphic packages.

Most common Graphics File formats are; تصاویر کے لئے استعمال ہونے والے عام ترین فورمیٹ درج ذیل ہیں؛

جے پیگ (jpg یا jpeg) تصاویر کے لئے کثرت سے استعمال ہونے والا فورمیٹ ہے، جو کہ تصاویر کو کم سے کم میمری استعمال کرتے ہوئے محفوظ کرنے اور اُن کو انٹرنیٹ کے ذریعے منتقل کرنے کے لئے مفید ہے۔

Jpg: (also Jpeg) Probably the most commonly used photo format, Jpegs are compressed photos reduced drastically in size in exchange of relative quality loss.

گف (GIF) طرز کی تصاویر بھی جے پیگ کی طرح کثرت سے استعمال ہونے والا فورمیٹ ہے۔ یہ خاص طور پر انٹرنیٹ اور محرک گرافکس کے لئے مناسب ہوتی ہیں۔

Gif: Another popular photo file format which is extensively used on the Internet and animated graphics.

BMP (بٹ میپ) عام طور پر کارٹون (کلِپ آرٹ) کی طرز کی فائلیں ہوتی ہیں، جن کا پریزنٹیشن اور دیگر پرنٹنگ میں کثرت سے استعمال ہوتا ہے۔

BMP: Known as bitmaps, these are commonly used photos and hand drawn graphics (also known as clip art)

ورڈ

ورڈ غالباً دُنیا میں سب سے زیادہ استعمال ہونے والے سوفٹ ویئر میں سے ایک ہے، جیسا کہ اس کے نام سے ظاہر ہے یہ ورڈ پروسیسنگ کے لئے استعمال ہونے والا پیکج اور مائیکروسافٹ آفس سویٹ کا اہم ترین جزو ہے۔ ورڈ پروسینگ کی تکنیک ٹائپ رائٹر جتنی پرانی ہے لیکن گذشتہ چند سالوں میں ورڈ جیسے پروگراموں نے اس میں حیرت انگیز تبدیلیاں لائی ہیں۔ دُنیا بھر کے دفاتر میں ورڈ کو ہر روز کثرت سے استعمال کیا جاتا ہے۔ یہ ورڈ پروسیسنگ کے لئے اعلیٰ ترین معیار کا پیکج جانا جاتا ہے۔ یہ ورڈ پروسیسنگ کے علاوہ اور بھی کئی کام انجام دیتا ہے۔ درحقیقت یہ کسی حد تک ایک ڈیسک ٹاپ پبلشنگ پیکج کے ہم پلہ ہے۔ اس میں مختلف کاغذات کی تیاری کے علاوہ سی وی، فیکس اور میمو وغیرہ خودکار ٹیمپلیٹ کی مدد سے تیار کئے جاسکتے ہیں۔ اس کو ای میل تیار کرنے اور حتیٰ کہ اسے انٹرنیٹ کے صفحات تیار کرنے کے لئے بھی استعمال کیا جاسکتا ہے جو لوگ کمپیوٹنگ سیکھنا چاہیں ورڈ اُن کی ٹریننگ کے آغاز کے لئے آئیڈیل پیکج ہے۔ اس میں سیکھی ہوئی بنیادی تکنیک کئی دوسرے پروگراموں میں بار بار کام آئے گی۔ اس لئے امید کی جاتی ہے کہ آپ اس پہلے چیپٹر کو خاص طور پر اپنی توجہ کا مرکز بنائیں گے اور یہ بھی امید کی جاتی ہے کہ آپ ورڈ کے بعد دوسرے پروگراموں تک جلد از جلد پہنچنے کے لئے جلد بازی سے کام نہیں لیں گے۔ اس کی کسی بھی مشق کی مکمل طور پر سمجھ نہ آنے پر اُس صفحے کو دوبارہ دوہرائیے۔ آپ دیکھیں گے کہ دوبارہ پڑھنے سے جو چیز چند منٹ پہلے چینی زبان کی کوئی نظم لگ رہی تھی اچانک آپ کی سمجھ میں سمانا شروع ہو جائے گی۔

Word is probably the most used computer software in the world. As the name suggests, it's a package for word-processing and a very important element of the Microsoft Office suite. Word-processing is as old as the typewriter but in recent years, it has been totally transformed by packages like Word. Most of the people working in the offices around the world use Word on daily basis. Word has become an industry standard in word-processing. In fact, it's a lot more than just a word-processor. Word has evolved to bring in so many features that it acts like a desktop publishing package. In addition to the journal duties of word-processing, you can use it to create CVs, fax covers and memos from its automated templates. You can use it as your email editor and even create web pages in it. When people start learning computing, it is an ideal package for their induction into Windows based computing. For this very reason, we are going to start with Word. It has been given a special prominence in this book. So many of its features and functions are going to occur and recur in other packages. Therefore, please pay particular attention to the tutorials through out this chapter and try to contain the temptation of moving too rapidly through it in order to get to the rest of the packages beckoning beyond it. If in doubt, go back and redo the page. A second look sometimes really works wonders in understanding what sounded like Chinese only moments earlier!

WORD

Most Common Features of MS Word - مائیکروسافٹ ورڈ کے اہم ترین اجزاء

اس صفحہ پر ورڈ کی سکرین کے اہم ترین اور سب سے زیادہ استعمال ہونے والے بٹن اور اجزاء سے مختصر تعارف کروایا جا رہا ہے۔ اگلے چند صفحات پر ان کو تفصیلاً سمجھایا جائے گا۔ کچھ بٹن اور اجزاء نظر انداز کر دیئے گئے ہیں جو کہ بنیادی مہارت کے حاصل ہو جانے کے بعد آپ بغیر کسی مشکل یا بیرونی مدد کے خود سیکھ سکیں گے۔ اس سلسلے میں آپ کے لئے ورڈ کی اندرونی مدد (Help) بے حد کار آمد ثابت ہو گی۔ یاد رکھیئے: اگر آپ بھول جائیں کہ ایک مخصوص بٹن کس لئے ہے تو کرسر کو اُس بٹن کے اوپر لے جا کر چند لمحے انتظار کیجیے، بٹن کا نام کرسر کے نیچے بخود بخود نمودار ہو گا۔

Here is a brief introduction to the main M S Word screen and its most commonly used features. A few Buttons have been deliberately left out. The idea is that once you have mastered the basics, you will not have much difficulty learning those other features by using your acquired knowledge and skills and the on-line **Help** within Word.

Note: If you forget what a certain button is for, take your cursor on top of it and wait for a moment - it will tell you!

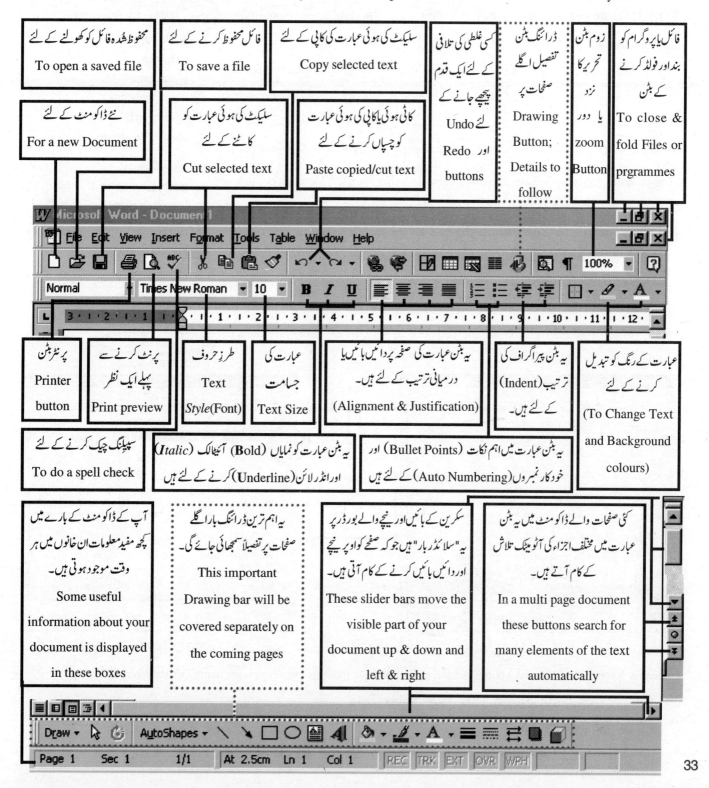

محفوظ شدہ فائل کو کھولنے کے لئے — To open a saved file

فائل محفوظ کرنے کے لئے — To save a file

سلیکٹ کی ہوئی عبارت کی کاپی کے لئے — Copy selected text

کسی غلطی کی تلافی کے لئے ایک قدم پیچھے جانے کے لئے Undo اور Redo buttons

ڈرائنگ بٹن تفصیل اگلے صفحات پر Drawing Button; Details to follow

زوم بٹن تحریر کا نزد یا دور zoom Button

فائل یا پروگرام کو بند اور فولڈ کرنے کے بٹن — To close & fold Files or prgrammes

نئے ڈاکومنٹ کے لئے — For a new Document

سلیکٹ کی ہوئی یا کاپی عبارت کو کاٹنے کے لئے — Cut selected text

کاٹی ہوئی یا کاپی کی ہوئی عبارت کو چسپاں کرنے کے لئے — Paste copied/cut text

پرنٹر بٹن — Printer button

پرنٹ کرنے سے پہلے ایک نظر — Print preview

طرز حروف Text Style(Font)

عبارت کی جسامت Text Size

یہ بٹن عبارت کی صفحہ پر دائیں بائیں یا درمیانی ترتیب کے لئے ہیں۔ (Alignment & Justification)

یہ بٹن پیراگراف کی ترتیب (Indent) کے لئے ہیں۔

عبارت کے رنگ کو تبدیل کرنے کے لئے (To Change Text and Background colours)

سپیلنگ چیک کرنے کے لئے — To do a spell check

(Italic) آئیٹالک (Bold) یہ بٹن عبارت کو نمایاں اور انڈر لائن (Underline) کرنے کے لئے ہیں

یہ بٹن عبارت میں اہم نکات (Bullet Points) اور خود کار نمبروں (Auto Numbering) کے لئے ہیں

آپ کے ڈاکومنٹ کے بارے میں کچھ مفید معلومات ان خانوں میں ہر وقت موجود ہوتی ہیں۔ Some useful information about your document is displayed in these boxes

یہ اہم ترین ڈرائنگ بار اگلے صفحات پر تفصیلاً سمجھائی جائے گی۔ This important Drawing bar will be covered separately on the coming pages

سکرین کے بائیں اور نیچے والے بورڈر پر یہ "سلائیڈر بار" ہیں جو کہ صفحے کو اوپر نیچے اور دائیں بائیں کرنے کے کام آتی ہیں۔ These slider bars move the visible part of your document up & down and left & right

کئی صفحات والے ڈاکومنٹ میں یہ بٹن عبارت میں مختلف اجزاء کی آٹومیٹک تلاش کے کام آتے ہیں۔ In a multi page document these buttons search for many elements of the text automatically

عین ممکن ہے کہ ورڈ کا جو ورشن آپ استعمال کررہے ہیں وہ میرے ورشن سے مختلف ہو لیکن گھبرائیے مت، ورڈ 97 اور ورڈ 2000 میں بنیادی طور پر بہت کم فرق ہے بلکہ آئندہ آنے والے ورشن جیسا کہ ورڈ ایکس پی (XP) وغیرہ میں بھی چند جدید تبدیلیوں کے علاوہ کچھ خاص فرق نہیں ہے، اگر آپ ورڈ 2000 استعمال کررہے ہیں یا آپ کے ورڈ کی سکرین ان صفحات پر دیئے گئے ڈائیاگرام سے مختلف ہو تو نیچے دی ہوئی ہدایات پر عمل کرتے ہوئے اس کو تبدیل کرلیجیے۔

Important Notes - If your opening Word screen looks different, do the followings;

Your version of the Word may not be the same as the one I am using for this book, but do not panic. Most of the buttons, menu items, functions and commands are similar in Office 97 and Office 2000. With a few exceptions, they are very similar in their basic functionality and any future versions, like Office XP, are not likely to change that much in this respect. In fact, the basics have not changed since the early years of Windows word processors. If you are using Office 2000, or your screen looks different than illustrated on these pages, then do the following;

STEP 1: On the very first row (menu bar) at the top

ورڈ کی سکرین کی پہلی سطر اس کی مینیو بار ہے اس پر **Tool** کو کلک کیجئے اور سامنے آنے والی مینیو میں سے **Customise** پر کلِک کیجئے۔ **Customise** کا ڈائیلاگ سکرین پر نمودار ہوگا۔ یہ یقین کرلیجیے کہ Toolbars کی لسٹ میں سے Standard اور Formatting کے خانوں میں ٹھیک کا نشان لگا ہوا ہے۔ جبکہ Menubar میں ٹھیک کا نشان موجود ہے۔ ان تینوں کے علاوہ اگر کسی اور خانے میں ٹھیک کا نشان ہو تو اُسے ماؤس کی کلِک سے ہٹا دیجیے۔ اب اسی باکس میں Options کے ٹیب پر کلِک کیجئے اور اس کے پہلے دو خانوں میں اگر ٹھیک کا نشان ہو تو اُنھیں بھی ہٹا دیجیے۔ اب Close بٹن کو کلِک کرکے اس باکس کو بند کردیجئے۔

of your Word screen, you have a list of categories - this is called Menu Bar. Click on the **Tools** on the menu bar and a menu will drop down. Move down your cursor to **Customise** and click. You will see the box below with a list of all the toolbars available. Make sure that the **Standard** and **Formatting** menus are ticked (click in the box). **Menu bar** is ticked permanently. Untick (by click of your mouse) any others that may have been ticked. **STEP 2:** Now click on the Options tab and make sure the first two boxes are NOT selected (if they are, untick them with mouse click) and close the box by clicking on **Close** button

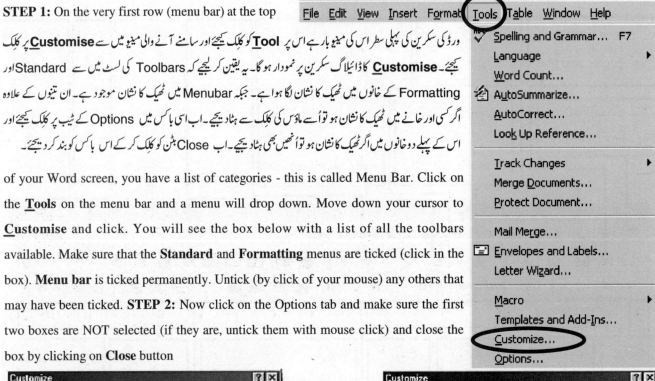

ان کو ٹیب کہا جاتا ہے
These are called Tabs

اس عمل کے بعد چاہے آپ آفس 97 یا آفس 2000 استعمال کررہے ہوں آپ کی ورڈ سکرین نیچے دی ہوئی تصویر کی مانند نظر آئے گی یا پھر کم از کم اس سے ملتی جلتی۔

Once you have done the above, your Word screen should look like this even if you are using Office/Word 2000

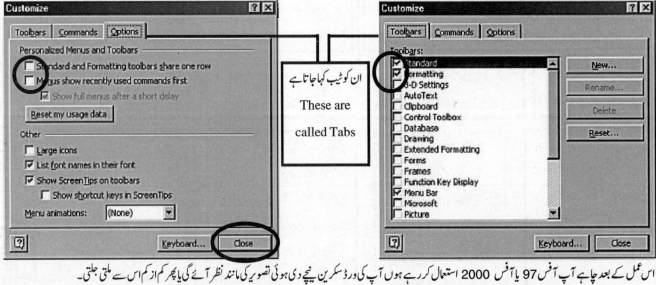

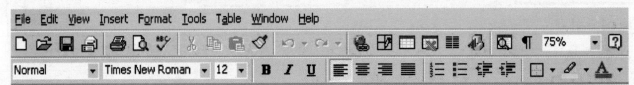

Word Processing with M S Word- مائیکروسافٹ ورڈ کے ساتھ ورڈ پروسیسنگ

نئے ڈاکومنٹ کا بٹن
New Document button

Start بٹن کو آپ Desktop کے بائیں ہاتھ والے نچلے کونے میں پائیں گے۔

You will find the Start button on the bottom left hand corner of the Desktop

The best way to learn computing is to actually do it . We will now start learning word processing by using the buttons you have been briefly introduced to. Turn on your PC. When Windows have loaded, click on the START button. A menu called Start menu will jump up. Move your cursor up to PROGRAMS on the menu, a second menu will appear. Go down to **Microsoft Word** on this second menu and moments later you should get the main screen - Let's go!

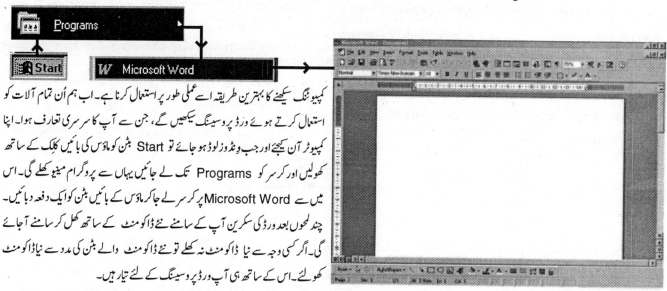

کمپیوٹنگ سیکھنے کا بہترین طریقہ اسے عملی طور پر استعمال کرنا ہے۔ اب ہم اُن تمام آلات کو استعمال کرتے ہوئے ورڈ پروسیسنگ سیکھیں گے، جن سے آپ کا سرسری تعارف ہوا۔ اپنا کمپیوٹر آن کیجئے اور جب وِنڈوز لوڈ ہو جائے تو Start بٹن کو ماؤس کی بائیں کلِک کے ساتھ کھولیں اور کرسر کو Programs تک لے جائیں یہاں سے پروگرام مینیو کھلے گی۔ اس میں سے Microsoft Word پر کرسر لے جا کر ماؤس کے بائیں بٹن کو ایک دفعہ دبائیں۔ چند لمحوں بعد ورڈ کی سکرین آپ کے سامنے نئے ڈاکومنٹ کے ساتھ کھل کر سامنے آجائے گی۔ اگر کسی وجہ سے نیا ڈاکومنٹ نہ کھلے تو نئے ڈاکومنٹ والے بٹن کی مدد سے نیا ڈاکومنٹ کھولئے۔ اس کے ساتھ ہی آپ ورڈ پروسیسنگ کے لئے تیار ہیں۔

Using the keyboard type the following - کی بورڈ کی مدد سے درج ذیل عبارت ٹائپ کیجئے

The quick brown fox jumps over the lazy dog

نوٹ: بڑے حروف یعنی کیپیٹل ٹائپ کرنے کے لئے Shift کی کو دبا کر مطلوبہ حرف ٹائپ کیجئے اور پھر Shift کی کو چھوڑ دیجئے۔

Note: To put in a capital letter, you have to press the SHIFT key at the same time (see Keyboard Map)

Suppose you want to carry out changes on this text (different colour, size or style etc.) To do so, you must Select (highlight) it. Selecting is an easy and very important part of computing. **Method**: Take your cursor to the immediate left of the first letter of the line, press your left mouse button and keep it pressed while you drag it to the immediate right of the last letter of the line, and then let go. It should look like the following;

اگر آپ اس عبارت کو تبدیل کرنا چاہیں (جیسا کہ عبارت کی جسامت، رنگ اور سٹائل وغیرہ) تو یہ ضروری ہے کہ آپ اسے سلیکٹ (ہائی لائٹ) کریں۔ سلیکٹ کرنا ایک آسان اور کمپیوٹنگ کا ایک اہم عمل ہے۔ طریقہ: ماؤس کی مدد سے اپنا کرسر لائن کے پہلے حرف کے عین بائیں طرف لے جا کر ماؤس کی بائیں بٹن کو دبائیں اور متواتر دبائے رکھیں۔ اب ماؤس کو رگڑتے ہوئے کرسر کو دائیں جانب لائن کے آخر تک لے جا کر چھوڑ دیں. آپ کی عبارت نیچے دی ہوئی مثال کی طرح نظر آئے گی; اسے سلیکٹ کرنا کہتے ہیں۔

The quick brown fox jumps over the lazy dog

کیا آپ نے نوٹ کیا کہ ہم نے جو لائن ٹائپ کی ہے اس میں انگریزی حروفِ تہجی (alphabet) کا ہر حرف موجود ہے۔ یہ آپ کی ٹائپنگ کی رفتار کو بہتر بنانے کے لئے مفید ثابت ہو سکتی ہے۔

Tip: Have you noticed something about the sentence **"the quick brown fox jumps over the lazy dog"**? - it has all the letters of the alphabet on your keyboard and is also ideal for typing practice!

Copy, Cut and Paste

کاپی، کٹ اور پیسٹ

We are going to copy this text and paste it several times to create several lines of the same text - make sure you do not click any mouse buttons or keys or else you will loose the selection. Now, click the COPY button on your tool bar, this will put a copy of the selected text in the computer's memory. Take the cursor to the end of the line and click with the left button to take the selection off. Now, press ENTER key on the keyboard to move to the next line and then click the PASTE button - you have instantly created a copy of your text. The text is still in the memory and will remain there until you copy something else. Keep pressing the ENTER key followed by left mouse click on the Paste button to create five more rows. CUT [scissors symbol] works in a similar way but it actually cuts the original rather than copy it. This is useful when you want to cut something and paste it in a different place without leaving the original behind.

ہم اس سطر کی مزید پانچ کاپیاں بنائیں گے۔ اس بات کا خیال رکھیئے کہ ماؤس کے بٹن یا کی بورڈ کی کسی کی کے دب جانے سے سلیکشن اُتر جائے گی۔ اب کرسر کو Copy بٹن پر لے جا کر کلِک کریں۔ بظاہر تو کچھ نہیں ہو گا لیکن سلیکٹ کی ہوئی سطر کمپیوٹر کی یادداشت میں محفوظ ہو جائے گی۔ اب کرسر کو سطر کے آخر میں لے جا کر ماؤس کلک کریں سلیکشن اُتر جائے گی۔ اب Enter کی کو ایک دفعہ دبائیں، کرسر نئی سطر کے آغاز میں چلا جائے گا۔ یہاں ہم نے کاپی کی ہوئی سطر کو چسپاں (paste) کرنا ہے۔ کرسر کو Paste والے بٹن پر لے جا کر کلِک کریں۔ عبارت دوسری سطر میں چسپاں ہو جائے گی۔ اسی طرح کل پانچ سطریں بنالیں۔ (Cut کا عمل [قینچی] بھی اسی طرز کا ہے لیکن فرق یہ ہے کہ Cut آپ کی ہائی لائٹ کی ہوئی عبارت کو کاٹ لیتا ہے جبکہ Copy کا عمل ہائی لائٹ کی ہوئی عبارت کو بغیر کاٹے اُسکی کاپی کر لیتا ہے) آیئے اسے آزمائیں؛ آخری سطر کو ہائی لائٹ کر لیں، پھر Cut بٹن کو کلِک کریں، سلیکٹ شدہ سطر غائب ہو جائے گی۔ اب کرسر کو اسی جگہ رہنے دیں اور Paste بٹن کو کلِک کریں، آپ کی کٹی ہوئی سطر واپس چسپاں ہو جائے گی۔

Text Alignment

ٹیکسٹ الائن منٹ

Next, select the first row again, we are going to make this as the heading of our page. Once selected, press the CENTRE button (circled above) and see the text jump to the centre of the page, I hope this is self-explanatory - you have just centre aligned your heading. The other buttons work in a similar way and I hope their paterns give you a fair idea as to what their purpose is. By all means, try them by clicking on them and observe the results, but do not forget to bring the heading back in the middle and also make sure the text remains selected.

اب ہم پہلی سطر کو اپنی عبارت کی ہیڈنگ یعنی شہ سُرخی میں تبدیل کریں گے۔ اُوپر دیئے ہوئے بٹن سلیکٹ شُدہ عبارت کو دائیں، بائیں اور درمیان میں ترتیب دینے کے کام آتے ہیں۔ تو پہلی سطر کو سلیکٹ کیجئے اور درمیانی ترتیب والے بٹن (اُوپر دائرے میں) کو کلِک کیجئے۔ سلیکٹ شدہ عبارت صفحہ کے درمیان آجائے گی۔ امید ہے کہ آپ اس سلسلے کے باقی تین بٹنوں کا مقصد سمجھ گئے ہوں گے۔ اُن کو کلِک کر کے دیکھئے کیا ہوتا ہے لیکن عبارت کو دوبارہ درمیان میں لانا نہ بھولئے اور یہ بھی کہ سلیکشن ضائع نہ ہونے پائے۔

Bold, *Italic*, Underlined

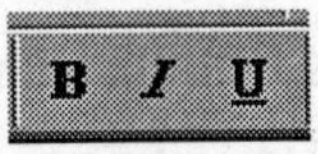

بولڈ، آئٹیلیک، انڈرلائنڈ

Keep the top line highlight, we will make the heading **BOLD**, UNDERLINED and *ITALIC*. Left Click on all three buttons (above) one by one and observe the result each time.

آیئے اس ہیڈنگ کو مزید سنواریں۔ یہ یقین کر لینے کے بعد کہ ہیڈنگ اب بھی سلیکٹ شُدہ ہے، **Bold** کے بٹن کو کلِک کریں۔ عبارت قدرے نمایاں اور موٹی یعنی بولڈ ہو جائے گی۔ اب اس کے ساتھ والا *Italic* بٹن کلِک کریں۔ عبارت ایک ہلکے سے زاویے پر جُھک جائے گی اسے آئی ٹالیک سٹائل کہتے ہیں۔ اب اس سے اگلے بٹن Underline کو کلِک کریں، ہیڈنگ انڈرلائن ہو جائے گی۔

The quick brown fox jumps over the lazy dog

The quick brown fox jumps over the lazy dog

The quick brown fox jumps over the lazy dog

The quick brown fox jumps over the lazy dog

The quick brown fox jumps over the lazy dog

The quick brown fox jumps over the lazy dog

اس فائل کو اب محفوظ کرنے کے لئے اگلے صفحے پر ہدایات دیکھئے۔

To save this file, see instructions on the next page.

File Saving فائلوں کا محفوظ کرنا

کمپیوٹر کی مدد سے کاغذات تیار کرنے کا ایک بڑا فائدہ یہ ہے کہ تیار شدہ کاغذات کو کمپیوٹر کی میمری میں محفوظ کر لیا جاتا ہے اور وقت پڑنے پر اُنھیں دوبارہ سکرین پر لایا جاسکتا ہے بلکہ اُن میں تبدیلی کر کے اُنھیں ایک علیحدہ ڈاکومنٹ کی شکل میں بھی محفوظ کیا جاسکتا ہے۔ ہم نے جو کچھ کیا ہے اُسے اب محفوظ کرنا ہے۔ اس مقصد کے لئے ڈسک کی شکل والا Save بٹن کلِک کریں تو نیچے دیا ہوا ڈائیلاگ باکس سامنے آئے گا۔ درج ذیل ہدایات کو استعمال کرتے ہوئے اپنی فائل کو محفوظ کر لیں۔ ہم اگلے صفحے پر اس عمل کا تفصیلاً جائزہ لیں گے۔

One of the biggest advantages of computer work is that it can be saved to be retrieved at a later date if so required. It can also be altered to create a similar document and then saved as a separate file. We will now save our work to date. Click the disk shaped SAVE button and you will be presented with the following dialogue box. Use the instructions below to save your file for now and we will take a deeper look at this function on the next page.

آپ کی فائل اس خانے میں دیئے گئے فولڈر میں محفوظ کی جا رہی ہے اگر آپ اسے کہیں اور محفوظ کرنا چاہتے ہیں تو اس کے تکون والے بٹن پر کلِک کر کے جس فولڈر میں محفوظ کرنا چاہتے ہیں اُسے چُن لیں (تفصیل اگلے صفحے پر)

This is where the computer is going to save your file. If you want a different location for it, click the little triangle at the end of the **Save in:** box and choose a different location (Details on next page).

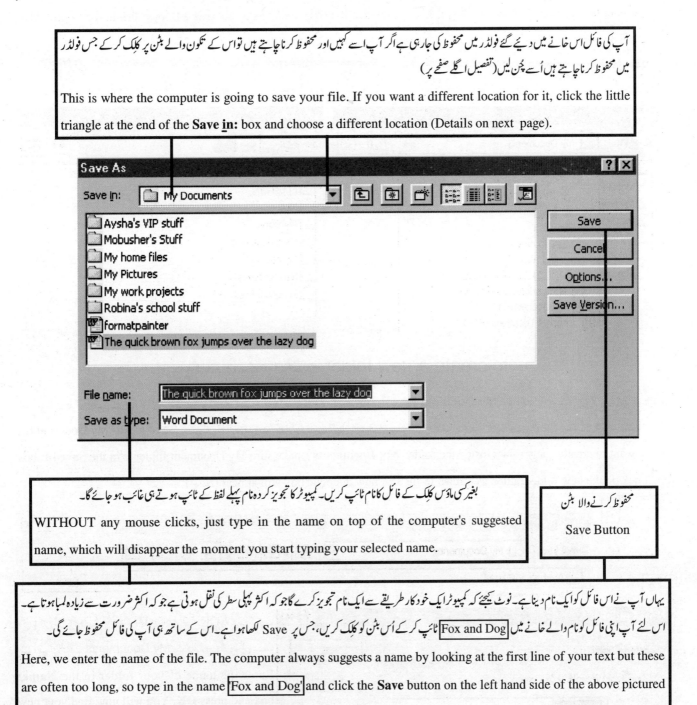

بغیر کسی ماؤس کلِک کے فائل کا نام ٹائپ کریں۔ کمپیوٹر کا تجویز کردہ نام پہلے لفظ کے ٹائپ ہوتے ہی غائب ہو جائے گا۔

WITHOUT any mouse clicks, just type in the name on top of the computer's suggested name, which will disappear the moment you start typing your selected name.

محفوظ کرنے والا بٹن

Save Button

یہاں آپ نے اس فائل کو ایک نام دینا ہے۔ نوٹ کیجئے کہ کمپیوٹر ایک خود کار طریقے سے ایک نام تجویز کرے گا جو کہ اکثر پہلی سطر کی نقل ہوتی ہے جو کہ اکثر ضرورت سے زیادہ لمبا ہوتا ہے۔ اس لئے آپ اپنی فائل کو نام والے خانے میں Fox and Dog ٹائپ کر کے اُس بٹن کو کلِک کریں، جس پر Save لکھا ہوا ہے۔ اس کے ساتھ ہی آپ کی فائل محفوظ جائے گی۔

Here, we enter the name of the file. The computer always suggests a name by looking at the first line of your text but these are often too long, so type in the name 'Fox and Dog' and click the **Save** button on the left hand side of the above pictured **Save as** box. The box will disappear -Your file is saved.

More on File Saving - فائل محفوظ کرنے پر مزید معلومات

جب آپ اپنی فائل کسی ایسے فولڈر میں محفوظ کرنا چاہیں جو **Save in:** باکس میں پہلے سے موجود نہیں ہے تو آپ کو اُسے تلاش کرنا ہوگا۔ پہلے ڈرائیو چنیں جو کہ غالباً :C ہوگی۔ (:C) کے نشان پر کلِک کریں(تصویر1)۔ آپ دیکھیں گے کہ :C اب **Save in:** میں نمودار ہوگی اور اُس میں موجود تمام فولڈرز اُس کے نچلے باکس میں نظر آئیں گے (تصویر2)۔ اگر آپ کا فولڈر یہاں موجود ہے تو اُس پر ڈبل کلِک کر کے اُسے کھولیں۔ اسی طرح آپ اپنی فائلوں اور فولڈرز تلاش کر سکتے ہیں۔ اگر آپ اپنی فائل فلاپی ڈسک پر محفوظ کرنا چاہیں تو فلاپی ڈرائیو میں ڈسک ڈال کر (:A) کے نشان پر کلِک کریں پھر اُسے ایک مخصوص نام دے کر **Save** کے بٹن کو استعمال کرتے ہوئے محفوظ کر لیں۔

When you want to save a file in a folder that is not listed in Save in: box, you have to tell the computer where that folder is. You do this by first selecting the drive. Assuming your desired folder is on the C: drive, click on the C: icon - fig 1. You will see that c: drive now appears in **Save in**: box and its contents are listed below- fig 2. DOUBLE click the folder you want and a similar action will take place. You can navigate this way to find your files and folders.

If you want to save your file on a floppy disk, click the symbol (**A:**) making sure there is a floppy disk in the floppy drive, and then give it a unique name and click on the **Save** button to save it.

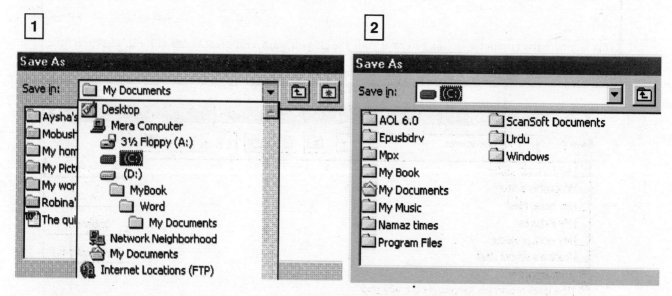

نیا فولڈر بنانے کا طریقہ - to create a new folder

اگر آپ اپنی فائل ایک نئے فولڈر میں محفوظ کرنا چاہیں تو آپ کو نیا فولڈر بنانا ہوگا۔ اگر یہ فولڈر آپ '**My Documents**' کے اندر بنانا چاہتے ہیں تو یہ یقین کر لیجئے کہ 'My Documents' فولڈر **Save in** باکس میں موجود ہو۔ اب نئے فولڈر والے بٹن (تصویر3 دائرے میں) کو کلِک کریں۔ تصویر4 میں دیا گیا ڈائیلاگ باکس سامنے آئے گا۔

If you want to create a new folder inside the folder '**My Documents**', make sure My Document folder is in the **Save in:** box and click on the new folder button as circled in fig 3. A new dialogue box will appear (fig 4).

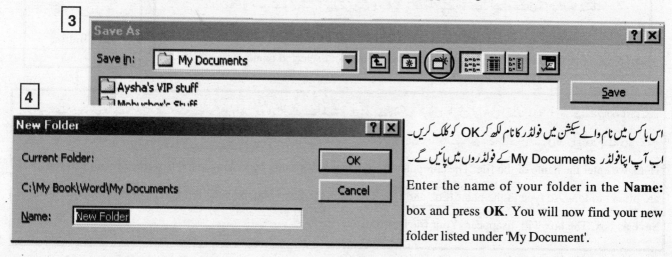

اس باکس میں نام والے سیکشن میں فولڈر کا نام لکھ کر OK کو کلِک کریں۔ اب آپ اپنا فولڈر My Documents کے فولڈروں میں پائیں گے۔

Enter the name of your folder in the **Name:** box and press **OK**. You will now find your new folder listed under 'My Document'.

Opening Files فائلوں کا کھولنا

جیسا کہ میں نے پہلے بھی کہا ہے کہ کمپیوٹر کی مدد سے کاغذات تیار کرنے کا ایک بڑا فائدہ یہ ہے کہ تیار شدہ کاغذات کو کمپیوٹر کی میمری میں محفوظ کر لیا جاتا ہے اور وقت پڑنے پر اُنھیں دوبارہ سکرین پر لایا جاسکتا ہے۔ اب ہم اپنی محفوظ شدہ فائل Fox and Dog کو کھولیں گے۔ اس مقصد کے لئے اوپر دائرے میں دیا جانے والا **Open** بٹن کلِک کریں تو Open ڈائیلاگ باکس سامنے آئے گا۔ پچھلے چند صفحات پر آپ نے اپنی فائل کو محفوظ کرنے کے لئے ایک مناسب فولڈر کی تلاش کی اور شاید آپ نے نیا فولڈر بنانے کا کامیاب تجربہ بھی کیا۔ اب اُسی طریقے سے (جو زیادہ مختلف نہیں) اپنی فائل کی تلاش کر کے اُسے کھولیں۔ گذشتہ صفحوں پر اگر آپ نے فائل کو کامیابی سے محفوظ کر لیا تھا تو اسے تلاش کر کے کھولنے میں دشواری نہیں ہونی چاہیے۔

As I said earlier, one of the biggest advantages of computer work is that it can be saved to be retrieved at a later date. Well, we will now open our saved file Fox and Dog. Click the **Open** button (Circled above) and you will be presented with the Open dialogue box. This is similar to the Save dialogue box. If you successfully managed to save your file, in your newly created folder (perhaps?), then you will not have much difficulty retrieving it.

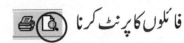

Printing files فائلوں کا پرنٹ کرنا

اگر پرنٹر آپ کے پی سی کے ساتھ لگا ہوا ہے اور اس کی سیٹ اپ مکمل ہے تو پرنٹنگ ایک آسان کام ہے۔ اوپر دیئے ہوئے دو بٹنوں میں سے دائرے والا بٹن پرنٹ کرنے سے پہلے ایک نظر دیکھنے کے لئے ہے، جس سے پتہ چل جاتا ہے کہ عبارت صفحے پر پرنٹ کرنے کے بعد کیسے نظر آئے گی۔ اگر آپ نے اس بٹن کو استعمال کیا تو واپس آنے کے لئے **Close** کا بٹن دبانا ہوگا۔ دوسرا بٹن (پرنٹر کی تصویر والا) پرنٹ کرنے کے لئے ہے۔ اس کو کلِک کرتے ہی پرنٹ ڈائیلاگ بٹن سامنے آجائے گا، جس کے مختلف حصوں کی تفصیل نیچے دی ہوئی تصویر کے ساتھ دی گئی ہے۔

Print buttons are straight-forward. The print Preview button (circled above) is to see the full page of your text as it will be printed. Try it, and to get back to your page afterward, find the **close** button on the preview page and click it. The button with the printer Icon (NOT circled!) is to actually print the document you currently have on screen. When you click this button, the print dialogue box (below) will appear. The **Properties** section would have various controls depending on the type of printer attached to your PC. I hope you do have a printer attached to your PC!!

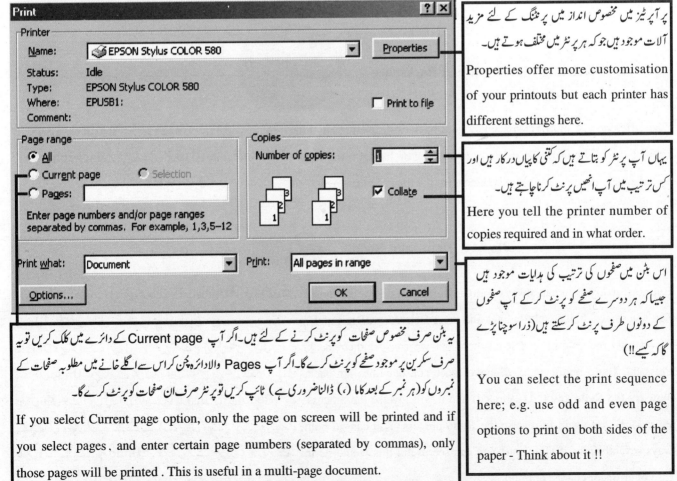

پراپرٹیز میں مخصوص انداز میں پرنٹنگ کے لئے مزید آلات موجود ہیں جو کہ ہر پرنٹر میں مختلف ہوتے ہیں۔

Properties offer more customisation of your printouts but each printer has different settings here.

یہاں آپ پرنٹر کو بتاتے ہیں کہ کتنی کاپیاں درکار ہیں اور کس ترتیب میں آپ انھیں پرنٹ کرنا چاہتے ہیں۔

Here you tell the printer number of copies required and in what order.

اس بٹن میں صفحوں کی ترتیب کی ہدایات موجود ہیں جیسا کہ ہر دوسرے صفحے کو پرنٹ کر کے آپ صفحوں کے دونوں طرف پرنٹ کر سکتے ہیں (ذرا سوچنا پڑے گا کہ کیسے!!)

You can select the print sequence here; e.g. use odd and even page options to print on both sides of the paper - Think about it !!

یہ بٹن صرف مخصوص صفحات کو پرنٹ کرنے کے لئے ہیں۔ اگر آپ Current page کے دائرے میں کلِک کریں تو یہ صرف سکرین پر موجود صفحے کو پرنٹ کرے گا۔ اگر آپ Pages والا دائرہ چُن کر اس سے اگلے خانے میں مطلوبہ صفحات کے نمبروں کو (ہر نمبر کے بعد کاما (،) ڈالنا ضروری ہے) ٹائپ کریں تو پرنٹر صرف ان صفحات کو پرنٹ کرے گا۔

If you select Current page option, only the page on screen will be printed and if you select pages, and enter certain page numbers (separated by commas), only those pages will be printed. This is useful in a multi-page document.

Next, We will push down the five little rows underneath the heading row. Click just before the first letter of the first of the five little rows, and press **ENTER** key. Each time **Enter** is pressed it takes you to the next row. We now have one blank row between heading and the rest of the text.

اب ہم اُن پانچ چھوٹی سطروں کو تبدیل کریں گے، جو کہ سُرخی والی سطر کے نیچے ہیں۔ اِن پانچ سطروں میں سے پہلی سطر کے عین بائیں طرف ماؤس کی بائیں کلِک کر کے کرسر کو سطر کے آغاز میں لے جائیں۔ اب **Enter** والی کی کو دبائیں۔ آپ دیکھیں گے کہ چھوٹی سطریں نیچے چلی گئی ہیں۔ **Enter** کو دبانے سے کرسر اپنی موجودہ جگہ سے ایک سطر نیچے چلا جاتا ہے۔ عبارت میں خالی سطر بھی ایسے ہی ڈالی جاتی ہے۔

Bullet Points and Numbering

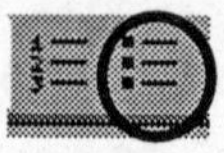

بُلٹ پوائنٹس اور نمبرنگ

Select all five little rows now - you do this by selecting the first row (as explained earlier) and then dragging the mouse downwards **keeping** the left mouse key pressed, until all five rows are selected. When this is done, press the **Bullets** button (circled above). Bullet points are inserted in front of each row - a useful function indeed. Keep them selected and try the numbering button (NOT circled) and see how the rows are numbered automatically. Now click at the end of the last line and press **Enter**, you will see the next number has been put there for you automatically and it will keep doing this every time you press enter. You can remove that 6 or any more numbers you may have, if you pressed **Enter** more than once, by pressing the **Backspace** key (one press at a time). This is one of the two **Delete** keys - the other one says, "**Delete**"!

اب ان پانچ سطروں کو سلیکٹ کریں۔ طریقہ: پہلی سطر کو سلیکٹ کریں اور ماؤس کے بائیں بٹن کو بغیر چھوڑے اسی طرح ماؤس کو نیچے لے آئیں حتی کہ چھ کی چھ سطریں سلیکٹ ہو جائیں۔ اب بُلٹ پوائنٹ والا بٹن (اوپر دائرے میں دیا ہوا) ماؤس سے کلِک کریں۔ ہر سطر کے سامنے بُلٹ پوائنٹ آ جائیں گے۔ اسی طرح اب نمبروں والا بٹن کلِک کریں تو سطروں کے سامنے خود بخود ترتیب وار نمبر لگ جائیں گے۔
اب کرسر کو آخری سطر کے آخر میں لے جا کر **Enter** والی کی کو دبائیں۔ آپ کے لئے اگلا نمبر خود بخود شامل ہو جائے گا اور اب جتنی بار آپ **Enter** پریس کریں گے نئی سطروں کے ساتھ ساتھ بالترتیب نمبر آتے جائیں گے۔ اب **Backspace** والی کی کو پریس کرتے ہوئے نمبر 6 اور مزید ڈالے گئے نمبروں کو مٹا دیں۔ **Backspace** غلطیوں کو مٹانے کے لئے دو قسم کی ایسی کیز میں سے ایک ہے۔ دوسری وُہ ہے جس پر **Delete** لکھا ہوا ہے۔

Deleting with Delete and Backspace

ڈیلیٹ اور بیک سپیس۔ مٹانے کے لئے

The difference is: the **Backspace** key goes backward deleting anything on its left and the **Delete** key deletes everything on its right; the **Delete** key also deletes everything that is selected at the time of pressing it.

Backspace اور **Delete** میں فرق یہ ہے کہ **Backspace** کرسر کے بائیں طرف چلتی ہے اور **Delete** دائیں طرف جبکہ **Delete** سلیکٹ کی ہوئی عبارت اور تصاویر وغیرہ کو بھی مٹا سکتی ہے۔

Do......., Undo and Redo

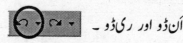

اَن ڈو اور ری ڈو ۔

But don't worry, you can always undo anything you do (well almost). Say you selected all five little lines and press **Delete** key. Do it now - go on trust me. We have deleted them but we can get them back. Press the **Undo** button (circled above) once and our lines are back. Now try the **Redo** key (NOT circled) and it will reverse the process. Press Undo yet again to reverse the **Redo** process. You can go both ways several times if you want. You can see useful this would be in case of errors or change of mind.

مگر یاد رکھیئے آپ سے اگر کوئی غلطی ہو جائے تو آپ **Undo** بٹن کی مدد سے اس کی تلافی کر سکتے ہیں۔ مثال کے طور پر چھوٹی والی پانچ ستروں کو سلیکٹ کیجئے اور **Delete** کو پریس کیجئے۔ آپ کی پانچ سطریں مٹ جائیں گی لیکن پریشانی کی کوئی بات نہیں **Undo** (اوپر دائرے میں دیئے ہوئے) بٹن کو پریس کیجئے اور آپ کی سطریں واپس لوٹ آئیں گی۔ اسی بٹن کے ساتھ والا دوسرا بٹن **(Redo)** آپ کے پہلے عمل کو بحال کرنے کے لئے ہے۔ اسے پریس کرنے پر سطریں دوبارہ مٹ جائیں گی۔ اب ایک بار پھر **Undo** بٹن کو پریس کر کے سطروں کو بحال کر لیجئے۔ آپ نے دیکھا کہ غلطی کی صورت میں یہ دونوں بٹن کتنے مفید ثابت ہو سکتے ہیں۔

Font size and style

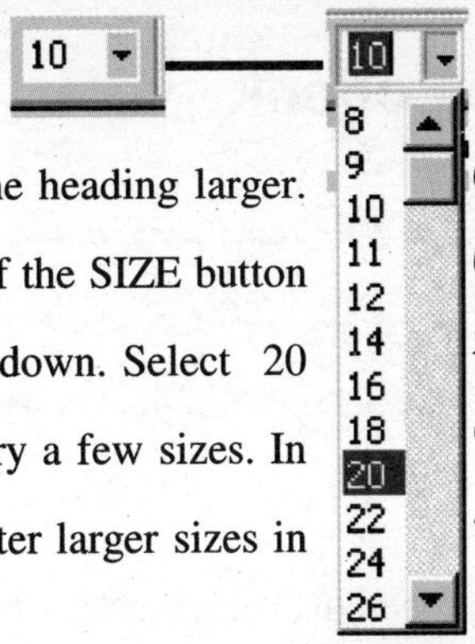

عبارت کا سائز اور سٹائل

Keep the top line selected, we will make the heading larger. Left Click on the tiny triangle on the right of the SIZE button and a menu with graduated sizes will drop down. Select 20 and see the size of the heading swell up. Try a few sizes. In addition to the sizes listed here, you can enter larger sizes in this box for extra large letters.

اب ہم ہیڈنگ (شہ سُرخی) کا سائز بڑھائیں گے۔ ہیڈنگ کو متواتر سلیکٹ کیئے رکھیں اور **Font Size** کے بٹن کی دائیں جانب چھوٹی سی تکون پر کلِک کریں۔ بائیں جانب دی گئی مینیو مع مختلف سائزوں کے نیچے گرے گی۔ اپنے ماؤس کی مدد سے سائز 20 پہ کلِک کریں۔ ہیڈنگ کی عبارت (فانٹ) کا سائز دُگنا ہو جانا چاہیے۔ اب مختلف سائزوں کو آزمایئے۔ یاد رکھیئے، زیادہ بڑے حروف کے لئے آپ اس خانے میں دیئے ہوئے سائزوں سے بڑے سائز خود ٹائپ کر سکتے ہیں۔

Keeping the top line selected, we will now change the Style of the text. Left Click on the tiny triangle on the side of FONT button, and a menu with many names of different styles of text will drop down. Select any one - and try a few until you get the one you like. There is a long list of them, so do use the slider bar to scroll down.

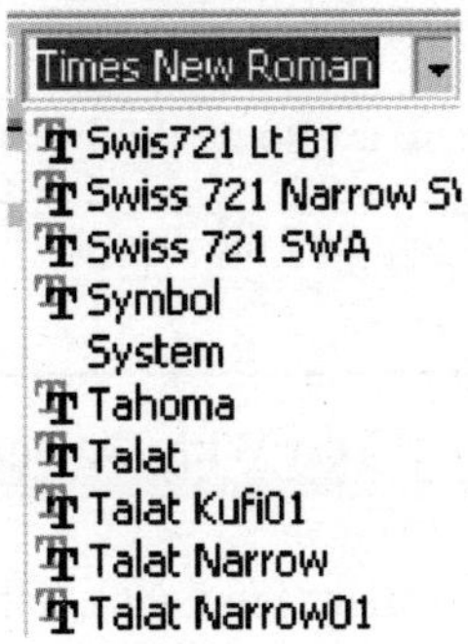

اب ہم ہیڈنگ کا طرزِ تحریر تبدیل کریں گے۔ ہیڈنگ کو متواتر سلیکٹ رکھیں اور **Font** کے بٹن کی دائیں جانب چھوٹی تکون پر کلِک کریں، بائیں جانب دی گئی مینیو مع مختلف طرزِ تحریر کے نیچے آ جائے گی۔ اپنے ماؤس کی مدد سے مختلف اقسام کے سٹائلوں کو کلک کرتے ہوئے آزمایئے مزید سٹائلوں کے لیے سلائڈر بار کو استعمال کیجئے۔

Font and Background Colour

عبارت اور کاغذ کا رنگ

Keep the top line selected, we will change the colour of the text now. Left Click on the tiny triangle on the side of FONT COLOUR button and a menu with many colours will drop down. Select any colour. To see the results, you must take off the selection now by clicking on the page somewhere. For further trials you must select the text again.

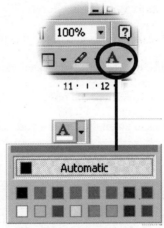

اب ہم ہیڈنگ کا رنگ تبدیل کریں گے۔ ہیڈنگ کو متواتر سلیکٹ رکھیئے اور Font کے بٹن کی دائیں جانب والی تکون کلِک کریں، بائیں جانب دی گئی مینیو مع مختلف رنگوں کے نیچے آجائے گی۔ اپنے ماؤس کی مدد سے مختلف رنگوں کو آزمایئے۔ مگر یاد رکھیئے اصل رنگ کو دیکھنے کے لئے آپ کو سلیکشن (ہائی لائٹ) اُتارنا پڑے گی۔ مزید تجربات کے لئے عبارت کو دوبارہ سلیکٹ کرنا نہ بھولئے۔

You can change the background colour as well by similarly using the **Highlight** button. This is useful if you want to highlight certain part of your text - you DO NOT need to select the text for this. If the text is selected then take it off by clicking anywhere on the page with your mouse. Now, Click on the tiny triangle on the side of the **Highlight** button, and a menu with many colours will drop down. Select any colour and notice that your cursor changes to a highlighter pen. Now highlight part of the text (its method is just like selecting) and see the background change its colour. You can always use the undo button to get back to your original text.

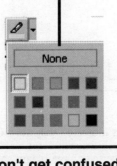

آپ ہیڈنگ کی Background کا رنگ بھی تبدیل کر سکتے ہیں جو کہ عبارت کے اہم حصوں کو نمایاں کرنے کے لیے کام آتا ہے۔ اس عمل کے لئے سلیکٹ نہیں چاہیے۔ ماؤس کو صفحے پر کہیں بھی کلِک کر کے سلیکشن اُتار دیں اور Highlight کے بٹن (دائرے میں) کی دائیں جانب چھوٹی تکون پر کلِک کیجئے۔ دائیں جانب دی گئی مینیو مع مختلف رنگوں کے نیچے آجائے گی۔ اپنے ماؤس کی مدد سے کوئی ایک رنگ چن لیجئے۔ آپ کا کرسر ایک مارکر کی شکل اختیار کرلے گا۔ اب آپ عبارت کے جس حصے کو بھی ہائی لائٹ (اس کا طریقہ بالکل سلیکٹ کرنے کے عمل کی طرح ہے) کریں گے اُس کی Background آپ کے چُنے ہوئے رنگ میں تبدیل ہو جائے گی۔ مختلف تجربات کے بعد Undo بٹن کی مدد سے آپ اپنے کئے ہوئے تجربات کے رنگ مٹاتے ہوئے واپس آسکتے ہیں۔

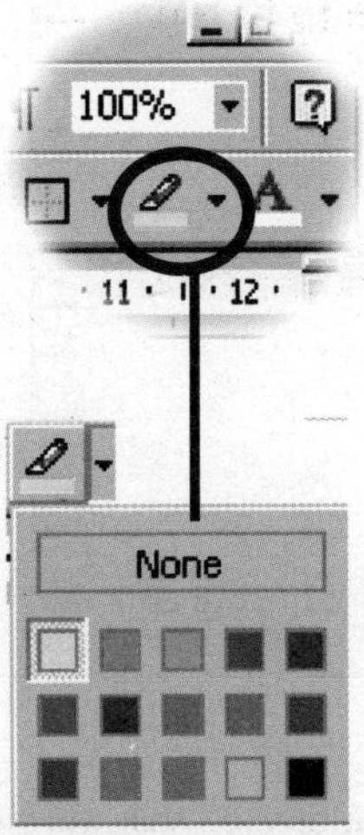

Don't get confused between Selecting and high-lighting!

Spell check سپیل چیک

جدید ورڈ پروسیسنگ سافٹ ویئر کی ایک اہم ترین خوبی اُن کی سپیلنگ چیک اور دُرست کرنے کا فنکشن ہے۔ آیئے اس فنکشن کو ایک نظر دیکھ لیں۔ اس کے لئے ہمیں انگلش کی ایسی عبارت چاہیے جس میں کچھ غلطیاں ہوں۔ ورڈ کا نیا ڈاکومنٹ کھولئے اور نیچے دی ہوئی عبارت کو ٹائپ کیجئے۔ جب آپ ٹائپ کریں گے تو جو الفاظ غلط ہیں اُن کے نیچے سُرخ یا سبز لائنیں پڑتی جائیں گی۔ اس کا عام طور پر یہی مطلب ہوتا ہے کہ سُرخ رنگ والے الفاظ کے سپیلنگ دُرست نہیں اور سبز لائن والے الفاظ کی گرامر دُرست نہیں۔ غلط الفاظ کی صورت میں سپیل چیکر آپ کو متبادل الفاظ پیش کرے گا جسے آپ قبول یا نظر انداز کرسکتے ہیں۔ آیئے اسے آزمائیں۔ یاد رکھیئے کہ عبارت میں جان بوجھ کر غلطیاں کی گئی ہیں اس لئے جیسے عبارت نیچے دی گئی ہے اس کی ویسے ہی کاپی کریں۔

One of the most powerful features of modern word processors is their ability to check spelling and even grammar. In order to carry out this exercise we need to have some text with spelling errors. Let's create one, open a new document and type in the following paragraph; Please note: There are some deliberate error in the paragraph for the purpose of the exercise and therefore type exactly as is given below, including the errors.

Text With Deliberate Spelling Errors

Although, spell cheker are becoming ever more inteligent, but you do not have to beleive them all of the time. If you are sure about your text and are suggested to change it by the spell checker, then you can ignore the computer and retain what you have. However, in most cases this utility is extreamely useful. When you launch the spell checker it gives you the box similar to the one below. It stops at where the error is and highlights the word with a problem. It suggests what it thinks the word should be. You than have the choice to accept the suggested word or ignore it, and the spell checker moves on to the next possible error. As you type computer underlines the possible mistakes. When it underlines a word in red, it means you have made a spelling error. If it underlines in green, this means you may have made a gramatical error.

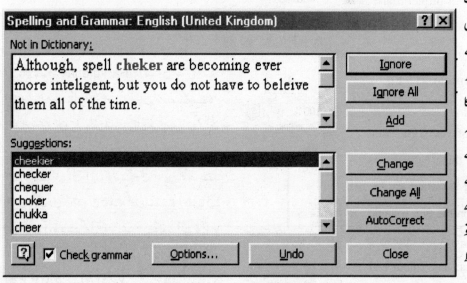

مثال کے طور پر یہاں لفظ checker کے سپیلنگ دُرست نہیں۔ سپیل چیکر کے :suggestions باکس میں عام طور پر سرِ فہرست وہ لفظ ہوتا ہے جو کہ کمپیوٹر کے خیال میں ایک درست نعم البدل ہو لیکن اس کے ساتھ ہی آپ کو کئی الفاظ دیئے جاتے ہیں کہ شائد آپ کا مطلب کچھ اور کہنا ہو جیسا کہ ہماری اس مثال میں ہے کہ مطلوبہ لفظ دوسرے نمبر پر موجود ہے جسے کلِک کرنے کے بعد **Change** والے بٹن کو کلِک کرنے سے کمپیوٹر عبارت میں cheker کو مٹا کر checker لکھ دے گا۔ اگر آپ کسی وجہ سے یہ تبدیلی نہیں چاہتے تو **Ignore** کا بٹن کلِک کرنے سے سپیل چیکر بغیر لفظ تبدیل کیئے اگلے غلط لفظ کی تلاش میں چل پڑے گا۔

In the above example, the spell checker has indicated that the word Checker is spelt incorrectly in our paragraph. It gives a list of possible correct alternatives which we may have meant. Although it usually places the correct word at the top of the list but this is not always the case, as in our above example. We need to choose checker (no 2 in the list), and click on the **Change** button to correct the error. If for some reason, you do not want to make this change, you click on the **Ignore** button, the computer will move on to the next error without changing the word.

Format Painter فورمیٹ پینٹر

مجھے یقین ہے کہ آپ اس بٹن کو نہ صرف دلچسپ بلکہ کار آمد پائیں گے۔ جیسا کہ اس کے نام ونشان سے عیاں ہے اس کا کام پینٹ کے ایک برش ہی کی طرح ہے۔ جس طرح ایک برش کو پینٹ کے ڈبے میں بھگو کر ایک دیوار پر لگانے سے اس دیوار کا رنگ ڈبے میں پینٹ کے رنگ کی مانند ہو جاتا ہے اسی طرح فورمیٹ پینٹر ایک عبارت کے فورمیٹ کو کسی بھی دوسری عبارت تک یک لخت منتقل کر سکتا ہے۔ فرض کیجئے کہ آپ نے کسی عبارت کے ایک مخصوص حصے کو مختلف آلات کی مدد سے سنورا ہوا اور اس کے بعد آپ اس عبارت یا کسی دوسرے ڈاکومنٹ کی عبارت کے مختلف حصوں کو بھی اسی طرح سنوارنا چاہیں تو فورمیٹ پینٹر یہ کام آپ کے لئے ایک خودکار طریقے سے بآسانی سرانجام دے سکتا ہے۔

اپنی عملی فلاسفی کے اصول کو برقرار رکھتے ہوئے آیئے اسے استعمال کرتے ہوئے سیکھیں۔ گذشتہ صفحات پر مشقوں کے سلسلے میں محفوظ کی ہوئی فائل Fox and Dog کو کھولئے اور اس کی پہلی سطر کو سلیکٹ کیجئے۔ اس کے طرزِ تحریر کو تبدیل کرتے ہوئے فانٹ **Copperplate** چنئے اور اس کو فانٹ سائز **14** میں تبدیل کیجیے۔ **Bold** کے بٹن پر کلِک کرتے ہوئے اسے بولڈ کر لیجئے۔ اس کے بعد **Font Colour** والے بٹن کی مدد سے عبارت کے رنگ کو سرخ میں تبدیل کرلیں اور اس کے ساتھ والے **Highlight** بٹن کو استعمال کرتے ہوئے پیلے رنگ کا ہائی لائٹر چنئے اور اس سطر کو ہائی لائٹ کر لیجئے۔ ہائی لائٹ کرنے کا عمل بالکل سلیکٹ کرنے کے عمل کی طرح ہے۔ ان تبدیلیوں کے بعد آپ کی پہلی سطر تصویر میں دی ہوئی پہلی سطر کی مانند نظر آنی چاہئے۔ اب اگر آپ اپنی فائل کی آخری سطر کو بھی اسی سٹائل میں تبدیل کرنا چاہیں تو کرسر کو پہلی سطر جسے ہم نے ابھی تبدیل کیا ہے میں کہیں بھی لے جا کر فورمیٹ بٹن کو دبایئے۔ آپ دیکھیں گے کہ آپ کا کرسر ایک پینٹ برش کے نشان کے ساتھ نظر آئے گا۔ اب اسے آخری سطر کے آغاز میں لے جا کر اس سطر کو سلیکٹ کیجئے۔ آپ کی آخری سطر یکدم پہلی سطر جیسے فورمیٹ میں تبدیل ہو جائے گی اور آپ کا کرسر دوبارہ اپنی اصلی حالت میں واپس تبدیل ہو جائے گا۔ اگر آپ کو یہ عمل ایک سے زیادہ دفعہ کرنا درکار ہو تو اس کے لئے پینٹر بٹن کو دو دفعہ یعنی ڈبل کلِک کرنے کی ضرورت ہوتی ہے۔ ایسا کرنے سے آپ کا کرسر متواتر فورمیٹ پینٹر کی حالت میں ہی رہے گا اور جب آپ کو اس کی مزید ضرورت نہ رہے تو پینٹر فورمیٹ کے بٹن پر ایک دفعہ پھر کلِک کرنے سے آپ کا کرسر دوبارہ اپنی اصلی حالت میں واپس آ جائے گا۔ یہ فنکشن آپ کو آفس کے دوسرے پروگراموں میں بھی کام آئے گی۔ (اگر آپ چاہیں تو اس فائل کو ایک مختلف نام دے کر محفوظ کر سکتے ہیں)

The quick brown fox jumps over the lazy dog

THE QUICK BROWN FOX JUMPS OVER THE LAZY DOG

The quick brown fox jumps over the lazy dog
The quick brown fox jumps over the lazy dog
The quick brown fox jumps over the lazy dog
The quick brown fox jumps over the lazy dog
The quick brown fox jumps over the lazy dog

I am sure you are going to find this button as interesting as it is helpful. The concept is pretty much like its symbol - a paintbrush. When you dip a paintbrush in a tin of paint and stroke it on the wall, you paint the wall with exactly the same colour as the paint in the tin. Format Painter works in a similar way. Whatever format you want to transfer from a given text to another, it will do it for you in a magical way. This is definitely not just a trick, it can be an extremely powerful tool in Word's armoury. Suppose you needed to format part of a document in a unique style and required that style elsewhere in the document or needed it in another document, then this is the quickest way to do it.

As per our philosophy, let's learn it by actually using it. Load your document 'Fox and Dog' and select its first line (not the heading). Change the font to something flashy like **Copperplate**, change the font size to **14** points and click on the B button to make it **Bold**. Next, change the font colour to **red** and use the **Highlight** button to make the background of this first line **yellow** so that it looks highlighted (you chose yellow from the highlight button and select the whole line). Suppose we required to do this to the last line as well. You do not have to go through the whole routine again. Instead, simply place your cursor anywhere in the line you just formatted and click on the Format Painter button. Your cursor will now turn into a paintbrush with an I-beam. Select the last line and it instantly turns into a format precisely same as your fancy first line and the cursor will revert back to normal. Isn't this good? You could repeat this task even more efficiently if you had more than one line to change by clicking on the Format Painter button twice. This will keep your cursor loaded with your Format until you click the Format Painter button again. What's more this function will be available in other office applications as well. You can, if you wish, save this file by giving it a different name (I am sure you can manage that).

some other important buttons کچھ اور اہم بٹن

یہ تین بٹن آپ کے ڈاکومنٹ اور پروگرام کو بند کرنے اور اُن کو سکرین سے وقتی طور پر ہٹانے کے کام آتے ہیں۔ کاٹے والا بٹن پروگرام یا ڈاکومنٹ کو بند کرنے کے لئے ہے، درمیان والا پروگرام یا ڈاکومنٹ کو پوری سکرین کی بجائے آدھی سکرین تک محدود کر دیتا ہے، تاکہ اُس کے نیچے چلنے والے پروگرام بھی نظر آ سکیں، جبکہ نفی کے نشان والا تیسرا بٹن پروگرام یا ڈاکومنٹ کو سکرین سے مکمل طور پر ہٹا کر اُسے سکرین کے نچلے حصے میں ایک بٹن کی صورت میں لگا دیتا ہے جسے کلک کرنے سے اس پروگرام یا ڈاکومنٹ کو یکدم واپس لایا جا سکتا ہے۔

Minimise, Maximise and Close buttons are very useful when you are working with more than one document or using more than one application at a time. The button with the cross on it is to close the file or application. The button with two squares on it is to reduce the size of the document or application on screen so that you can see what is underneath. And the button with the minus sign is to fold the application or document into a button, which is placed at the bottom of the screen and can be restored whenever you want by clicking on it or its restore button.

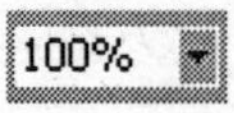

یہ بٹن آپ کے ڈاکومنٹ کو سکرین پر نزدیک سے دیکھنے کے لئے آگے اور اسے مکمل حالت میں دیکھنے کے لئے پیچھے لے جانے کے لئے ہے۔ آگے اور پیچھے کی یہ نسبت فیصد میں دی گئی ہے۔ بٹن کی نیچے گرنے والی مینیو میں سے مختلف فیصد کے نمبر آزما کر دیکھئے۔

This button lets you see your page on the screen in steps of percentages (Drop Down menu), this way you can zoom in and out of your document to a distance to your visual preferences - try it.

یہ بٹن آپ کے ڈاکومنٹ میں استعمال ہونے والے پنکچوایشن مارکس کو ظاہر کرتا ہے۔ یہ ٹاگل بٹن ہے یعنی ایک کلک کرنے سے آن اور دوسری دفعہ کلک کرنے سے آف ہو جاتا ہے۔

This button gives a map of your document to reveal the punctuation lay out. This toggles on and off.

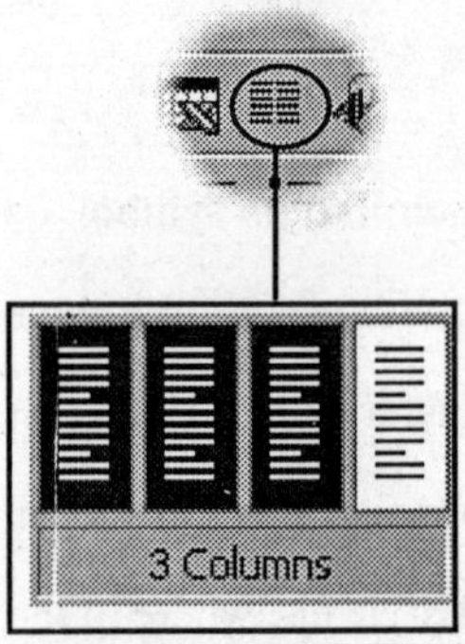

یہ بٹن آپ کی عبارت یا مضمون کو اخباری کالموں کی شکل دینے کے لئے ہیں بٹن کو پریس کرتے ہی چار کالموں والا ایک باکس سامنے آئے گا، آپ ماؤس کی مدد سے جتنے کالم سلیکٹ کریں گے آپ کی عبارت اُتنے ہی کالموں میں تقسیم ہو جائے گی۔

This button turns your text into newspaper style columns. When you click the columns button, a box with four columns drops down. You simply select with your mouse the number of columns you require and let go the mouse button. Your text will be divided into that many columns.

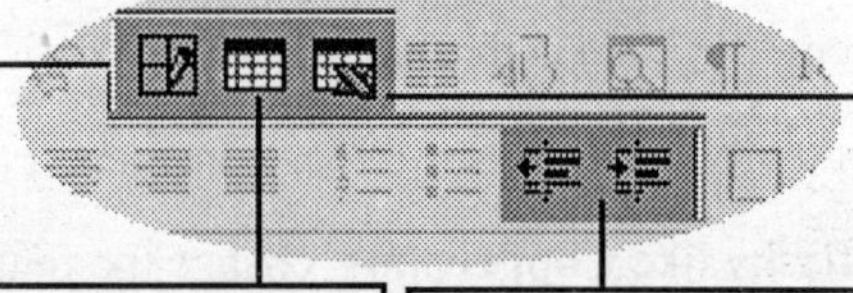

یہ بٹن ورڈ میں ایکسیل کی سپریڈشیٹ ڈالنے کے لئے ہے۔ ایکسیل آپ کتاب کے اگلے ابواب میں سیکھیں گے۔ ایسی سپریڈشیٹ ایکسیل پروگرام کے ساتھ براہِ راست منسلک ہوں گی۔

This button is to insert spreadsheet from Excel into your documents. Wait until you have learnt the use of spreadsheet later in the book. Such spreadsheets are 'live' and will be linked to Excel controls.

یہ بٹن عبارت یا مضمون میں پیراگراف کو انڈینٹ (دندانے دار) کرنے کے لئے ہے۔ یہ ٹیب بٹن کی طرح کام کرتا ہے۔

These buttons are to indent paragraphs and selected text in your documents. Do not confuse it with margins, these work pretty much like tabs.

یہ بٹن عبارت یا مضمون میں ٹیبل (حاشئے اور خانے) بنانے کے لئے ہے۔ یہ بالکل کالموں والے بٹن کی طرح کام کرتا ہے جو کہ اوپر بیان کیا جا چکا ہے۔

This button is to insert tables into your documents and works in the same way as the columns button (see above).

یہ بٹن عبارت یا مضمون میں ٹیبلز کے حاشیوں اور خانوں کو نکھارنے کے لئے ہے۔ بہتر ہو گا کہ آپ اسے ٹیبلز کی بنیادی جان بوجھ حاصل کر لینے کے بعد سیکھیں۔ مجھے امید نہیں کہ تب تک آپ کو اس کی ضرورت پڑے۔

This button is to customise and enhance tables into your documents. It is recommended that you leave this until after you have grasped the basic operations of tables.

44

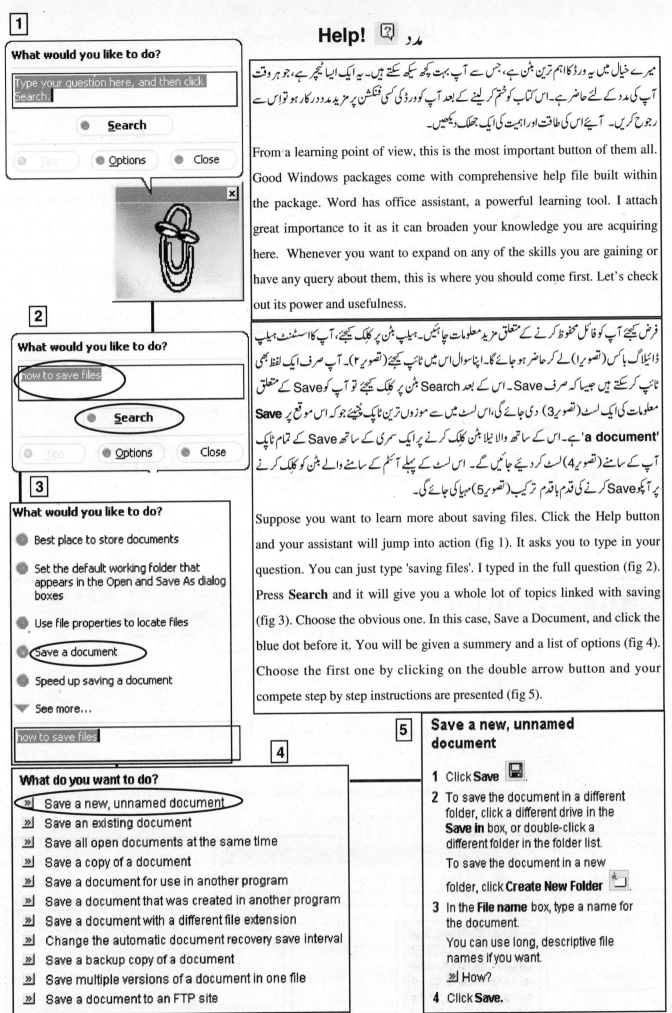

Help! مدد

1

What would you like to do?

Type your question here, and then click Search.

● Search

○ Tips ● Options ● Close

2

What would you like to do?

how to save files

● Search

○ Tips ● Options ● Close

3

What would you like to do?

● Best place to store documents

● Set the default working folder that appears in the Open and Save As dialog boxes

● Use file properties to locate files

● Save a document

● Speed up saving a document

▼ See more...

how to save files

4

What do you want to do?

» Save a new, unnamed document

» Save an existing document

» Save all open documents at the same time

» Save a copy of a document

» Save a document for use in another program

» Save a document that was created in another program

» Save a document with a different file extension

» Change the automatic document recovery save interval

» Save a backup copy of a document

» Save multiple versions of a document in one file

» Save a document to an FTP site

میرے خیال میں یہ ورڈ کا اہم ترین بٹن ہے، جس سے آپ بہت کچھ سیکھ سکتے ہیں۔ یہ ایک ایسا ٹیچر ہے، جو ہر وقت آپ کی مدد کے لئے حاضر ہے۔ اس کتاب کو ختم کر لینے کے بعد آپ کو ورڈ کی کسی فنکشن پر مزید مدد درکار ہو تو اس سے رجوع کریں۔ آئیے اس کی طاقت اور اہمیت کی ایک جھلک دیکھیں۔

From a learning point of view, this is the most important button of them all. Good Windows packages come with comprehensive help file built within the package. Word has office assistant, a powerful learning tool. I attach great importance to it as it can broaden your knowledge you are acquiring here. Whenever you want to expand on any of the skills you are gaining or have any query about them, this is where you should come first. Let's check out its power and usefulness.

فرض کیجیے آپ کو فائل محفوظ کرنے کے متعلق مزید معلومات چاہئیں۔ ہیلپ بٹن پر کلک کیجیے، آپ کا اسسٹنٹ ہیلپ ڈائیلاگ باکس (تصویر۱) لے کر حاضر ہو جائے گا۔ اپنا سوال اس میں ٹائپ کیجیے (تصویر۲)۔ آپ صرف ایک لفظ بھی ٹائپ کر سکتے ہیں جیسا کہ صرف Save۔ اس کے بعد Search بٹن پر کلک کیجیے تو آپ کو Save کے متعلق معلومات کی ایک لسٹ (تصویر3) دی جائے گی، اس لسٹ میں سے موزوں ترین ٹاپک چنیئے جو کہ اس موقع پر **Save a document** ہے۔ اس کے ساتھ والا نیلا بٹن کلک کرنے پر ایک سمری کے ساتھ Save کے تمام ٹاپک آپ کے سامنے (تصویر4) لسٹ کر دیے جائیں گے۔ اس لسٹ کے پہلے آئٹم کے سامنے والے بٹن کو کلک کرنے پر آپ کو Save کرنے کی قدم باقدم ترکیب (تصویر5) مہیا کی جائے گی۔

Suppose you want to learn more about saving files. Click the Help button and your assistant will jump into action (fig 1). It asks you to type in your question. You can just type 'saving files'. I typed in the full question (fig 2). Press **Search** and it will give you a whole lot of topics linked with saving (fig 3). Choose the obvious one. In this case, Save a Document, and click the blue dot before it. You will be given a summery and a list of options (fig 4). Choose the first one by clicking on the double arrow button and your compete step by step instructions are presented (fig 5).

5

Save a new, unnamed document

1 Click **Save**.

2 To save the document in a different folder, click a different drive in the **Save in** box, or double-click a different folder in the folder list.

To save the document in a new folder, click **Create New Folder**.

3 In the **File name** box, type a name for the document.

You can use long, descriptive file names if you want.

» How?

4 Click **Save**.

ڈرائنگ بار - Drawing Bar

Drawing button   ڈرائنگ بٹن

یہ بار ورڈ کا دلچسپ ترین حصہ ہے اور نہایت ہی کار آمد آلات سے آراستہ ہے۔ اس نے ورڈ کو ایک ورڈ پروسیسر سے ایک طاقت ور ڈیسک ٹاپ پبلشنگ پیکج میں تبدیل کر دیا ہے۔ آئیے اس کے طاقتور آلات کے کمالات کو ایک نظر دیکھیں۔ اگر یہ بار آپ کے ورڈ کی پہلی سکرین کے نچلے حصے میں موجود نہیں ہے تو بٹن بار میں ڈرائنگ کے بٹن (اوپر دائرے میں) کو دبا کر اس کو کھول لیں۔

This is, by far, the most interesting and most useful set of powerful tools in Word and this feature has really changed Word from a word processor to a desktop publishing package. We are going to have fun with this! If it is not already opened at the bottom of the page, open the drawing bar by clicking the Drawing button (circled above)

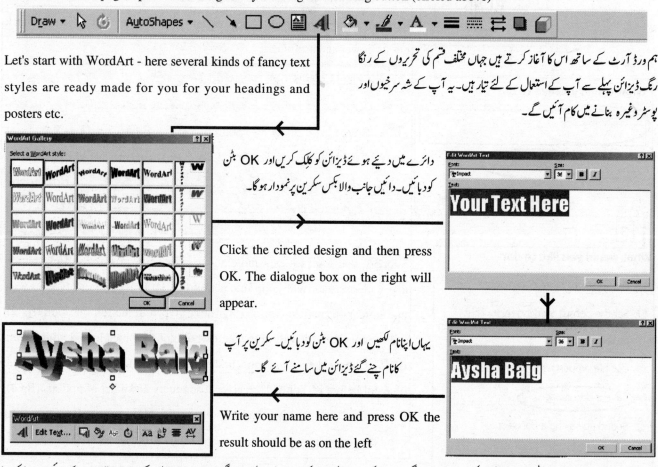

ہم ورڈ آرٹ کے ساتھ اس کا آغاز کرتے ہیں جہاں مختلف قسم کی تحریروں کے رنگ رنگ ڈیزائن پہلے سے آپ کے استعمال کے لئے تیار ہیں۔ یہ آپ کے شہ سرخیوں اور پوسٹر وغیرہ بنانے میں کام آئیں گے۔

Let's start with WordArt - here several kinds of fancy text styles are ready made for you for your headings and posters etc.

دائرے میں دیئے ہوئے ڈیزائن کو کلک کریں اور OK بٹن کو دبائیں۔ دائیں جانب والا باکس سکرین پر نمودار ہو گا۔

Click the circled design and then press OK. The dialogue box on the right will appear.

یہاں اپنا نام لکھیں اور OK بٹن کو دبائیں۔ سکرین پر آپ کا نام چنے گئے ڈیزائن میں سامنے آئے گا۔

Write your name here and press OK the result should be as on the left

آپ کے نام کے ساتھ ایک چھوٹی سی ٹول بار بھی سکرین پر نمودار ہو گی، یہ آپ کی عبارت کو مزید نکھارنے کے لئے ہے۔ اگر آپ اسے استعمال نہ کرنا چاہیں تو اس بار کے دائیں والے کونے میں کراس (x) کے نشان کو کلک کر کے اسے بند کر دیں۔ اس کے چند ضروری آلات کی مختصر تفصیل دی جا رہی ہے۔ آپ اس کے ساتھ بعد میں 'کھیل' سکتے ہیں۔

Along with your name will appear another mini bar, which has even more tools to enhance your text. We will look at its most important parts without using it, you can play with it later.

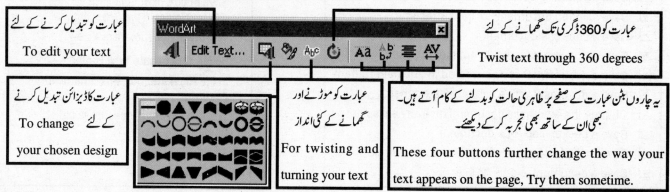

عبارت کو تبدیل کرنے کے لئے		عبارت کو 360 ڈگری تک گھمانے کے لئے
To edit your text		Twist text through 360 degrees
عبارت کا ڈیزائن تبدیل کرنے کے لئے	عبارت کو موڑنے اور گھمانے کے کئی انداز	یہ چاروں بٹن عبارت کے صفحے پر ظاہری حالت کو بدلنے کے کام آتے ہیں۔ کبھی ان کے ساتھ بھی تجربہ کر کے دیکھئے۔
To change your chosen design	For twisting and turning your text	These four buttons further change the way your text appears on the page, Try them sometime.

Drawing Bar -2- ڈرائنگ بار

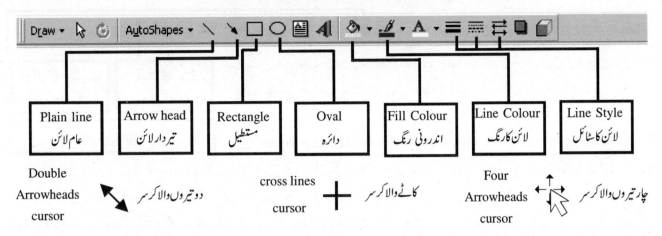

یادر کھیئے یہاں جو تکنیک آپ سیکھ رہے ہیں، وہ آپ کو دوسرے گرافک پروگراموں میں بھی کام آئے گی، مگر اس سے پہلے کہ ہم ڈرائنگ بار کے مزید آلات کو دیکھیں ایک ضروری بات نوٹ کر لیجئے کہ جس طرح عبارت کو تبدیل کرنے کے لئے اُسے سلیکٹ کرنا ضروری ہے، اسی طرح تصاویر اور گرافک کو تبدیل کرنے کے لئے اُن کا سلیکٹ ہونا بھی ضروری ہے (ایسی صورت میں ان کے اردگرد چھوٹے چھوٹے خانے بن جاتے ہیں)۔ ایسا عام طور پر اُن کو کلِک کرنے سے ہوتا ہے اور اس کی نشاندہی وہ چھوٹے چھوٹے خانے ہیں جو کہ تصویر کے چاروں طرف نمودار ہو جاتے ہیں اِن خانوں کو ہینڈل کہا جاتا ہے۔ آیئے اسے عملی طور پر سیکھیں۔ نیا ڈاکومنٹ کھولئے۔ ڈرائنگ بار پر دائرے کی شکل پر کلِک کیجئے اور کرسر کو صفحے کے درمیان میں لے جایئے۔ آپ دیکھیں گے کہ کرسر کی شکل ایک کانٹے کی شکل میں تبدیل ہو گئی ہے۔ ماؤس کے بائیں بٹن کو دبایئے اور اسے بغیر چھوڑے دائیں اور نیچے رگڑتے ہوئے ایک دائرہ بنایئے۔ اب ماؤس کو چھوڑ دیجئے آپ کا دائرہ مع ہینڈل کے تیار ہے۔ اب کرسر کو دائرے کے درمیان لے جایئے۔ آپ کا کرسر چار تیروں کی شکل اختیار کرلے گا، اس کا مطلب یہ ہے کہ آپ ماؤس کے بٹن کو کلِک کر کے اُسے بغیر چھوڑے اپنے دائرے کو صفحہ پر جہاں چاہے لے جاسکتے ہیں۔ اسی طرح اگر آپ کرسر کو کسی ہینڈل کے اوپر لے جائیں تو یہ دو تیروں کی شکل اختیار کرلے گا۔ اب ماؤس بٹن کلِک کر کے اُسے بغیر چھوڑے ان تیروں کی سمت میں ماؤس کو رگڑتے ہوئے آپ اپنے دائرے کی شکل اور سائز کو تبدیل کر سکتے ہیں۔ سب سے پہلے دائرے کی لکیر کی موٹائی کو بڑھانے کے لئے ڈرائنگ بار پر لائن سٹائل (**Line Style**) کے بٹن کی چھوٹی تکون پر کلِک کیجیے آپ کے سامنے مختلف موٹائی والے ڈیزائنوں کی ایک مینیو آئے گی، اس میں سے قدرے موٹے ڈیزائن کی لائن کو چُنیے، آپ کے دائرے کی لکیر موٹی ہو جائے گی۔ آیئے اب دائرے کی لکیر کا رنگ تبدیل کریں۔ ڈرائنگ بار پر لائن کلر (**Line Color**) کے بٹن کی چھوٹی تکون پر کلِک کیجئے آپ کے سامنے مختلف رنگوں کی ایک مینیو آئے گی۔ اس میں سے کوئی ایک رنگ چُن لیجئے، آپ کے دائرے کی لکیر بھی اُسی رنگ میں تبدیل ہو جائے گی۔ اب بالکل اسی طرح فِل کلر (**Fill Colour**) کو استعمال کرتے ہوئے دائرے کے اندر کا رنگ بھی تبدیل کر لیجئے۔

Do remember that the technique you are learning to manipulate graphics here will also be useful in other packages. Before we get down to further exciting features of the Drawing bar, please note an important thing. Just like we need to select the text to change it, we need to 'select' the graphics too to carry out changes on them. This is done by clicking on them. When an object is selected, tiny squares known as 'handles' appear around it. Let's do it to learn it. Open new document, we are going to draw a simple circle. Click on the circle shape on the drawing bar once and move your cursor in the middle of the page. You will note that your cursor has changed from an arrow to a cross. Click the left mouse button, (and keeping it pressed down) drag your mouse diagonally (down and right) and let go. You should have a circle on the screen with handles around it. Now take your cursor in the middle of the circle, and you will see the cursor will change into a cross with four arrows, this means you can move this object around to place it where you want. You can try this by clicking on the left mouse button (and keeping it pressed down) drag it around. Do not click outside the circle or else you will loose the handles. If you take your cursor on any of these little handles, your cursor will change to a double arrow headed line. By the same method, by clicking and dragging towards either direction of the arrows, you can alter the size and shape of your circle. Now, if you wanted to change the thickness of the line of the circle, click on the **Line Style** button on the drawing bar and a list of line style will jump out. Select a thicker line size by using your mouse and see the circle line change to your selected size. If you want to change the colour of the line, click on the tiny triangle on the right of **Line Colour** menu and select a colour of your choice. Similarly, you can fill the circle with the colour of your choice by using the **Fill Colour** menu.

Drawing Bar -3- ڈرائنگ بار

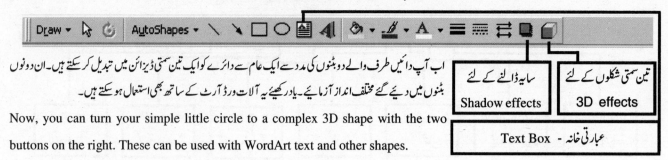

سایہ ڈالنے کے لئے
Shadow effects
تین سمتی شکلوں کے لئے
3D effects
Text Box - عبارتی خانہ

اب آپ دائیں طرف والے دو بٹنوں کی مدد سے ایک عام سے دائرے کو ایک تین سمتی ڈیزائن میں تبدیل کر سکتے ہیں۔ان دونوں بٹنوں میں دیئے گئے مختلف انداز آزمائیے۔یاد رکھیئے یہ آلات ورڈ آرٹ کے ساتھ بھی استعمال ہو سکتے ہیں۔

Now, you can turn your simple little circle to a complex 3D shape with the two buttons on the right. These can be used with WordArt text and other shapes.

اگر آپ دائرے کے اندر کچھ لکھنا چاہیں تو Text box بٹن کو کلِک کیجئے، آپ کا کرسر کاٹے کی شکل اختیار کر لے گا،اسے اپنی تصویر کے درمیان میں کلِک کرتے ہوئے معمول کے مطابق ٹائپ کیجئے۔ آپ کی عبارت شکل کا حصہ بن جائے گی۔ تصاویر میں لکھائی کے علاوہ آپ Text box کو ایک آزاد عبارتی خانے کے طور پر بھی استعمال کر سکتے ہیں اور اس کا بڑا فائدہ یہ ہے کہ آپ اسے ماؤس کی مدد سے اُٹھا کر صفحہ کے کسی بھی حصہ میں لے جا سکتے ہیں۔اگر آپ ورڈ میں پوسٹر یا فلائیر وغیرہ بنانا چاہیں تو Text box اس سلسلے میں نہایت ہی کار آمد ثابت ہوں گے۔

If you want to enter some text in your shape, click on the Text Box button and your cursor will turn to a cross-hair. Click in the middle of your shape and type as normal. Your text will be embedded into your shape. You can also use text boxes independently. Their great function is that they can be moved around the page when used independently.

Draw
AutoShapes
AutoShapes
آٹو شیپس

آٹو شیپس یعنی کہ پہلے سے بنی ہوئی شکلیں سب کی پسندیدہ مینیو ہے۔اس میں کئی قسم کی دو سمتی اور تین سمتی شکلیں موجود ہیں، جن کو آپ ڈرائنگ بار کے دوسرے آلات کی مدد سے اپنی مرضی کے مطابق تبدیل کر سکتے ہیں۔ان کو استعمال کرنے کی ترکیب بالکل اوپر دیئے ہوئے طریقے کے مطابق ہے۔مجھے یقین ہے کہ آپ کو اس سلسلے میں مزید ہدایات کی ضرورت نہیں ہے۔

Autoshape is a powerful and versatile menu and is everyone's favourite. It offers many 2D and 3D Icons, which can be further enhanced and altered to your need by using the other tools on drawing bar. To use this menu, the method is same as above and I am sure you do not need further assistance here. Get your creative buds going!

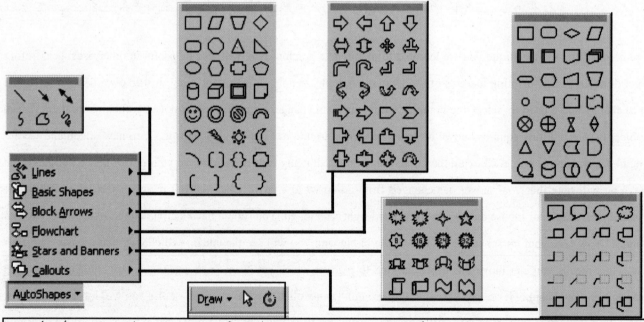

AutoShapes
Draw

ڈرائنگ بار کے باقی تین بٹنوں میں سے تیر کی شکل والا بٹن اشکال کو ہائی لائٹ کرنے کے لئے ہے جبکہ Rotate بٹن اشیاء کو گھمانے کے لئے ہے۔اس بٹن کو کلِک کرنے پر چُنی ہوئی شے کے ہینڈل سبز رنگ کے نقطوں میں تبدیل ہو جائیں گے۔ان نقطوں میں سے کسی کو بھی ماؤس کی مدد سے اُس شکل کو مطلوبہ زاویے تک گھمایا جا سکتا ہے۔(**Draw** کے لیے اگلا صفحہ دیکھئے)۔

Out of the remaining 3 buttons on the Drawing bar, cursor shape is for selecting objects and Rotate button is to rotate objects. When an object is selected, and you click this button, the object handles turn to green dots You can rotate the object by moving any of these green dots through required angle of rotation. (**Draw** is covered separately).

Drawing Bar -4- ڈرائنگ بار

Draw
AutoShapes

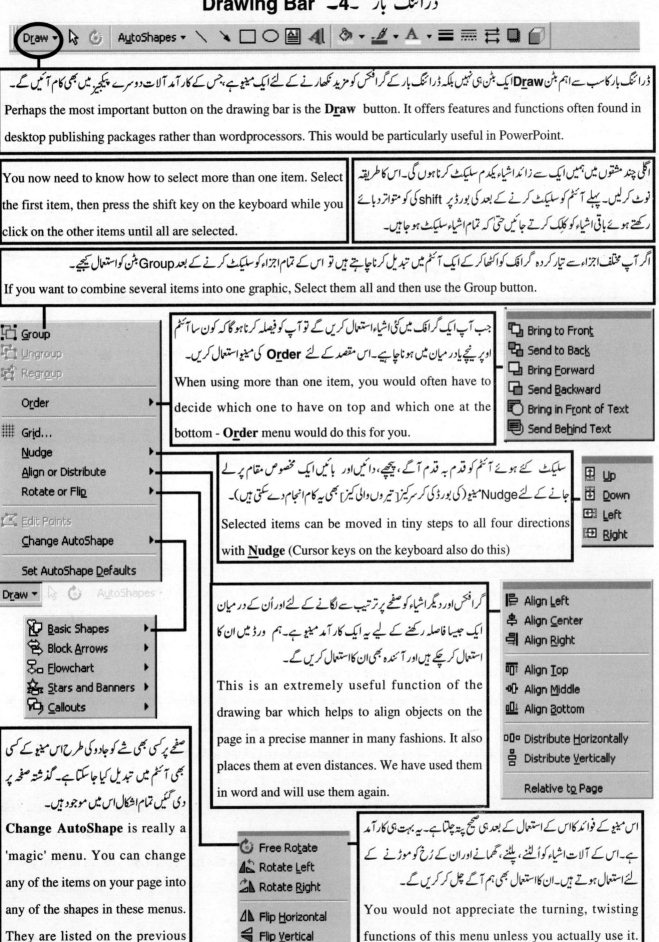

ڈرائنگ بار کا سب سے اہم بٹن **Draw** ایک بٹن ہی نہیں بلکہ ڈرائنگ بار کے گرافکس کو مزید نکھارنے کے لئے ایک مینیو ہے، جس کے کارآمد آلات دوسرے پیکیجز میں بھی کام آئیں گے۔

Perhaps the most important button on the drawing bar is the **Draw** button. It offers features and functions often found in desktop publishing packages rather than wordprocessors. This would be particularly useful in PowerPoint.

You now need to know how to select more than one item. Select the first item, then press the shift key on the keyboard while you click on the other items until all are selected.

اگلی چند مشقوں میں ہمیں ایک سے زائد اشیاء یکدم سلیکٹ کرنا ہوں گی۔ اس کا طریقہ نوٹ کرلیں۔ پہلے آئٹم کو سلیکٹ کرنے کے بعد کی بورڈ پر shift کی کو متواتر دبائے رکھتے ہوئے باقی اشیاء کو کلِک کرتے جائیں حتیٰ کہ تمام اشیاء سلیکٹ ہو جائیں۔

اگر آپ مختلف اجزاء سے تیار کردہ گرافک کو اکٹھا کر کے ایک آئٹم میں تبدیل کرنا چاہتے ہیں تو اس کے تمام اجزاء کو سلیکٹ کرنے کے بعد Group بٹن کو استعمال کیجیے۔

If you want to combine several items into one graphic, Select them all and then use the Group button.

Group
Ungroup
Regroup
Order
Grid...
Nudge
Align or Distribute
Rotate or Flip
Edit Points
Change AutoShape
Set AutoShape Defaults
Draw
AutoShapes

جب آپ ایک گرافک میں کئی اشیاء استعمال کریں گے تو آپ کو فیصلہ کرنا ہوگا کہ کون سا آئٹم اوپر نیچے یا درمیان میں ہونا چاہیے۔ اس مقصد کے لئے **Order** کی مینیو استعمال کریں۔

When using more than one item, you would often have to decide which one to have on top and which one at the bottom - **Order** menu would do this for you.

Bring to Front
Send to Back
Bring Forward
Send Backward
Bring in Front of Text
Send Behind Text

سلیکٹ کئے ہوئے آئٹم کو قدم بہ قدم آگے، پیچھے، دائیں اور بائیں ایک مخصوص مقام پر لے جانے کے لئے Nudge مینیو (کی بورڈ کی کرسر کیز [تیروں والی کیز] بھی یہ کام انجام دے سکتی ہیں)۔

Selected items can be moved in tiny steps to all four directions with **Nudge** (Cursor keys on the keyboard also do this)

Up
Down
Left
Right

گرافکس اور دیگر اشیاء کو صفحے پر ترتیب سے لگانے کے لئے اور اُن کے درمیان ایک جیسا فاصلہ رکھنے کے لیے یہ ایک کارآمد مینیو ہے۔ ہم ورڈ میں ان کا استعمال کر چکے ہیں اور آئندہ بھی ان کا استعمال کریں گے۔

This is an extremely useful function of the drawing bar which helps to align objects on the page in a precise manner in many fashions. It also places them at even distances. We have used them in word and will use them again.

Align Left
Align Center
Align Right
Align Top
Align Middle
Align Bottom
Distribute Horizontally
Distribute Vertically
Relative to Page

Basic Shapes
Block Arrows
Flowchart
Stars and Banners
Callouts

صفحے پر کسی بھی شے کو جادو کی طرح اس مینیو کے کسی بھی آئٹم میں تبدیل کیا جا سکتا ہے۔ گذشتہ صفحہ پر دی گئیں تمام اشکال اس میں موجود ہیں۔

Change AutoShape is really a 'magic' menu. You can change any of the items on your page into any of the shapes in these menus. They are listed on the previous page.

Free Rotate
Rotate Left
Rotate Right
Flip Horizontal
Flip Vertical

اس مینیو کے فوائد کا اس کے استعمال کے بعد ہی صحیح پتہ چلتا ہے۔ یہ بہت ہی کارآمد ہے۔ اس کے آلات اشیاء کو اُلٹنے، پلٹنے، گھمانے اور ان کے رُخ کو موڑنے کے لئے استعمال ہوتے ہیں۔ ان کا استعمال بھی ہم آگے چل کر کریں گے۔

You would not appreciate the turning, twisting functions of this menu unless you actually use it. We will use some of them on the pages to come.

ڈرائنگ بار ـ5ـ Drawing Bar

آیئے اب ان کمالات کا عملی جائزہ لیں۔ ڈرا بار پہ Oval بٹن کو کلِک کریں اور سکرین پر ایک چھوٹا سادائرہ بنائیں۔ نوٹ کیجئے:(دائرہ بناتے ہوئے Shift کی دبائے رکھیں تو دائرہ بالکل گول بنے گا) یاد رکھیئے یہ عمل ونڈوز کے کئی پروگراموں میں کام آتا ہے۔ اب آپ اس دائرے کو Autoshapes کی کسی بھی شکل میں تبدیل کر سکتے ہیں۔ یہ یقین کرتے ہوئے کہ دائرہ Select ہے، نیچے دی ہوئی ترتیب(1 سے 4) میں ڈرائنگ بار کی Draw مینیو کو استعمال کرتے ہوئے دائرے کو ایک گھومتے ہوئے تیر کی شکل میں تبدیل کریں۔

Let's see some action now. Open a new document, and using the Oval button on the Drawing bar, draw a small circle. **Tip:** (When drawing the circle, keep the Shift key pressed to make a perfectly round circle) This combination works in many other windows packages too.) Now you can change this simple circle into any of the shapes given in the Autoshape menu. Use the Draw menus in the sequence below (1 to 4) to turn your circle into a twisted arrow.

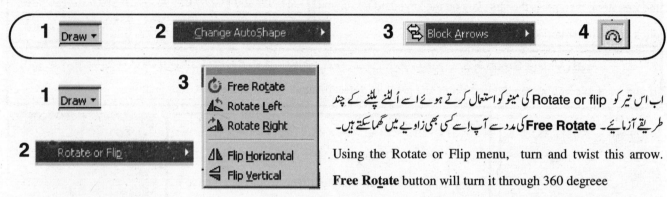

اب اس تیر کو Rotate or flip کی مینو کو استعمال کرتے ہوئے اسے اُلٹنے پلٹنے کے چند طریقے آزمائیے۔ **Free Rotate** کی مدد سے آپ اسے کسی بھی زاویے میں گھما سکتے ہیں۔

Using the Rotate or Flip menu, turn and twist this arrow. **Free Rotate** button will turn it through 360 degreee

ورڈ ایک ڈرائنگ پروگرام نہیں ہے، لیکن اس میں ہلکی پُھلکی ڈرائنگ کی اہلیت آپ کے ڈاکومنٹ میں جان پیدا کر سکتی ہے۔ آیئے اسے آزماتے ہوئے پاکستان کا جھنڈا تیار کریں۔ ہدایات پر خاص توجہ دیجیے۔ **Rectangle** کے بٹن کو استعمال کرتے ہوئے ایک درمیانے سائز کی مستطیل بنائیں۔ **Fill** بٹن کو استعمال کرتے ہوئے اسے ہرے رنگ سے بھر دیں پھر **Oval** بٹن کو استعمال کرتے ہوئے ایک درمیانے سائز کا دائرہ بنائیں یاد رکھیئے:(دائرہ بناتے ہوئے Shift کی کو دبائے رکھنے سے دائرہ بالکل گول بنے گا) اور اسے **Fill** بٹن استعمال کرتے ہوئے سفید رنگ سے بھر دیں۔ Copy اور Paste کے بٹنوں کو استعمال کرتے ہوئے اس دائرے کی ایک اور کاپی بنائیں۔ اب اس دوسری کاپی کو اُسی سبز رنگ سے Fill بٹن کو استعمال کرتے ہوئے بھر دیں۔ اسی دوسرے دائرے کی گولائی کی لائن کو **Line fill** بٹن کی مدد سے ہرے رنگ میں تبدیل کر دیں۔ آخر میں **Autoshapes** کی مینیو میں سے Stars and Banners کے سیکشن میں سے ایک ستارے کا چناؤ کرتے ہوئے اپنے کرسر کو جھنڈے میں چاند کے سامنے لے جا کر ستارہ بنائیں۔ (ستارے کو بالکل سیدھا رکھنے کے لئے بھلا آپ نے کیا کرنا ہے۔ سوچیئے ذرا یا پھر اس صفحے کے پہلے حصے کو دوبارہ پڑھیئے)۔ آپ کا پرچم تیار ہے اسے محفوظ کر لیں (کسی ایسے فولڈر میں جو آپ کو آسانی سے دوبارہ مل بھی سکے!) کیونکہ ہمیں اس کی بعد میں ضرورت پڑے گی۔

مشق: آپ نے اب تک جو کچھ سیکھا ہے اُسے استعمال کرتے ہوئے اس جھنڈے کو ترکی کے جھنڈے میں تبدیل کریں (اس کے لئے آپکو تین اشیاء کے رنگوں کی تبدیلیاں کرنی ہیں) اور پھر ترکی کے جھنڈے کو علیحدہ نام دے کر محفوظ کر لیں۔

Word is not a drawing package, but it is equipped with basic drawing tools, which allow you to bring some sparkle to your documents. Let's draw the Pakistani flag by using these tools. Follow the instructions carefully. Use the **Rectangle** button on the drawing bar to draw a medium sized rectangle. Use the **Fill** button to colour it green. Next, use the **Oval** button and then, using the Shift key, draw a perfect circle of medium size in its middle. Using the fill button give the circle white colour. Now make a copy of the circle by using **Copy** and **Paste** buttons. Fill the second circle with the same shade of green as you used earlier. Move the green circle over white circle until you get a white crescent. Now you have to get rid of the black line around the green circle. Making sure that the green circle is selected use the **Line colour** button to select same shade of green again. Finally, go to **Autoshapes** on the Drawing bar and click the star icon in the **Stars and Banners** section. Drag the mouse in front of the crescent to draw the star to complete the flag (What do you do to keep the star perfectly even? Think about it or read the top half of this page again). Save your Pak flag giving it a suitable name and somewhere you can easily find it again - perhaps in the folder My Document?

Exercise - see if you can turn this flag in to a Turkish flag by changing the colour of 3 objects. Having successfully done that, save your Turkish flag under a different name.

ڈرائنگ بار -6- Drawing Bar

آیئے اب Shadow اور 3D بٹنوں کو استعمال کرتے ہوئے سکرین پر موجود جھنڈے کو چند دلچسپ تبدیلیوں سے آراستہ کریں لیکن یاد رکھیئے جھنڈا چار مختلف شکلوں سے مل کر بنا ہے اور کمپیوٹر کو یہ علم نہیں کہ ہم تبدیلیاں صرف چاند یا ستارے میں لانا چاہتے ہیں یا سارے کے سارے جھنڈے میں۔ اس کے لئے ہمیں جھنڈے کے تمام اجزاء کو select کرنا ہے اور ایسا کرنے کے لئے Shift کی کو دبا کر رکھتے ہوئے جھنڈے کے تمام اجزاء پر ایک ایک کر کے کلک کریں۔ اب آپ تبدیلیوں کے تجربات کر سکتے ہیں۔ ضروری بات: ان تجربات کے بعد جب آپ ڈاکومنٹ کو بند کرنے لگیں تو آپ سے پوچھا جائے گا کہ آپ کے جھنڈے میں کی ہوئی تبدیلیوں کو آپ محفوظ کرنا چاہتے ہیں یا نہیں۔ اس کا جواب نہیں ہونا چاہیے ورنہ آپ کے پہلے سے محفوظ جھنڈے کو مٹاتے ہوئے اُس کی جگہ سکرین پر موجود تبدیل شدہ جھنڈا محفوظ ہو جائے گا، البتہ اگر آپ دونوں کو محفوظ کرنا چاہیں تو اس تبدیل شدہ جھنڈے والے ڈاکومنٹ کو ایک مختلف نام دے کر محفوظ کر سکتے ہیں۔

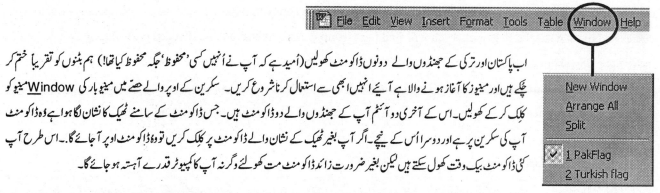

اب پاکستان اور ترکی کے جھنڈوں والے دونوں ڈاکومنٹ کھولیں (اُمید ہے کہ آپ نے اُنہیں کسی 'محفوظ' جگہ محفوظ کیا تھا!) ہم بٹنوں کو تقریباً ختم کر چکے ہیں اور مینیوز کا آغاز ہونے والا ہے آیئے انہیں ابھی سے استعمال کرنا شروع کریں۔ سکرین کے اوپر والے حصّے میں مینیو بار کی **Window** مینیو کو کلک کر کے کھولیں۔ اس کے آخری دو آئٹم آپ کے جھنڈوں والے دو ڈاکومنٹ ہیں۔ جس ڈاکومنٹ کے سامنے ٹھیک کا نشان لگا ہوا ہے وہ ڈاکومنٹ آپ کی سکرین پر ہے اور دوسرا اُس کے نیچے۔ اگر آپ بغیر ٹھیک کے نشان والے ڈاکومنٹ پر کلک کریں تو وہ ڈاکومنٹ اوپر آ جائے گا۔ اس طرح آپ کئی ڈاکومنٹ بیک وقت کھول سکتے ہیں لیکن بغیر ضرورت زائد ڈاکومنٹ مت کھولئے ورنہ آپ کا کمپیوٹر قدرے آہستہ ہو جائے گا۔

نوٹ کیجئے: آپ اس طرح ایک سے زائد کھلے ہوئے ڈاکومنٹس کو ایک اور طریقے سے بھی سکرین پر اُوپر نیچے کر سکتے ہیں۔ کی بورڈ پر Control (Ctrl) کی کو دبائے رکھتے ہوئے دوسرے ہاتھ سے F6 کی کو دبا کر دیکھیں کیا ہوتا ہے۔ اسی طرح آپ تمام ڈاکومنٹس کو باقاعدہ ترتیب سے دیکھ سکتے ہیں۔

Let's apply some special effects to the flag on your screen by using the **Shadow** and **3D** buttons on the Drawing bar. The problem is, the computer does not know what part (rectangle, circles or star) of the flag we want to carry out changes on. We want changes on all parts - so we select all four elements of it. Click the Shift key and keep it down while you click on all four parts of the flag one by one. They are all selected now and you can proceed with your experiments.

Important: Having finished your trials, close the file. You will be asked if you want to save the changes you have just made - you obviously say No to this or else your original flag will be replaced by the one currently on your screen **with** your tried effects which you may not want to retain!

Next - Open the files with Pakistani and Turkish flags one after another (this should be easy if you know where you saved them!). Since we are almost done with buttons and are going to move on to the menus soon, its time you started using some of these. So, if you click on the **Window** menu on the menu bar (at the top of the page), you will have a menu dropping down. We will leave most of the options in it to be discussed later, just look at the last two items. Here you have both of your files listed. The one with a tick mark is on screen right now and one without the tick mark is resting underneath. If you click the one without the tick mark you will see it come to the front on your screen. You can open several files at a time like this if you need to do so. However, do not open too many files unnecessarily, as this would use up your Ram memory and will slow things down a little.

Tip: If you have more than one document opened, there is another quicker short cut way to view your documents. Press the **Control** (Ctrl) and **F6** keys together and see what happens. If you use this hot key combination, you can scroll through all of your opened documents in a sequential manner.

ڈرائنگ بار -7- Drawing

آپ کے جھنڈے مختلف اشکال کی مدد سے بنے ہیں۔ آپ ان انفرادی اشکال کو **Group** کمانڈ کی مدد سے جو کہ ڈرائنگ بار کی **Draw** مینیو میں ہے، جوڑ کر یکجا کر سکتے ہیں، لیکن ایسا کرنے سے پہلے یقین کر لیجئے کہ جھنڈے کے تمام اجزاء select ہیں ورگنہ **Group** کمانڈ دستیاب نہیں ہو گی۔ اس عمل کے بعد آپ کا جھنڈا ایک سالم گراف میں تبدیل ہو جائے گا۔ اسے محفوظ کر لیجئے اور دوسرے جھنڈے کے اجزاء کو بھی اسی طرح اکٹھا کر کے محفوظ کر لیجئے۔ اسی مینیو میں **Ungroup** کمانڈ ایک گروپ شدہ گراف کے اجزاء کو دوبارہ علیحدہ کرنے کے لیے ہے جو گروپ شدہ اشکال میں سے کسی ایک میں مطلوبہ تبدیلی کے لیے مفید ہے۔ اسی مینیو میں ایک تیسری کمانڈ **Regroup** بھی ہے اگر آپ کو ایک ایسے گراف میں جس میں درجنوں اشکال ہوں کوئی تبدیلی کرنا درکار ہو اور آپ نے **Ungroup** کی مدد سے اُس کے اجزاء کو علیحدہ کر دیا ہو تو آپ کو تبدیلی کے بعد تمام اجزاء کو دوبارہ **Group** کرنے کے لئے تمام اجزاء کو ایک ایک کر کے سلیکٹ کرنے کی ضرورت نہیں ہے۔ آپ ایسی صورت میں گراف کے کسی ایک جزو کو سلیکٹ کر کے **Regroup** کمانڈ استعمال کریں گے تو آپ کے گراف کے تمام اجزاء یکجا ہو جائیں گے۔

Since these flags are made of several shapes, it is best to combine their shapes together in each flag. Use the **Group** command in the **Draw** menu on the **Drawing bar** for this. Make sure you have selected all the components (rectangle, 2 circles and the star) of the flag or else you will find the **Group** command unavailable (Greyed out). Once grouped, you can move your flag about on the screen as one object. Save the document, and carry out the same action on the other flag and save that too. The **Ungroup** option in the Draw menu is for dismantling your object for any changes to the grouped shapes. After the changes, when you want to regroup your object back, you do not have to reselect all of the items; just select one item and use the **Regroup** command to put every thing back in a group. This is particularly good when you want to make changes in an object made up of a lots of shapes grouped together.

اب ترکی کے جھنڈے کو select کر کے اُس کو کاپی کیجئے اور اس کے ڈاکومنٹ کو بند کر دیجئے۔ اب آپ کی سکرین پر صرف پاکستانی پرچم والا ڈاکومنٹ ہونا چاہیے۔ Paste بٹن کو کلِک کرتے ہوئے ترکی کے جھنڈے کی ایک کاپی یہاں Paste کریں۔ آپ دیکھیں گے کہ ترکی کا جھنڈا پاکستانی جھنڈے کے سامنے آ جائے گا۔ اگر آپ پاکستانی جھنڈے کو سامنے لانا چاہیں تو اُسے کلِک کر کے select کریں اور پھر ڈرائنگ بار کی **Draw** مینیو کی ایک چھوٹی مینیو **Order** کی کمانڈ **Bring to Front** پر کلِک کریں تو پاکستانی جھنڈا ترکی کے جھنڈے کے سامنے آ جائے گا۔ **Order** مینیو کی دوسری کمانڈز اپنے ناموں سے عیاں ہیں کہ اُن کا کیا مقصد ہے۔ صرف یہ نوٹ کر لیجئے کہ **Bring Forward** اور **Bring to Front** میں فرق یہ ہے کہ **Bring Forward** کمانڈ select کی ہوئی شکل کو ایک قدم آگے لے کر آتی ہے جبکہ **Bring to Front** کمانڈ تمام اشیاء کو پیچھے چھوڑ کر select کی ہوئی شکل کو بالکل سامنے لے آتی ہے۔ **Send Backward** اور **Send to Back** کا آپس میں یہی رشتہ ہے، جبکہ نچلی دو کمانڈز عبارت کو آگے اور پیچھے لے جانے کے لئے ہیں۔

Make a copy of the Turkish flag and close it, you will now have only the Pakistani flag on your screen. Paste the Turkish flag here and it will end up on top of the Pakistani flag. To bring the Pakistani flag to the front, click on it's visible area to select it, then use the **Bring to Front** command on the Draw menu on the Drawing bar. This will shift the Pakistani flag to the front. **Note**: The difference between **Bring Forward** and **Bring to Front** is that, **Bring Forward** brings selected item one step forward at a time, whereas **Bring to Front** puts the selected item right in front of everything else. **Send Backward** and **Send to Back** have similar relation. The last two options are for text.

اب دونوں جھنڈوں کا سائز کم (تقریباً ڈاک کے ٹکٹ جتنا) کر دیں۔ ایسا کرنے کے لئے جھنڈے کو کلِک کریں اور کرسر کو جھنڈے کے کسی ایک کونے میں بنے ہوئے چھوٹے سے خانے پر لے جا کر ماؤس کی کلِک اور رگڑ (اور Shift کی) کے ساتھ حسبِ ضرورت چھوٹا کر لیں۔ پھر دونوں جھنڈوں کی مزید دو دو کاپیاں بنا کر اُنھیں بغیر کسی ترتیب کے سکرین پر دائیں سے بائیں ایک قطار میں لگا دیں اور جان بوجھ کر قطار کو ٹیڑھا رکھیں۔ اب ان سب جھنڈوں کو Shift کی مدد سے Select کر لیں پھر **Draw** کی چھوٹی مینیو **Align or Distribute** کی کمانڈ **Align Middle** پر کلِک کریں۔ آپ کے جھنڈوں کی ٹیڑھی قطار بالکل سیدھی ہو جائے گی۔ اب جھنڈوں کو متواتر سلیکٹ رہنے دیں اور **Align or Distribute** کی کمانڈ **Distribute Horizontally** پر کلِک کریں۔ آپ کے جھنڈوں کا درمیانی فاصلہ بالکل ایک جیسا ہو جائے گا۔ اس مینیو کی باقی کمانڈز کے تجربات آپ خود کر کے دیکھ سکتے ہیں۔

Reduce the size of both flags to that of a stamp (You do this by dragging the little box in any of the corners of a selected object with the **Shift** key pressed down). Then make two copies of each flag. Place these six flags across the screen at short distances - DO NOT try to keep them in a straight line. Use the **Shift** key to select them all. Use the **Align Middle** command from **Align or Distribute** on **Draw** menu of the Drawing Bar and see how your flags fall into a straight line. Similarly, try the **Distribute Horizontally** command of this sub-menu and watch how the distance between the flags becomes perfectly even. You can try the other options on your own with a little bit of imagination.

Menus (1) مینیوز

Having covered buttons, we will now look at the menus. These are the top row on your Microsoft Word screen, just like in every program for Windows, with each word representing a category. Each command on these drop-down menus does something useful (or even wonderful!) and can be displayed as a button on the tool bars as a short cut. You must have gathered by now, that buttons are really short cuts to some of these commands. You may ask why some commands are displayed as buttons as well and the others are not. And you also may ask why not have just buttons for each command. It is quite simple really. If we display them all as buttons on tool bars, there would be little space left on screen for us to work in! So, only the **most used** commands are displayed as buttons, and rest of them are listed in menus only.

You can also customise the tool bars to your liking but please do not go into this quite yet, as you may change settings only to find that you can not set them back to original. While we are with this point, let me reiterate that you should not tamper with areas you do not know well, or you may change some settings only to find you can not get back the original settings again. Having said that, you can not damage your application by changing settings. Do not be afraid to venture out in the areas that you **have** learnt and try the functions you are sure about by all means. We will look at some of the most used commands in these menus. Some of the less used menus would be over looked for now. You may have noticed that the category names have at least one letter underlined like, File Edit and Format etc. This means that the underlined letters, when used in conjunction with the **Alt** key, invoke these menus without the use of a mouse – an example of how combined keys work to carry out several tasks as mentioned in our keyboard review. These key combinations are very useful tools and we will look into more of these later. In **Office 2000** and **Office xp**, these menus only show the most popular commands. Rest of them are hidden, you can fully extend them by double clicking on the menu category (File, Edit etc.). If you are using Office 2000 and you carried out the instructions at the start of this chapter to make Word screen look 'normal' and its menus to behave 'normally', then you need not worry.

ونڈوز کے ہر پیکج کی پہلی سطر (سکرین کے اُوپر والے حصے میں) مینیوز پر مشتمل ہوتی ہے۔ یہاں دی ہوئی ہر کیٹیگری کے اندر کئی کمانڈز ہوتی ہیں اور ہر کمانڈ کوئی نہ کوئی کام انجام دیتی ہے۔ آپ شائد سوچیں کہ بٹنوں اور مینیوز میں فرق کیا ہے اور سبھی کمانڈ بٹنوں کی شکل میں ہی کیوں نہیں بنا دیئے گئے، مزید غور کرنے سے یہ بات عیاں ہو گی کہ ایسا کرنے سے تمام سکرین بٹنوں سے بھر جائے گی اور کام کرنے کے لئے سکرین پر جگہ نہیں رہے گی۔ اس لئے صرف اُن کمانڈز کو بٹن بنا کر ایک شارٹ کٹ کے طور پر بٹن بار پر لگایا گیا ہے جو کہ کثرت سے استعمال ہوتے ہیں لیکن کیونکہ مختلف لوگوں کی ضروریات اور پسند ایک جیسی نہیں ہوتیں اس لئے بٹنوں اور مینیوز کو مرضی کے مطابق تبدیل کیا جا سکتا ہے لیکن خیال رکھیئے گا کہ کوئی ایسی تبدیلی نہ کیجئے، جس کا آپ کو دوبارہ واپس لانے کا علم نہیں ہے، البتہ جن چیزوں کو آپ سیکھ چکے ہیں اُن کے تجربات ضرور کریں، یہ مزید سیکھنے کا ایک مفید ترین طریقہ ہے۔

آپ نے نوٹ کیا ہو گا کہ ہر کیٹیگری میں ایک حرف کے نیچے لائن لگی ہوئی ہے، اس کا مطلب یہ ہے کہ اُس حرف اور Alt کی کو اکٹھا استعمال کرنے سے یہ مینیو کھل جائے گی (بغیر ماؤس کے استعمال کئے)۔ ان مینیوز میں کچھ کمانڈز تو آپ کو جانی پہچانی لگیں گی اور باقی میں سے اہم ترین کمانڈز کا اب ہم جائزہ لیں گے۔ کم اہمیت اور کم استعمال ہونے والی کمانڈز کو فی الحال نظر انداز کر دیا جائے گا۔

اگر آپ Office 2000 یا Office xp استعمال کر رہے ہیں تو آپ کی مینیوز میں صرف کثرت سے استعمال ہونے والی کمانڈز نظر آئیں گی، باقی کمانڈز پوشیدہ ہوئی ہیں جو کہ کیٹیگری یعنی مینیوز کے نام پر صرف ایک کلک کی بجائے ڈبل کلِک کرنے سے کھل کر سامنے آجائیں گی، البتہ اگر آپ نے اس چیپٹر کے آغاز میں ورڈ 2000 کی سکرین کو تبدیل کرنے کی ہدایات پر عمل کیا تھا تو آپ کو ورڈ 2000 میں ایسا کرنے کی ضرورت نہیں پڑے گی۔

Menus (File) مینیوز ۔ فائل

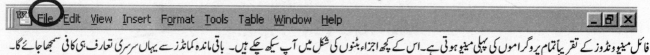

فائل مینیو ونڈوز کے تقریباً تمام پروگراموں کی پہلی مینیو ہوتی ہے۔اس کے کچھ اجزاء بٹنوں کی شکل میں آپ سیکھ چکے ہیں۔ باقی ماندہ کمانڈز سے یہاں سرسری تعارف ہی کافی سمجھا جائے گا۔

File is the first menu in almost all of Windows packages. As you can see, we have covered some of the commands in it already when looking at Buttons . Most of these are simple enough to understand with a brief introduction.

The **Close** button is to (surprise, surprise) close an opened document.

The **Save As** button is used primarily when you want to save a file under a different name. For example, if you want to create a document very similar to the one already saved, you can open that document, make changes, and save it under a different name.

The **Properties** command gives you some information about the current document on the screen.

Just below properties, the listed documents are those opened recently and a simple click on any of them would quickly open that particular document

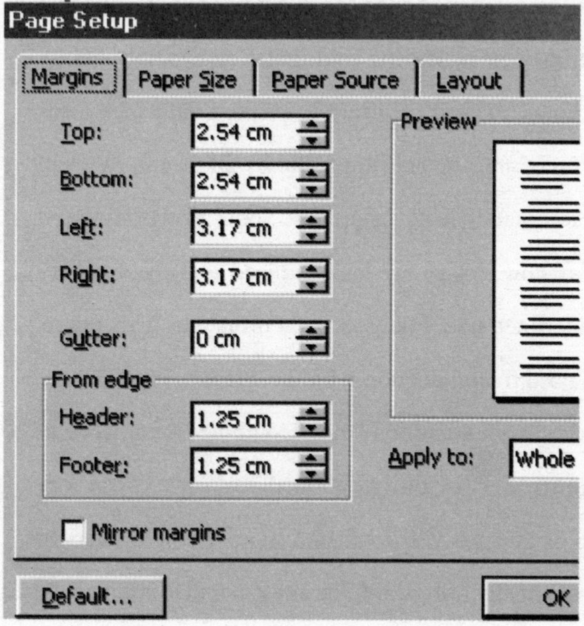

And the final command **Exit**, takes you out of the Word package.

Normally, you do not need to set up the page in Word, as it is set up in the most commonly used format already. However, occasionally you may want to change these settings to print in, say, landscape instead of portrait format, or may want to increase or decrease the margins on the page. You can also select the paper size here and various other similar options.

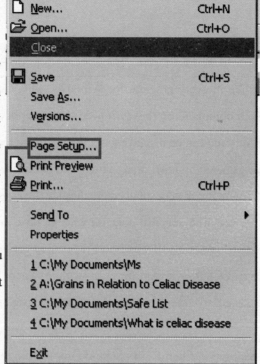

Note the combination of keys in front of some commands; these are their **Keyboard shortcuts**. For example, **New** in **File** menu (which we know opens a new blank document) has **Ctrl+N** in front of it. This means pressing the control (**Ctrl**) key **and** the letter **N** key together opens a blank document. More on Shortcuts later in the book.

Close کمانڈ سکرین پر موجود ڈاکومنٹ کو بند کرنے کے لئے ہے۔

Save As کمانڈ پہلے سے محفوظ شدہ ڈاکومنٹ کو مختلف نام سے محفوظ کرنے کے لئے ہے۔مثال کے طور پر اگر آپ نے ایک ایساڈاکومنٹ تیار کرنا ہے، جو کہ آپ کے پہلے سے محفوظ شدہ ایک ڈاکومنٹ سے ملتا جلتا ہے تو آپ محفوظ شدہ ڈاکومنٹ کو سکرین پر کھول کر اُس میں مطلوبہ تبدیلیاں کر کے اُسے **Save As** کمانڈ کے ساتھ ایک نئے نام سے محفوظ کر سکتے ہیں، جبکہ پہلے سے محفوظ شدہ ڈاکومنٹ اپنی اصلی حالت میں ہی محفوظ رہے گا۔

Properties کمانڈ سکرین پر موجود ڈاکومنٹ کے متعلق کچھ مفید معلومات مُہیا کرتی ہے۔ مینیو کے نچلے حصے میں اُن ڈاکومنٹس کی لسٹ ہے، جو کہ حال ہی میں کھولے جا چکے ہیں اور اُن پر ماؤس کلِک کرنے سے وہ یکدم کھل جائیں گے۔ آخری کمانڈ **Exit** ورڈ کو بند کرنے کے لئے ہے۔

ورڈ کے ڈاکومنٹ کی سیٹنگ آٹومیٹک ہے اور عام طور پر اسے تبدیل کرنے کی ضرورت نہیں پڑتی لیکن حسبِ ضرورت **Page Setup** کے ذریعے یہ سیٹنگ تبدیل کی جا سکتی ہیں جیسا کہ مارجن، صفحے کا سائز، پورٹریٹ سے لینڈ سکیپ وغیرہ۔ آپ ان سیٹنگ کے ساتھ تجربات کر سکتے ہیں۔ آپ نے نوٹ کیا ہوگا کہ **File** مینیو میں کچھ کمانڈز کے سامنے کی بورڈ شورٹ کٹ دی ہوئی ہیں جیسا کہ **New** کے سامنے **Ctrl+N** درج ہے اس کا مطلب یہ ہے کہ آپ کنٹرول **(Ctrl)** کی کے ساتھ **N** کی کو یکجا استعمال کرتے ہوئے بغیر ماؤس کے نیا ڈاکومنٹ کھول سکتے ہیں ہم ان کار آمد **Keyboard Shortcuts** کا آگے چل کر تفصیلاً جائزہ لیں گے۔

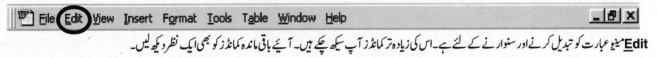

Menus (Edit) مینیوز۔ ایڈٹ

View
Insert
Format
Tools
Table
Window
Help

Edit مینیو عبارت کو تبدیل کرنے اور سنوارنے کے لئے ہے۔ اس کی زیادہ تر کمانڈز آپ سیکھ چکے ہیں۔ آئیے باقی ماندہ کمانڈز کو بھی ایک نظر دیکھ لیں۔

Edit menu in Word is to alter and edit the text. We have already covered Undo, Redo, Cut, Copy and Paste commands from this important menu. Let's take a look at the others.

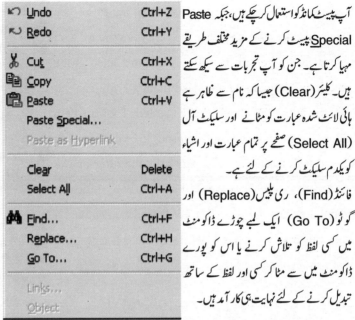

You have already used the **Paste** command; **Paste Special** is a little more Special. It gives further choices when pasting. The best way to learn this is to experiment. The difference would be obvious when you start experimenting a little. **Clear** and **Select All** are self explanatory. **Select All** selects everything on the page and **Clear** deletes everything selected. **Find** is extremely useful with very large documents. Imagine navigating through a 100 page document. What if you wanted to replace a certain name or word in such a large documents? **Find, Replace** and **Go To** help to do this in no time.

Undo Ctrl+Z
Redo Ctrl+Y
Cut Ctrl+X
Copy Ctrl+C
Paste Ctrl+V
Paste Special...
Paste as Hyperlink
Clear Delete
Select All Ctrl+A
Find... Ctrl+F
Replace... Ctrl+H
Go To... Ctrl+G
Links...
Object

آپ پیسٹ کمانڈ کو استعمال کر چکے ہیں، جبکہ Paste Special پیسٹ کرنے کے مزید مختلف طریقے مہیا کرتا ہے۔ جن کو آپ تجربات سے سیکھ سکتے ہیں۔ کلیئر (Clear) جیسا کہ نام سے ظاہر ہے ہائی لائٹ شدہ عبارت کو مٹانے اور سلیکٹ آل (Select All) صفحے پر تمام عبارت اور اشیاء کو یکدم سلیکٹ کرنے کے لئے ہے۔ فائنڈ (Find)، ری پلیس (Replace) اور گو ٹو (Go To) ایک لمبے چوڑے ڈاکومنٹ میں کسی لفظ کو تلاش کرنے یا اس کو پورے ڈاکومنٹ میں سے مٹا کر کسی اور لفظ کے ساتھ تبدیل کرنے کے لئے نہایت ہی کار آمد ہیں۔

فرض کیجئے آپ نے کئی صفحات کا ایک ایسا مضمون تیار کیا ہو جس میں درجنوں جگہ لاہور کا ذکر ہو جبکہ درحقیقت جہلم کا درج کیا جانا درکار تھا۔ آپ نہ صرف Find کے ذریعے لفظ لاہور کی ہر اس جگہ نشاندہی کر سکتے ہیں جہاں اس کا استعمال ہوا ہے بلکہ آپ Find اور ری پلیس کے ذریعے پورے ڈاکومنٹ میں جہاں جہاں لاہور درج ہے اس کی جگہ جہلم کا اندراج چند سیکنڈ میں کر سکتے ہیں۔

Say you composed a multi page article, which mentions Lahore several times when in fact it should have been Jhelum that you were suppose to write. Well, not only can you locate every line with the word Lahore in it by using the **Find** command, you can also replace it with the word Jhelum by utilising the **Replace** command at the same time.

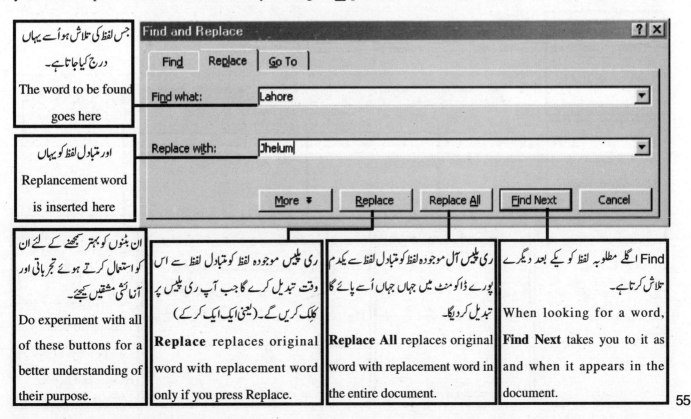

جس لفظ کی تلاش ہو اُسے یہاں درج کیا جاتا ہے۔

The word to be found goes here

اور متبادل لفظ کو یہاں

Replancement word is inserted here

Find and Replace
Find
Replace
Go To
Find what:
Lahore
Replace with:
Jhelum
More
Replace
Replace All
Find Next
Cancel

ان بٹنوں کو بہتر سمجھنے کے لئے ان کو استعمال کرتے ہوئے تجرباتی اور آزمائشی مشقیں کیجئے۔

Do experiment with all of these buttons for a better understanding of their purpose.

ری پلیس موجودہ لفظ کو متبادل لفظ سے اس وقت تبدیل کرے گا جب آپ ری پلیس پر کلِک کریں گے۔ (یعنی ایک ایک کرکے)

Replace replaces original word with replacement word only if you press Replace.

ری پلیس آل موجودہ لفظ کو متبادل لفظ سے یکدم پورے ڈاکومنٹ میں جہاں جہاں اُسے پائے گا تبدیل کر دیگا۔

Replace All replaces original word with replacement word in the entire document.

Find اگلے مطلوبہ لفظ کو یکے بعد دیگرے تلاش کرتا ہے۔

When looking for a word, **Find Next** takes you to it as and when it appears in the document.

Menus (View) مینیوز۔ویوّ

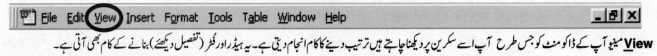

File Edit View Insert Format Tools Table Window Help

View مینیو آپ کے ڈاکومنٹ کو جس طرح آپ اسے سکرین پر دیکھنا چاہتے ہیں ترتیب دینے کا کام انجام دیتی ہے۔ یہ ہیڈر اور فُٹر (تفصیل دیکھئے) بنانے کے کام بھی آتی ہے۔

View menu in Word is mainly to choose the outlook of your document on screen - the way you want it to appear while working on a document. It also lets you view, and indeed, compose Headers and Footers (sea below).

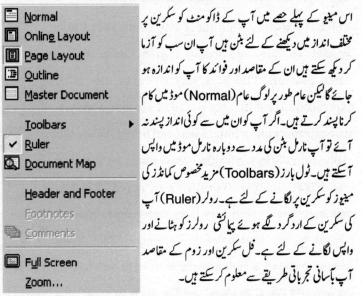

The first five buttons on the View menu are to let you view your document on screen the way you want to, with each offering certain benefits. The most used mode though, is Normal. Having tried them all you can get back to Normal by clicking on its button. Toolbars help to display certain groups of commands to be displayed on screen. Ruler takes off and puts back the ruler on the border of your document. Full Screen removes everything from the screen except your document and a little button to get back, while Zoom enlarges and diminishes your document's view.

Normal

اس مینیو کے پہلے حصے میں آپ کے ڈاکومنٹ کو سکرین پر مختلف انداز میں دیکھنے کے لئے بٹن ہیں آپ ان سب کو آزما کر دیکھ سکتے ہیں ان کے مقاصد اور فوائد کا آپ کو اندازہ ہو جائے گا لیکن عام طور پر لوگ عام (Normal) موڈ میں کام کرنا پسند کرتے ہیں۔ اگر آپ کو ان میں سے کوئی انداز پسند نہ آئے تو آپ نارمل بٹن کی مدد سے دوبارہ نارمل موڈ میں واپس آسکتے ہیں۔ ٹول بارز (Toolbars) مزید مخصوص کمانڈز کی مینیوز کو سکرین پر لگانے کے لئے ہے۔ رولر (Ruler) آپ کی سکرین کے اردگرد لگے ہوئے پیمائشی رولرز کو ہٹانے اور واپس لگانے کے لئے ہے۔ فل سکرین اور زوم کے مقاصد آپ بآسانی تجرباتی طریقے سے معلوم کرسکتے ہیں۔

ویوّ مینیو کی سب سے اہم کمانڈ ہیڈر اینڈ فُٹر (Header and Footer) ہے۔ آپ شائد ان الفاظ سے مانوس نہ ہوں لیکن جیسا کہ نام سے عیاں ہے یہ آپ کے ڈاکومنٹ کے اوپر اور نیچے والے حاشیوں میں کمپنی کا تجارتی نشان، نام یا ٹائٹل، تاریخ اور صفحہ نمبر وغیرہ ڈالنے کے کام آتے ہیں۔ ایک دفعہ ڈالی ہوئی معلومات ڈاکومنٹ کے ہر نئے صفحہ پر خود بخود نمودار ہوگی۔

Perhaps the most important command in the View menu is Header and Footer. If you are not familiar with Header and Footer then think about the name. It simply lets you insert into your document what you would like at the top (Header) and the bottom (Footer) of EACH page. This could be a company logo or a title as the header. Footer is extensively used to insert automated page numbers in a multi-page documents. Once inserted this information appears on every page of the document.

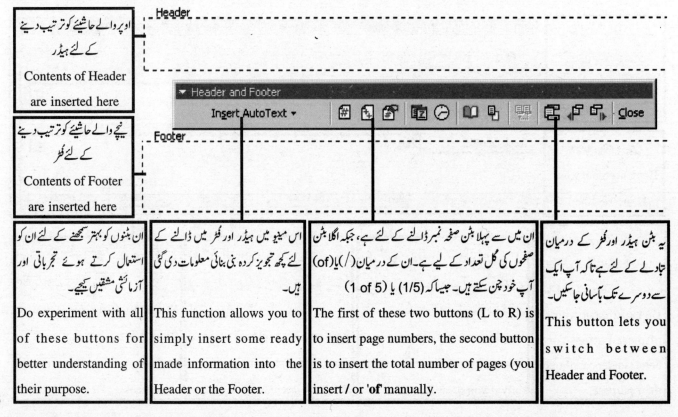

اوپر والے حاشیئے کو ترتیب دینے کے لئے ہیڈر

Contents of Header are inserted here

نیچے والے حاشیئے کو ترتیب دینے کے لئے فُٹر

Contents of Footer are inserted here

ان بٹنوں کو بہتر سمجھنے کے لئے ان کو استعمال کرتے ہوئے تجرباتی اور آزمائشی مشقیں کیجیے۔

Do experiment with all of these buttons for better understanding of their purpose.

اس مینیو میں ہیڈر اور فُٹر میں ڈالنے کے لئے کچھ تجویز کردہ بنی بنائی معلومات دی گئی ہیں۔

This function allows you to simply insert some ready made information into the Header or the Footer.

ان میں سے پہلا بٹن صفحہ نمبر ڈالنے کے لئے ہے، جبکہ اگلا بٹن صفحوں کی کُل تعداد کے لیے ہے۔ ان کے درمیان (/) یا (of) آپ خود چن سکتے ہیں۔ جیسا کہ (1/5) یا (1 of 5)

The first of these two buttons (L to R) is to insert page numbers, the second button is to insert the total number of pages (you insert / or '**of**' manually.

یہ بٹن ہیڈر اور فُٹر کے درمیان تبادلے کے لئے ہے تاکہ آپ ایک سے دوسرے تک بآسانی جاسکیں۔

This button lets you switch between Header and Footer.

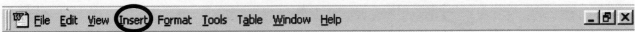

Menus (Insert) مینیوز۔انسرٹ

File Edit View Insert Format Tools Table Window Help

As the name suggests this menu helps to insert various items into your documents. This includes pictures, diagrams and hidden comments etc. We will briefly look at some of the most important ones.

جیسا کہ نام سے عیاں ہے **Insert** مینیو آپ کے ڈاکو منٹ کے اندر مختلف اشیاڈالنے کے لئے ہے۔ان میں تصاویر، ڈائیاگرام اور پوشیدہ تبصرہ (comments) وغیرہ شامل ہیں۔

I think most of the items on this menu are self-explanatory so I will only tackle the ones needing additional explanation. **Break** inserts a page break - jumping to the next page. **Symbol** can insert hundreds of symbols which can not be typed in by the keyboard. **Comment** inserts remarks that you type in as reminders and notes but without showing them in the main text. When you click on Comment, an insertion box appears, you simply type in the reminder (you can even record a voice comment provided your PC has necessary audio equipment). When you have finished, click on **Close**, the box disappears. A yellow mark is left behind to indicate that a comment is inserted here. Moving the cursor over these yellow marks reveals the full body of the comments underneath.

اس مینیو کے زیادہ تر اجزاء اُن کے ناموں سے ہی عیاں ہیں۔ البتہ چند زیادہ اہمیت کے حامل اجزاء کی مزید تفصیل درج ذیل ہے۔ **Break** کا مقصد نئے صفحے کا آغاز ہے۔ **Symbol** کمانڈ اُن درجنوں گرافک اور نشانات کو آپ کے ڈاکو منٹس میں ڈالنے کے لئے ہے جو کہ کی بورڈ کی مدد سے ٹائپ نہیں کئے جا سکتے۔ **Comment** آپ کی عبارت میں پوشیدہ ریمارکس ڈالنے کے لئے ہے جو کہ سکرین پر نہ تو نظر آتے ہیں اور نہ ہی پرنٹ ہوتے ہیں بلکہ عبارت میں پیلے رنگ کا ایک دھبہ چھوڑ دیتے ہیں، جو کہ عبارت میں اس چیز کی نشاندہی کرتا ہے کہ اس کے نیچے ایک ریمارک پوشیدہ ہے۔ **Comments** ڈالنے کے لئے اس کمانڈ کو کلک کرنے پر ایک سکرین سامنے آئے گی جس میں آپ اپنا ریمارک ٹائپ کر سکتے ہیں۔ اس کے بعد کامنٹ سکرین پر **Close** بٹن کو کلک کرنے پر کامنٹ **Comments** سکرین غائب ہو جائے گی جبکہ جہاں آپ نے کامنٹ ڈالا ہے وہاں ایک پیلا دھبہ رہ جائے گا۔ اس کرسر کو لے جا کر آپ اپنے ریمارک کا متن پڑھ سکتے ہیں۔

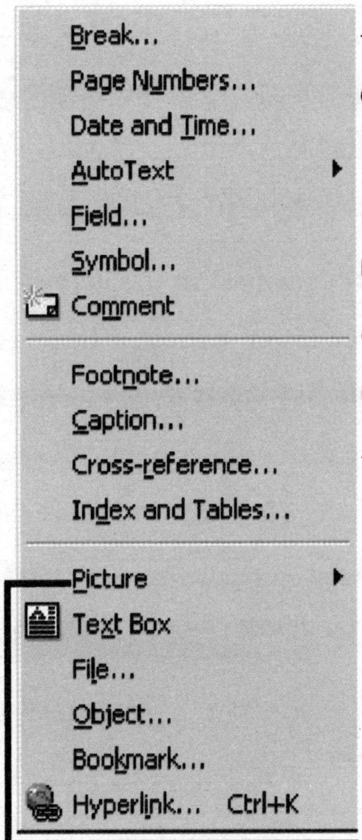

Picture command lets you insert clip art, pictures, charts and Drawing bar items into your text. Clip Art command will offer you a limited number

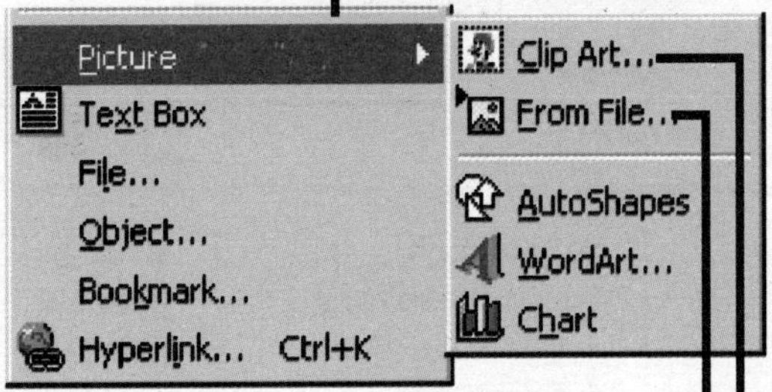

of pictures with a great deal more on the Office CD. The **From File** command lets you insert photos and pictures you have saved on your disk. To navigate to them you use the boxes seen below which you should, by now, be familiar with.

ورڈ میں آپ اپنی عبارت میں تصاویر اور گرافکس کا استعمال بھی کر سکتے ہیں۔ **Picture** کمانڈ اسی مقصد کے لئے ہے۔ اس کمانڈ کی ایک اپنی چھوٹی سی **Sub-menu** ہے جس میں کلپ آرٹ (کارٹون) اور تصاویر کے علاوہ ڈرائنگ بار کے اجزاء کی کمانڈ بھی شامل ہیں۔ کلپ آرٹ کی کمانڈ کا ڈائیلاگ باکس (اس قسم کے باکس سے اب آپ کو مانوس ہونا چاہیئے) آپ کو ایک محدود تعداد میں کلپ آرٹ تک رسائی دلائے گا، جبکہ ہزاروں کی تعداد میں مزید کلپ آرٹ آفس کی سی ڈی میں محفوظ ہیں۔ **From File** کمانڈ اسی طرح اُن تصاویر کو عبارت میں ڈالنے کے لئے ہے، جو آپ نے ڈسک پر محفوظ کی ہوئی ہوں۔

Help

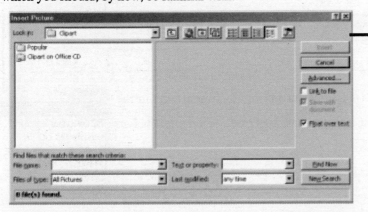

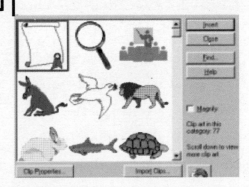

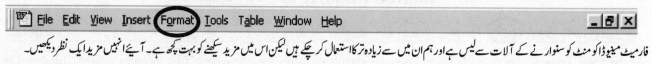

Menus (Format) مینیوز ۔ فارمیٹ

File Edit View Insert Format Tools Table Window Help

فارمیٹ مینیوڈاکومنٹ کوسنوارنے کے آلات سے لیس ہے اور ہم ان میں سے زیادہ تر کا استعمال کر چکے ہیں لیکن اس میں مزید سیکھنے کو بہت کچھ ہے۔ آیئے انہیں مزید ایک نظر دیکھیں۔

The **Format** menu offers many options to alter the text to look the way you want it to look. We covered most of the formating features when we looked at the icons, but there is a lot more here to explore, so lets take a deeper look.

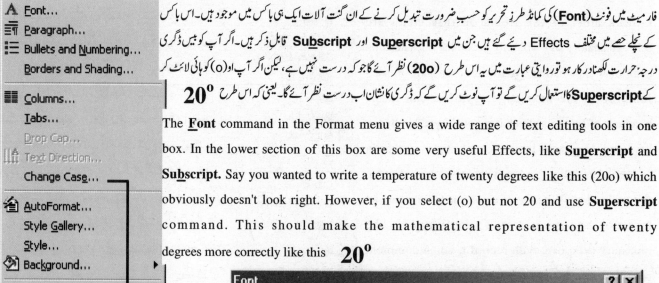

فارمیٹ میں فونٹ(**Font**)کی کمانڈ طرز تحریر کو حسب ضرورت تبدیل کرنے کے ان گنت آلات ایک ہی باکس میں موجود ہیں۔اس باکس کے نچلے حصے میں مختلف Effects دیئے گئے ہیں جن میں **Superscript** اور **Subscript** قابل ذکر ہیں۔اگر آپ کو بیس ڈگری درجہ حرارت لکھنا درکار ہو تو روایتی عبارت میں یہ اس طرح (**20o**) نظر آئے گا جو کہ درست نہیں ہے، لیکن اگر آپ(o) کو ہائی لائٹ کر کے **Superscript** کا استعمال کریں گے تو آپ نوٹ کریں گے کہ ڈگری کا نشان اب درست نظر آئے گا۔ یعنی کہ اس طرح 20°

The **Font** command in the Format menu gives a wide range of text editing tools in one box. In the lower section of this box are some very useful Effects, like **Superscript** and **Subscript.** Say you wanted to write a temperature of twenty degrees like this (20o) which obviously doesn't look right. However, if you select (o) but not 20 and use **Superscript** command. This should make the mathematical representation of twenty degrees more correctly like this 20°

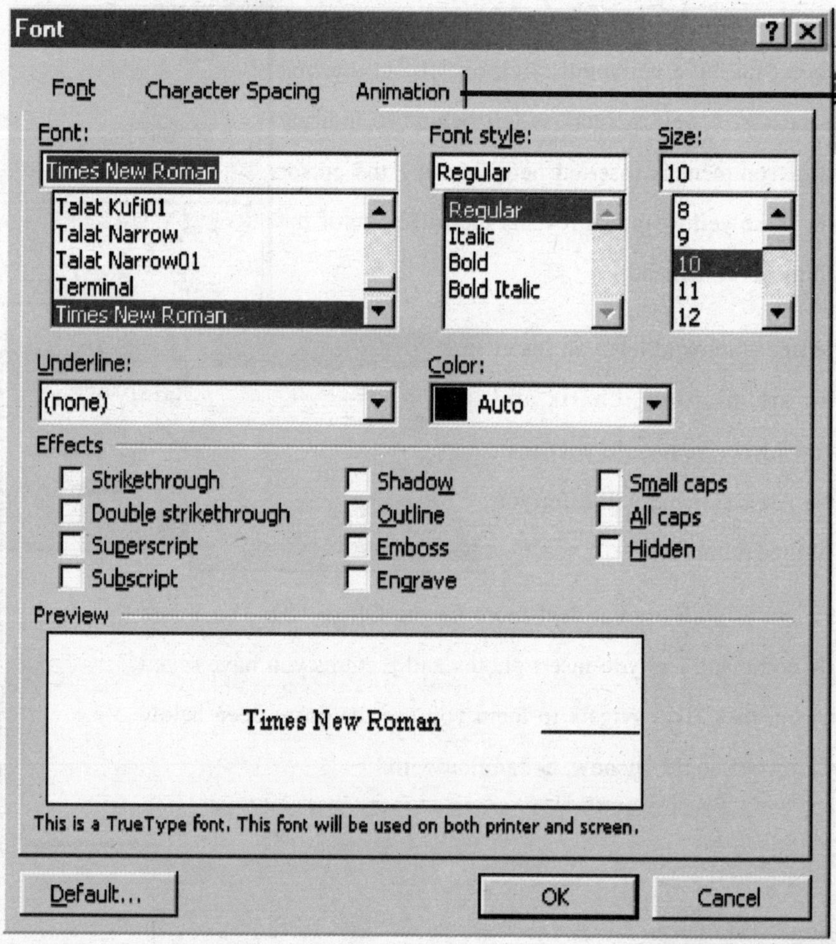

Change case کمانڈ آپ کی عبارت کو کیپیٹل سے لورکیس اور لورکیس سے کیپیٹل میں تبدیل کرنے کے کام آتی ہے اور اسی طرز کے دیگر کارآمد کام انجام دیتی ہے۔ چند تجربات کر کے دیکھئے۔

The **Change Case** command does what it says (from capital to lower case and vice versa). It performs other similar tasks . Try it by experimenting a little.

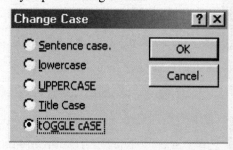

بلٹ اور نمبرنگ ہم استعمال کر چکے ہیں اور مجھے یقین ہے کہ آپ یہاں باقی ماندہ کمانڈز میں سے اکثریت کو چند تجرباتی آزمائشوں کے بعد بغیر کسی مشکل کے سمجھ جائیں گے۔

You already know Numbering and Bullets. The rest of the commands here are relatively less important but I am sure you will pick up most of these by experimenting with them a little.

You will find some further interesting effects in the **Animation** tab, but don't forget to select the text before applying them.

ایمیشن میں آپ مزید دلچسپ سپیشل افیکٹ پائیں گے لیکن ان کے اثرات دیکھنے کے لئے عبارت کو سلیکٹ کرنا نہ بھولئے۔

Menus (Tools-1) مینیوز ۔ ٹولز ۱

File Edit View Insert Format Tools Table Window Help

ٹولز مینیو ورڈز کی اہم ترین مینیو ہے اس میں کئی طاقت ور آلات موجود ہیں جن کی خود کار صلاحیتیں ورڈ پروسیسنگ کے پیچیدہ ترین کاموں کو چند لمحوں میں سر انجام دینے کے کام آتی ہیں۔

The **Tools** menu is probably the most important menu in Word. It has some powerful features to automate some of the most complex tasks in word processing. We will take a more detailed look at it.

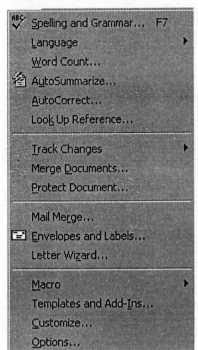

Spelling and Grammer کو ہم استعمال کر چکے ہیں۔ **Language** آپ کی الیکٹرانک ڈکشنری ہے جو آپ کے الفاظ اور اُن کے نعم البدل کے چناؤ کے لئے کام آتی ہے۔ **Wordcount** ڈاکومنٹ میں الفاظ، سطروں اور صفحوں وغیرہ کی تعداد بتاتا ہے۔ **Autocorrect** آپ کی ٹائپ کی ہوئی غلطیوں کو خود بخود درُست کرنے کا کام انجام دیتا ہے، جیسا کہ اگر آپ نئی سطر کا آغاز ایک کیپٹل حرف کے ساتھ کرنا بھول جاتے ہیں تو یہ خود بخود اس غلطی کو درُست کر دے گا۔ **Macro** مختلف کمانڈز کے ایک ایسے مجموعے کو کہتے ہیں جسے ریکارڈ کر کے ایک بٹن کی شکل دے دی جائے اور پھر اس بٹن کو کلِک کرنے پر وہ تمام کمانڈز یک لخت چلائی جا سکیں۔ میکرو کا استعمال قدرے پیچیدہ ہے اور اس کتاب کے دائرے سے باہر ہے۔ اس قسم کے ایڈوانس طریقہء کار میری آئندہ کتاب میں شامل کئے جائیں گے لیکن آپ اسے ایک چیلنج کے طور پر اس کے متعلق **Help** مینیو کی مدد سے مزید جان کر اس کے استعمال کو سیکھ سکتے ہیں۔ **Protect Document** آپ کے پرائیویٹ ڈاکومنٹس تک رسائی کو محدود کرنے کے لئے ہے، آپ ایسے ڈاکومنٹس کو پاس ورڈ کی مدد سے محفوظ کر سکتے ہیں لیکن پاس ورڈ کو بھولئے مت وگرنہ ڈاکومنٹ تک رسائی ممکن نہیں ہو گی۔ اس مینیو کی اہم ترین کمانڈز **Mail Merge**، **Letters Wizard** اور **Envelopes and Labels** کو تفصیل کے ساتھ اگلے صفحہ پر بیان کیا جائے گا۔ **Options** کی ایک جھلک آپ دیکھ چکے ہیں (جب ہم نے ورڈ کی پہلی سکرین کو تبدیل کیا تھا) جبکہ **Customize** کمانڈ آپ کو ورڈ کے مختلف طریقہء کار کو آپ کی پسند کے مطابق ترتیب دینے کے لئے ہے۔ اس سیکشن میں دی ہوئی درجنوں Choices سے آپ ورڈ میں رونما ہونے والی فنکشن کو اپنی مرضی کے مطابق ڈھال سکتے ہیں۔ لیکن جب تک آپ کو اچھی طرح سے ورڈ سے واقفیت نہیں ہو جاتی تب تک اس سیکشن میں تبدیلیوں سے گریز کیجئے۔ عام طور پر یہاں پہلے سے چنی ہوئی Options اور Settings ہی اکثریت کے لیے معقول ترین سمجھی جاتی ہیں۔

We had a look at the **Spelling and grammar** earlier in the book. **Language** is your online dictionary and thesaurus. It is extremely useful when you want to use the right word but can not think of it or would like a similar word. **Wordcount** gives you the total number of words in your document plus the number of lines, paragraphs, pages and even spaces. **AutoCorrect** gives you a screen full of options to make the computer correct your mistakes automatically. For example, if you like the computer can automatically make the first letter of a sentence a capital or correct common spelling errors etc. **Protect Document** does what it says and lets you assign a password so that only you have access to a certain document - BUT, do not forget or lose the password or the document will not be accessible! Three of the most important commands here are **Mail Merge, Letters Wizard** and **Envelopes and Labels**. I will describe them in a little bit more detail on the next page. A **Macro** is a set of command, which are executed in the sequence they are recorded in. For example, if you performed a particular task involving several commands, you can record all of them step by step in one macro and execute those steps with just one click. Details are a little bit complex and beyond the scope of this book. Perhaps in my next book? or maybe a challenge for you !

You have used the **Options** command earlier in the book (when we customised the Word screen) whereas, the **Customize** command lets you control dozens of settings in Word. Here you have a great deal of control over how you want the Word to work for you. But I must emphasise that it can be a danger zone for the novice. Please do not change any settings that you are not sure about until you are more experienced. Until then, you do not have to change anything, the default settings are most commonly used and hardly are needed to be changed by majority of the users.

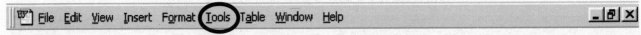

| ☒ | <u>F</u>ile | <u>E</u>dit | <u>V</u>iew | <u>I</u>nsert | F<u>o</u>rmat | <u>T</u>ools | T<u>a</u>ble | <u>W</u>indow | <u>H</u>elp | _ | ☐ | ✕ |

ٹولز مینیو کی اہم ترین کمانڈ **Mail Merge** ہے۔ فرض کیجیے کہ آپ ایک کمپنی کے مینیجر ہیں اور آپ نے اپنے دوسو ایجنٹس کو اپنی کمپنی کی پالیسی میں ایک اہم تبدیلی کے متعلق آگاہ کرنا ہے۔ اس کے لئے دوسو خط لکھنا درکار ہیں لیکن میل مرج کو استعمال کرتے ہوئے آپ کو صرف ایک خط ٹائپ کرنا پڑے گا البتہ آپ کو دوسو ایجنٹس کے نام اور پتوں کی فہرست تیار کرنی ہوگی جو کہ کمپنی کے ریکارڈ میں پہلے سے موجود ہونی چاہیے۔ میل مرج آپ کے ایک خط اور اس فہرست کو استعمال کرتے ہوئے دوسو خط چند منٹوں میں تیار کر دے گا آپ ہر خط پر ایک مخصوص ایجنٹ کا نام و پتا پائیں گے۔ میل مرج کی قدم بہ قدم تراکیب اس کتاب کے مقاصد میں شامل نہیں ہے۔ انشاءاللہ اگلی کتاب میں اس کی مکمل تراکیب کو شامل کیا جائے گا۔

MailMerge: Imagine you are the manager of a company with two hundred agents in the country and you want to inform them about an important policy change. You don't have to type out 200 letters. Using MailMerge all you need is a single letter and the list of names and addresses of your agents to complete the task in seconds. MailMerge uses the master copy of the letter and inserts name address and any other information in each of the letters individually and precisely where specified on the letter. Step by step instructions for MailMerge are beyond the scope of this book but will be covered in detail in my next book. In the meantime, perhaps you can use Help to try to master it yourself? But do this after you have done Excel (next chapter), which you can use for your address list.

Letters Wizard: کا مطلب تو آپ جانتے ہی ہوں گے کہ جادوگر ہوتا ہے اور کمپیوٹنگ کی اصطلاح میں وزرڈ ایک ایسے پروگرام یا کمانڈ کو کہتے ہیں جو آپ کو قدم با قدم کسی کام کو انجام دینے میں مدد کرے۔ لیٹر وزرڈ آپ سے چند سوال پوچھنے کے بعد اس خط کو اس طرح ڈیزائن کر دیتا ہے کہ آپ کو صرف خط کی مرکزی عبارت ہی ٹائپ کرنی پڑتی ہے۔ لیٹر وزرڈ کے ڈائیلاگ باکس میں چار مختلف سکرینوں میں آپ کو خط کے متعلق مختلف معلومات مہیا کرنی ہوتی ہیں جیسا کہ خط کا انداز رسمی یا غیر رسمی، جسے خط لکھا جا رہا ہے اس کا نام و پتا، تاریخ اور کاغذ کا ڈیزائن وغیرہ۔

In computing, a Wizard is an automated routine which helps you accomplish a task by asking you a few questions in a step by step sequence. Letter's Wizard has four little screens (tabs) within its dialogue box. These are used to decide on the design, layout, and even the style of the letterhead. You enter the address, date and similar info, and the wizard inserts them in the right place. So, basically, you are left to just type in the main body of the letter.

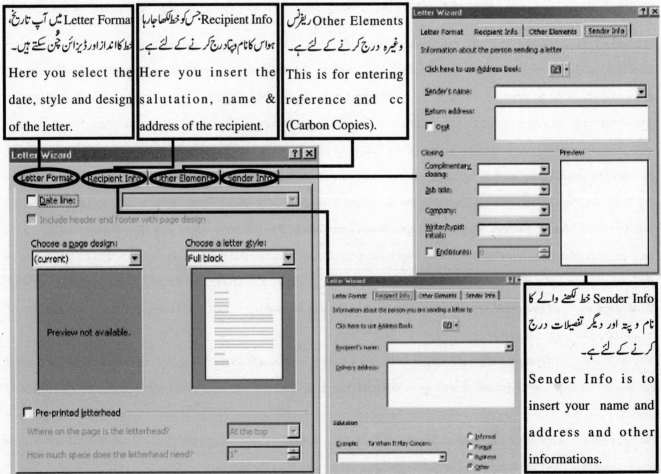

Letter Format میں آپ تاریخ، خط کا انداز اور ڈیزائن چن سکتے ہیں۔
Here you select the date, style and design of the letter.

Recipient Info جس کو خط لکھا جا رہا ہو اس کا نام و پتا درج کرنے کے لئے ہے۔
Here you insert the salutation, name & address of the recipient.

Other Elements ریفرنس وغیرہ درج کرنے کے لئے ہے۔
This is for entering reference and cc (Carbon Copies).

Sender Info خط لکھنے والے کا نام و پتہ اور دیگر تفصیلات درج کرنے کے لئے ہے۔
Sender Info is to insert your name and address and other informations.

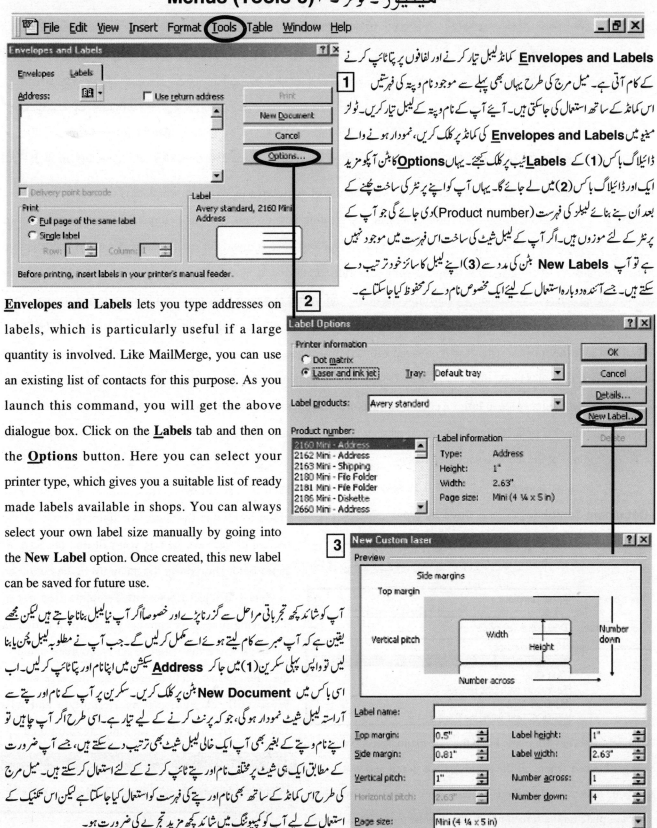

Menus (Tools-3) مینیوز ۔ ٹولز ۔ ۳

1

Envelopes and Labels کمانڈ لیبل تیار کرنے اور لفافوں پر پتا ٹائپ کرنے کے کام آتی ہے۔ میل مرج کی طرح یہاں بھی پہلے سے موجود نام و پتہ کی فہرستیں اس کمانڈ کے ساتھ استعمال کی جاسکتی ہیں۔ آیئے آپ کے نام و پتہ کے لیبل تیار کریں۔ ٹولز مینیو میں **Envelopes and Labels** کی کمانڈ پر کلک کریں، نمودار ہونے والے ڈائیلاگ باکس (1) کے **Labels** ٹیب پر کلک کیجئے۔ یہاں **Options** کا بٹن آپکو مزید ایک اور ڈائیلاگ باکس (2) میں لے جائے گا۔ یہاں آپ کو اپنے پرنٹر کی ساخت چننے کے بعد اُن بنے بنائے لیبلز کی فہرست (Product number) دی جائے گی جو آپ کے پرنٹر کے لئے موزوں ہیں۔ اگر آپ کے لیبل شیٹ کی ساخت اس فہرست میں موجود نہیں ہے تو آپ **New Labels** بٹن کی مدد سے (3) اپنے لیبل کا سائز خود ترتیب دے سکتے ہیں۔ جسے آئندہ دوبارہ استعمال کے لیئے ایک مخصوص نام دے کر محفوظ کیا جاسکتا ہے۔

2

Envelopes and Labels lets you type addresses on labels, which is particularly useful if a large quantity is involved. Like MailMerge, you can use an existing list of contacts for this purpose. As you launch this command, you will get the above dialogue box. Click on the **Labels** tab and then on the **Options** button. Here you can select your printer type, which gives you a suitable list of ready made labels available in shops. You can always select your own label size manually by going into the **New Label** option. Once created, this new label can be saved for future use.

3

آپ کو شائد کچھ تجرباتی مراحل سے گزرنا پڑے اور خصوصاً اگر آپ نیا لیبل بنانا چاہتے ہیں لیکن مجھے یقین ہے کہ آپ صبر سے کام لیتے ہوئے اسے مکمل کرلیں گے۔ جب آپ نے مطلوبہ لیبل چُن یا بنا لیں تو واپس پہلی سکرین (1) میں جاکر **Address** سیکشن میں اپنا نام اور پتا ٹائپ کرلیں۔ اب اسی باکس میں **New Document** بٹن پر کلک کریں۔ سکرین پر آپ کے نام اور پتے سے آراستہ لیبل شیٹ نمودار ہوگی، جو کہ پرنٹ کرنے کے لیے تیار ہے۔ اسی طرح اگر آپ چاہیں تو اپنے نام و پتے کے بغیر بھی آپ ایک خالی لیبل شیٹ بھی ترتیب دے سکتے ہیں، جسے آپ ضرورت کے مطابق ایک ہی شیٹ پر مختلف نام اور پتے ٹائپ کرنے کے لئے استعمال کرسکتے ہیں۔ میل مرج کی طرح اس کمانڈ کے ساتھ بھی نام اور پتے کی فہرست کو استعمال کیا جاسکتا ہے لیکن اس تکنیک کے استعمال کے لیے آپ کو کمپیوٹنگ میں شائد کچھ مزید تجربے کی ضرورت ہو۔

You may have to use the trial and error technique, especially if you are making a new label. Most of the settings are self-explanatory by their title. Once a suitable label has been selected or created, you can get back to the first dialogue box (**1**) and type your address in the **Address** section. Now, press the **New Document** in the first dialogue box to see your word page turn into a label sheet with your address. You can also leave the address section blank to have a blank labels sheet, which you can use to type in different addresses and other information. And of course you can use an electronic address list with this function but leave it till you have gained more computing experience.

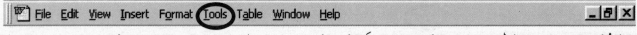

Menus (Tools-4) مینیوز - ٹولز-۴

ٹولز مینیو کو ختم کرنے سے پہلے میں آپ کو ٹیمپلیٹ سے متعارف کروانا چاہتا ہوں۔ کسی ڈاکومنٹ کو ترتیب دینے کے لئے پہلے سے تیار شدہ ایک بنیادی ڈھانچے کا استعمال ایک نہایت ہی مفید ٹول ہے۔ ایسے ڈھانچے کو ٹیمپلیٹ کہا جاتا ہے۔ مثال کے طور پر اگر آپ ہر روز کئی خط لکھتے ہیں تو ظاہر سی بات ہے کہ اُن خطوط میں آپ کا نام وپتا، خط کا آغاز اور خاتمہ ایک ہی ہوتا ہے۔ اگر یہ معلومات پہلے سے ایک Template کی شکل میں محفوظ ہوں تو یقینی طور پر آپ کے لئے کار آمد ثابت ہوں۔ آیئے ایسا ہی ایک ٹیمپلیٹ بنائیں۔ **File** مینیو میں **New** پر کلِک کرتے ہوئے نیا ڈاکومنٹ **Blank Document** کھولئے۔ اس پر اپنا پتا اور خط کا آغاز (Dear Sir/Madam) ٹائپ کر لیجئے، اس کے بعد Enter کی کو دو یا تین دفعہ دبائیں تا کہ یہاں خط کے متن کی جگہ چھوڑی جا سکے اس کے بعد خط کا اختتام اور اپنا نام ٹائپ کر لیں۔ اب اس سادہ لیکن مفید ٹیمپلیٹ کو نیچے دیئے ہوئے مخصوص طریقے کو استعمال کرتے ہوئے محفوظ کر لیں۔

Before we move on, I would like to introduce to you the use of **templates** in Word. A template is a basic structure of a document, which can be called upon time and again for creating new documents. For example, if you type out a lot of letters every day, it must be a pretty monotonous task to type out your address, for example, every time you compose a letter. The answer is in creating a template with your full address on it along with salutations (Dear Sir/Madam) and endings (Yours sincerely) including your full name at the end. All of this with your preferred font, style and design. Once this is done, you can recall this template every time you need to type a letter and get on with the main body of the letter. When you save the finished letter it will be saved with a different name and your template remains unaltered in its original location, fresh to be used next time. Let's do it. Open a new document (**File - New - Blank Document**). Type in your full address and press enter twice to insert a couple of blank lines by pressing enter key twice. Then insert the salutation (Dear sir/madam) followed by a comma. Then insert another couple of blank lines (main body of the letter will begin here) and insert the endings of the letter to your preferences.

File مینیو کی **Save As** کمانڈ کو استعمال کرتے ہوئے **Save As** ڈائیلاگ باکس کھولئے۔ اس باکس کے نچلے حصے میں **Save as type:** کے خانے میں **Document Template** کو ماؤس کلک کے ساتھ چنئے۔ اب اس ٹیمپلیٹ کو ایک مناسب نام دے کر محفوظ کر لیجئے۔ ورڈ خود بخود اُس ڈائریکٹری میں محفوظ کر لے گا جہاں ٹیمپلیٹ محفوظ کئے جاتے ہیں۔

Finally, use the **Save As** command from the **File** menu to invoke the **Save As** dialogue box. At the bottom of the Save As box you will find the **Save as type:** field. Drop down the menu using the button on its right and select **Document Template**. The rest of the saving process is same as you learnt it earlier in the book. Give the template an appropriate name in the **File name:** section, and press the save button, Word will recongnise it as a template and will automatically put it where the templates are stored.

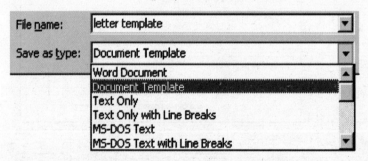

Now, lets test your template. From the File menu, select **New**. You will get the box where all the templates are stored and you should see your letter template there. Double click it and you will have your template on the screen which can now be put to good use and then saved as a letter with a name of your choice. You can save the letter with an appropriate name while your template remains intact to be used next time.

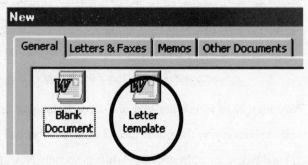

اب آپ اپنے ٹیمپلیٹ کو آزما سکتے ہیں۔ **File** مینیو میں **New** کمانڈ پر کلک کرتے ہوئے **New** ڈائیلاگ باکس کو کھولئے۔ یہاں تمام ٹیمپلیٹ محفوظ کئے جاتے ہیں اور آپ کا ٹیمپلیٹ بھی یہاں نظر آئے گا۔ اس کو ماؤس کی ڈبل کلِک کے ساتھ کھولئے۔ آپ کا ٹیمپلیٹ سامنے آجائے گا۔ اب اس کو استعمال کرتے ہوئے آپ اپنا خط ٹائپ کر سکتے ہیں۔ خط کو مکمل کرنے کے بعد اسے ایک مخصوص نام دے کر محفوظ کر لیجئے۔ آپ کا خط ایک علیحدہ فائل کے طور پر محفوظ ہو جائے گا، جبکہ آپ کا ٹیمپلیٹ آئندہ استعمال کے لئے اپنی اصلی حالت میں محفوظ رہے گا۔

Menus (Tools-5) مینیوز ۔ ٹولز ۔۵

File Edit View Insert Format Tools Table Window Help

ٹیمپلیٹ تیار کرتے ہوئے آپ نے شائد نوٹ کیا ہو کہ جہاں آپ نے اپنا ٹیمپلیٹ محفوظ کیا تھا وہاں درجنوں بنے بنائے ٹیمپلیٹ پہلے سے ہی موجود ہیں۔اب جبکہ آپ ٹیمپلیٹ اور وزرڈ سے قدرے مانوس ہو چکے ہیں، آیئے ان میں سے ایک کو استعمال کر کے دیکھیں کہ یہ آپ کی سہولت اور Productivity کے لئے کتنے مُفید ثابت ہو سکتے ہیں۔ مینیو میں **New** کمانڈ پر کلک کرتے ہوئے **New** ڈائیلاگ باکس کو کھولیں۔اس ڈائیلاگ باکس میں آپ اپنے ٹیمپلیٹ کے علاوہ مزید Tips بھی پائیں گے۔ان میں سے **Letters and Faxes** ٹیب پر کلِک کیجئے۔یہاں سے **Contemporary Fax** کے ٹیمپلیٹ کو چنیئے۔اب آپ نیچے دی ہوئی ہدایات کی مدد سے ایک پیشہ ورانہ حیثیت کی حامل فیکس ترتیب دے سکتے ہیں۔

You may have noticed, while saving your template, that there are dozens of ready made templates already within Word. Now that you are familiar with Templates and Wizards, let's check out one of these templates to see how useful they are for your efficiency and productivity. From the File menu, select **New**. You will get the box where all the templates are stored and you should see your letter template here along with some other tabs as well. Click on the **Letters and Faxes** tab. You will find a lot of wizards and templates here. Chose the **Contemporary Fax** template (similar to the one below) and wait for it to load. When loaded, you follow the simple instructions given within the template to create a professional looking fax transmission document.

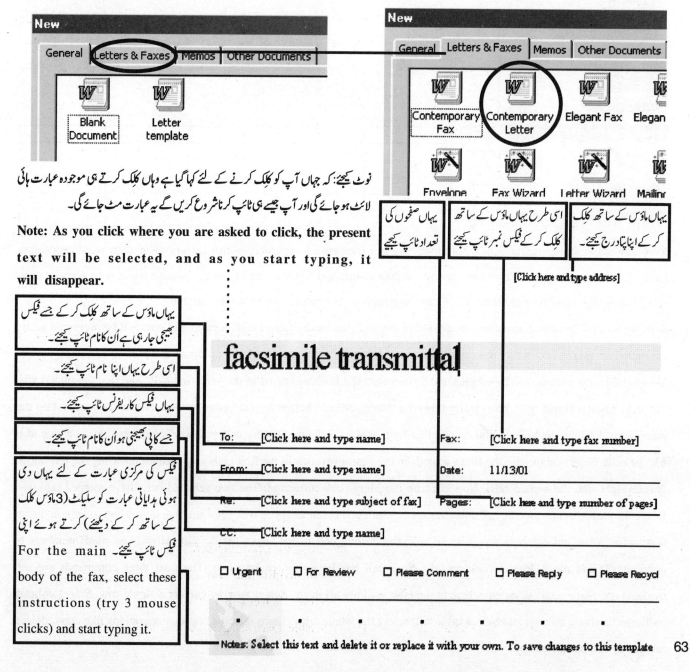

Letter template

Elegant Fax

نوٹ کیجئے: کہ جہاں آپ کو کلِک کرنے کے لئے کہا گیا ہے وہاں کلِک کرتے ہی موجودہ عبارت ہائی لائٹ ہو جائے گی اور آپ جیسے ہی ٹائپ کرنا شروع کریں گے یہ عبارت مٹ جائے گی۔

Note: As you click where you are asked to click, the present text will be selected, and as you start typing, it will disappear.

یہاں صفحوں کی تعداد ٹائپ کیجئے

اسی طرح یہاں ماؤس کے ساتھ کلِک کر کے فیکس نمبر ٹائپ کیجئے

یہاں ماؤس کے ساتھ کلِک کر کے اپنا پتا درج کیجئے۔

[Click here and type address]

یہاں ماؤس کے ساتھ کلِک کر کے جسے فیکس بھیجی جا رہی ہے اُن کا نام ٹائپ کیجئے۔
اسی طرح یہاں اپنا نام ٹائپ کیجئے۔
یہاں فیکس کا ریفرنس ٹائپ کیجئے۔
جسے کاپی بھیجنی ہو اُن کا نام ٹائپ کیجئے۔
فیکس کی مرکزی عبارت کے لئے یہاں دی ہوئی ہدایاتی عبارت کو سلیکٹ (3 ماؤس کلک کے ساتھ کر کے دیکھئے) کرتے ہوئے اپنی فیکس ٹائپ کیجئے۔
For the main body of the fax, select these instructions (try 3 mouse clicks) and start typing it.
facsimile transmittal
To: [Click here and type name]
Fax: [Click here and type fax number]
From: [Click here and type name]
Date: 11/13/01
Re: [Click here and type subject of fax]
Pages: [Click here and type number of pages]
CC: [Click here and type name]
Urgent
For Review
Please Comment
Please Reply
Please Recycl
Notes: Select this text and delete it or replace it with your own. To save changes to this template

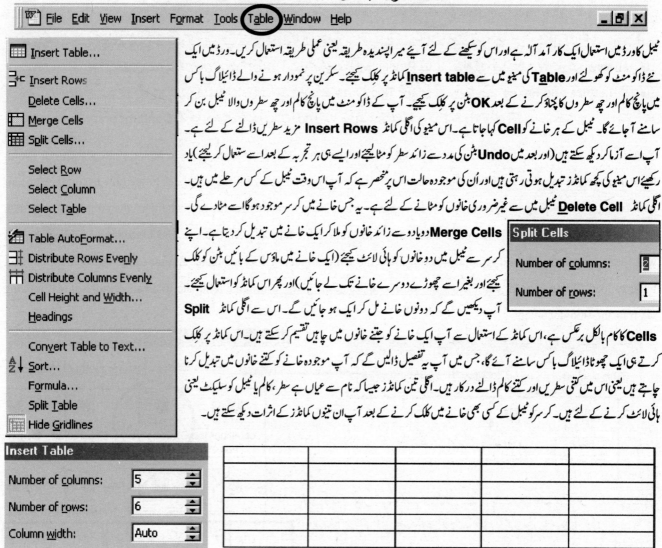

Menus (Table-1) (ٹیبل۔ا) مینیوز

File Edit View Insert Format Tools Table Window Help

Insert Table...
Insert Rows
Delete Cells...
Merge Cells
Split Cells...
Select Row
Select Column
Select Table
Table AutoFormat...
Distribute Rows Evenly
Distribute Columns Evenly
Cell Height and Width...
Headings
Convert Table to Text...
Sort...
Formula...
Split Table
Hide Gridlines

ٹیبل کاورڈ میں استعمال ایک کار آمد آلہ ہے اور اس کو سیکھنے کے لئے آیئے میرا پسندیدہ طریقہ یعنی عملی طریقہ استعمال کریں۔ ورڈ میں ایک نئے ڈاکومنٹ کو کھولئے اور **Table** کی مینیو میں سے **Insert table** کمانڈ پر کلِک کیجئے۔ سکرین پر نمودار ہونے والے ڈائیلاگ باکس میں پانچ کالم اور چھ سطروں کا چُناؤ کرنے کے بعد **OK** بٹن پر کلِک کیجیے۔ آپ کے ڈاکومنٹ میں پانچ کالم اور چھ سطروں والا ٹیبل بن کر سامنے آجائے گا۔ ٹیبل کے ہر خانے کو **Cell** کہا جاتا ہے۔ اس مینیو کی اگلی کمانڈ **Insert Rows** مزید سطریں ڈالنے کے لئے ہے۔ آپ اسے آزما کر دیکھ سکتے ہیں (اور بعد میں **Undo** بٹن کی مدد سے زائد سطر کو مٹا لیجئے اور ایسے ہی ہر تجربہ کے بعد اسے ستعمال کر لیجئے) یاد رکھیئے اس مینیو کی کچھ کمانڈز تبدیل ہوتی رہتی ہیں اور اُن کی موجودہ حالت اس پر منحصر ہے کہ آپ اس وقت ٹیبل کے کس مرحلے میں ہیں۔ اگلی کمانڈ **Delete Cell** ٹیبل میں سے غیر ضروری خانوں کو مٹانے کے لئے ہے۔ یہ جس خانے میں کرسر موجود ہوگا اسے مٹادے گی۔ **Merge Cells** دو یا دو سے زائد خانوں کو ملا کر ایک خانے میں تبدیل کر دیتا ہے۔ اپنے کرسر سے ٹیبل میں دو خانوں کو ہائی لائٹ کیجئے (ایک خانے میں ماؤس کے بائیں بٹن کو کلک کیجئے اور بغیر اسے چھوڑے دوسرے خانے تک لے جائیں) اور پھر اس کمانڈ کو استعمال کیجئے۔ آپ دیکھیں گے کہ دونوں خانے مل کر ایک ہو جائیں گے۔ اس سے اگلی کمانڈ **Split Cells** کا کام بالکل برعکس ہے، اس کمانڈ کے استعمال سے آپ ایک خانے کو جتنے خانوں میں چاہیں تقسیم کر سکتے ہیں۔ اس کمانڈ پر کلِک کرتے ہی ایک چھوٹا ڈائیلاگ باکس سامنے آئے گا، جس میں آپ یہ تفصیل ڈالیں گے کہ آپ موجودہ خانے کو کتنے خانوں میں تبدیل کرنا چاہتے ہیں یعنی اس میں کتنی سطریں اور کتنے کالم ڈالنے درکار ہیں۔ اگلی تین کمانڈز جیسا کہ نام سے عیاں ہے سطر، کالم یا ٹیبل کو سلیکٹ یعنی ہائی لائٹ کرنے کے لئے ہیں۔ کرسر کو ٹیبل کے کسی بھی خانے میں کلک کرنے کے بعد آپ ان تینوں کمانڈز کے اثرات دیکھ سکتے ہیں۔

Split Cells
Number of columns: 2
Number of rows: 1

Insert Table
Number of columns: 5
Number of rows: 6
Column width: Auto

You may not associate tables with word processing but they are an extremely useful feature of modern word processors. Basically a table is a grid of lines and columns to take in text and figures. The best way to learn tables is to actually carry out a task, which involves most if not all of the commands of this menu. Lets try to do just that.

Start with a new document and click on the **Table** menu. Click on the **Insert table** option and you will be presented with a dialogue box asking how many rows and how many columns you want. Opt for 5 columns and 6 rows and click on OK. You should have a table with 5 columns and 6 rows with the flashing cursor in the very first cell. The first command after that is to Insert a single row. You can try this (and then use **Undo** button to undo your action). The next command on this menu is to delete a single cell. You can do that by placing your cursor in any cell you want to delete. Next command is **Merge cells**. Select (highlight) the first two cells in the first row (click in the first cells and without releasing the left button drag to right into the second cell). Now click on the Merge cell command. The two selected cells have merged into one. Leave the cursor in this merged cell and click on the Split cell command, you will get a small dialogue box to let you decide how many rows and columns you want to split the current cell in to. Leave the default (already inserted) numbers of columns (2) and rows (1) and click on OK. Your cell has been divided into two. The next three commands are self explanatory. Place your cursor anywhere in the table and use all three. **Select row** will select a single row, **Select column** will select a single column and **Select table** will select the whole table. Once selected, various operations like copy, delete, merge etc. can be carried out.

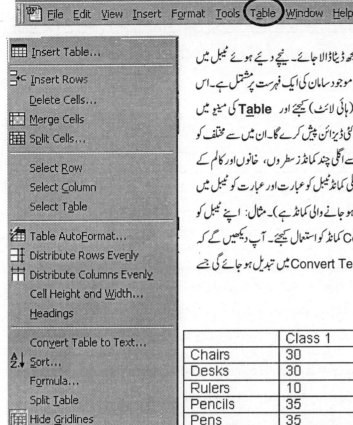

Menus (Table-2) (ٹیبل۔۲) مینیوز۔

File Edit View Insert Format Tools Table Window Help

Insert Table...
Insert Rows
Delete Cells...
Merge Cells
Split Cells...
Select Row
Select Column
Select Table
Table AutoFormat...
Distribute Rows Evenly
Distribute Columns Evenly
Cell Height and Width...
Headings
Convert Table to Text...
Sort...
Formula...
Split Table
Hide Gridlines

Table کی مینیو میں باقی ماندہ کمانڈز کو سمجھنے کے لئے یہ ضروری ہے کہ اب ٹیبل میں کچھ ڈیٹا ڈالا جائے۔ نیچے دیئے ہوئے ٹیبل میں ڈیٹا کو اپنے ٹیبل کے خانوں میں اسی طرح بھرلیں۔ یہ ٹیبل ایک سکول کی تین جماعتوں میں موجود سامان کی ایک فہرست پر مشتمل ہے۔ اس سادہ سے ٹیبل کو کئی مختلف طریقوں سے سنوارا جا سکتا ہے۔ پورے ٹیبل کو سلیکٹ (ہائی لائٹ) کیجئے اور **Table** کی مینیو میں Table AutoFormat کمانڈ پر کلک کیجئے۔ نمودار ہونے والا ڈائیلاگ باکس آپ کو کئی ڈیزائن پیش کرے گا۔ ان میں سے مختلف کو آزما کر دیکھئے (Undo بٹن کی مدد سے آپ اپنا ابتدائی ٹیبل برقرار رکھ سکتے ہیں)۔ اس سے اگلی چند کمانڈز سطروں، خانوں اور کالم کے سائز کو حسبِ ضرورت تبدیل کرنے کے لئے ہیں۔ **Table** مینیو کے آخری حصے کی پہلی کمانڈ ٹیبل کو عبارت اور عبارت کو ٹیبل میں تبدیل کرنے کے لئے ہے (یعنی ٹاگل بٹن کی طرح ایک سے دوسری حالت میں تبدیل ہو جانے والی کمانڈ ہے)۔ مثال: اپنے ٹیبل کو Select Table کمانڈ کی مدد سے سلیکٹ کیجئے اور Convert Table to Text کمانڈ کو استعمال کیجئے۔ آپ دیکھیں گے کہ آپ کا ٹیبل صرف عبارت میں تبدیل ہو کر رہ جائے گا۔ اب یہی کمانڈ Convert Text to Table میں تبدیل ہو جائے گی جسے استعمال کرنے پر یہ عبارتی ڈھانچہ دوبارہ ٹیبل میں تبدیل ہو جائے گا۔

	Class 1	Class 2	Class3	Totals
Chairs	30	38	27	
Desks	30	38	27	
Rulers	10	12	8	
Pencils	35	40	30	
Pens	35	42	34	

	Class 1	*Class 2*	*Class 3*	*Totals*
Chairs	30	38	27	
Desks	30	38	27	
Ruler	10	12	8	
Pencils	35	40	30	
Pens	35	42	34	

To fully appreciate the effects of some of the remaining commands, we need to enter some data into the table. Lets enter the data as shown above for three classes in a school and their stock items.

The Autoformat command offers to decorate your simple grid into a professional looking multicolour table. Select the whole table and run the Autoformat command. From the given list select a design and click on OK. Click anywhere on the page to see the effect. Now click the Undo button (you should know this by now) to get back to the original table. The next three commands are obviously to make the columns and rows even and have manual control over the height and width of the cells. The first command in the last section of Table menu toggles between **Convert Text to Table**... and **Convert Table to Text**... depending what we want to do. Select the classroom table and you will find that this command reads Convert Table to Text. Click it and you will be given choice how you want the data out of the table to be displayed as ordinary text. Choose Tabs options and click on OK. You will see the table disappears leaving data behind neatly tabulated - click anywhere on the page to see it properly. Now, using the selection method, select all of the data that was part of the table. Go back into the table menu and you will find that our command now says **Convert text to table**. You click it and it will give you some choices along with default selections - don't change anything, just click on OK and you will find that your data has been neatly put back into a table as it was before

Menus (Table-3) (ٹیبل۔۳) مینیوز

File Edit View Insert Format Tools Table Window Help

Sort کمانڈ آپ کے ٹیبل میں موجود ڈیٹا کو ایک مخصوص ترتیب دینے کے لئے ہے۔ مثال کے طور پر اگر آپ ٹیبل میں موجود اشیاء کو A سے Z کی ترتیب میں دیکھنا چاہیں تو ٹیبل کی فہرست میں کہیں بھی کرسر کو کلِک کرکے اس کمانڈ کو آزمائیے۔ آپ دیکھیں گے کہ ٹیبل میں موجود فہرست A سے Z کی ترتیب اختیار کرلے گی۔

Sort command sorts your table in an alphabetical order if the items are text, like chairs and tables, and numerical order if they are figures. Select the school table again and use this command (leave the defaults as they are in the next box). The table will be sorted in alphabetical order.

	Class 1	Class 2	Class 3	Totals
Chairs	30	38	27	95
Desks	30	38	27	95
Ruler	10	12	8	30
Pencils	35	40	30	105
Pens	35	42	34	111

Formula کمانڈ کے ساتھ آپ ٹیبل میں موجود نمبروں کی جمع تقسیم کرسکتے ہیں۔ کرسر کو Chairs والی سطر کے آخری یعنی Total والے خانے میں لے جاکر اس کمانڈ کو کلک کیجئے۔ آپ کو ایک ڈائیلاگ باکس کی صورت میں ایک فارمولا ٹائپ کرنے کا موقع دیا جائے گا۔ ورڈ آپ کو SUM(LEFT)= فارمولا تجویز کرے گا جس کا مطلب ہے کہ بائیں جانب کے تمام نمبروں کی جمع۔ بٹن پر کلِک کرتے ہی آپ کے کرسر کی جگہ 95 کا ہندسہ نظر آئے گا، جو کہ تینوں جماعتوں میں کرسیوں کی کل تعداد ہے۔

You can even enter mathematical formulae to carry out calculations on the contents of tables. Place your cursor in the cell below the one that says Total (the last cell in the Chairs' section). Run the Formula command in Table menu and you will get a dialogue box which lets you use different formulae. You will see that the system offers you a default formula by judging what you are doing. In this case, the system has correctly sensed that you want to add all the chairs in all three classes and offers a formula which says SUM(LEFT), meaning sum of all the numbers on the left. You press OK and it will insert 95, which of course, is the total number of chairs in all 3 classes.

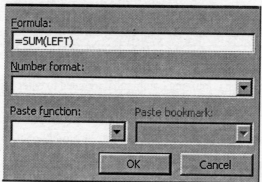

OK

اب اس سے نچلے خانے میں کرسر کو لے جائیے اور اس طریقۂ کار کو دوہرائیے۔ اس دفعہ ورڈ آپ کو SUM(ABOVE)= فارمولا تجویز کرے گا یہ اس لئے کہ اب کرسر کے دائیں بھی ہندسے ہیں اور اوپر بھی۔ اب آپ نے یہ فیصلہ کرنا ہے کہ دائیں یا اوپر کیونکہ دائیں طرف والے ہندسوں کو جمع کرنا درکار ہے اس لئے ہم تجویز کردہ فارمولا میں لفظ Above کو سلیکٹ کرتے ہوئے اُس کی بجائے لفظ LEFT ٹائپ کرکے انجام دے سکتے ہیں۔ اسی طرح ٹیبل کے ٹوٹل والے کالم میں سکول کی تمام اشیاء کے ٹوٹل جمع کرتے ہوئے مشق کیجئے۔ ہم یہاں فی الحال فارمولوں کے متعلق مزید تفصیل میں نہیں جائیں گے کیونکہ ان فارمولوں کا ہم اگلے باب Excel میں تفصیلاً جائزہ لیں گے۔

Now go down in the next cell and try the same process again. This time, you will find =SUM(ABOVE) in the default formula box . The system does not know whether you want to add the ABOVE numbers or those on the left. It offers the above while we need to add the ones on the left, so we change the word ABOVE to LEFT by highlighting the ABOVE and typing LEFT on it. Press OK and this will give the total number of Desks in all 3 classes. You can carry on to complete all of the totals column. We will not discuss formulae in-depth here as they will be thoroughly discussed in the next section, Excel.

Menus (Window) مینیوز ـ ونڈو

File Edit View Insert Format Tools Table Window Help

New Window
Arrange All
Split
1 Document1
2 Document2
3 Document3
4 Document4

Window مینیو آپ کی سکرین پرڈاکومنٹس کو آپ کی ضرورت اور پسند کے مطابق ترتیب دینے میں مدد دیتی ہے۔اس کی کمانڈ **New Window** سکرین پر موجود ڈاکومنٹ کی کاپی کرنے کے لئے ہے۔اگر آپ ایک ہی طرز کے ایسے ڈاکومنٹ تیار کرنا چاہیں جو کہ ماسوائے چند تبدیلیوں کے ایک ہی جیسے ہوں تو یہ کمانڈ نہایت ہی کار آمد ثابت ہوگی۔اگر آپ سکرین پر بیک وقت ایک سے زیادہ ڈاکومنٹس کے ساتھ کام کرنا چاہیں تو اس مینیو کی اگلی کمانڈ **Arrange All** تمام کھلے ہوئے ڈاکومنٹس کو سکرین پر ان کی انفرادی ونڈو میں ترتیب دے گی۔ **Split** کمانڈ سکرین (ڈاکومنٹ) کو دو حصوں میں تقسیم کر دیتی ہے،اگر آپ کئی صفحوں والے ایک ڈاکومنٹ پر کام کر رہے ہوں اور سکرین کے نچلے حصے میں آپ آخری صفحہ ٹائپ کر رہے ہوں تو اوپر والے حصے میں ڈاکومنٹ کا کوئی بھی دوسرا صفحہ دیکھا جا سکتا ہے۔اس کمانڈ پر کلِک کرتے ہی آپ کے کرسر کے ساتھ ایک متوازی لائن نمودار ہوگی۔اب آپ سکرین کو جہاں سے بھی تقسیم کرنا چاہتے ہوں وہاں کلِک کیجئے تو سکرین (ڈاکومنٹ) دو حصوں میں بٹ جائے گی۔ **Window** مینیو نچلے حصے میں اُن ڈاکومنٹس کی فہرست ہوتی ہے جو کہ سکرین پر اس وقت کھلے ہوئے ہوں اور جو ڈاکومنٹ سکرین پر سامنے نظر آ رہا ہو اُس کے سامنے ٹھیک کا نشان لگا ہوا ہوتا ہے۔اس فہرست میں کسی بھی ڈاکومنٹ پر کلِک کرنے پر وہ ڈاکومنٹ سامنے آجائے گا۔

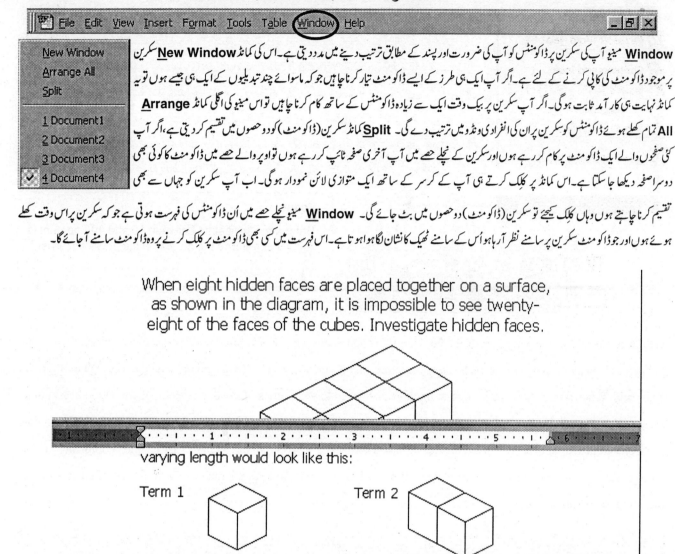

When eight hidden faces are placed together on a surface, as shown in the diagram, it is impossible to see twenty-eight of the faces of the cubes. Investigate hidden faces.
varying length would look like this:
Term 1
Term 2

The **Window** menu gives you control over how things are displayed on your screen. The **New Window** command will give you a copy of the document currently on the screen. This could be useful if you want to make several copies of a document with slight variances. You can also use this command to view different parts of a document at the same time by opening both copies side by side (By using the next command **Arrange all**). **Arrange all** arranges on your screen ALL the documents currently opened. You can try this but don't panic if you see a lot of windows stacked on top of each other showing only part of each opened document (needless to say, you need MORE than one document opened for this!!) **Split** is an additional useful function to augment the above two commands. When you use this command your cursor becomes attached to a horizontal line. Wherever you click on the screen now, it will divide your current document into two screens, both with individual slider bars so that you can scroll parts of the document to your preference. By doing this you can be typing on page three of a document in the lower half of the screen while still have any part of the document (say, the first paragraph on page one for example) still displayed in the first half of the screen. Once you start working with many documents at a time, you will get to appreciate these commands. The last part of this menu lists all the documents currently open and running (if any) - the document with a tick mark is the current document on screen at the time. You can click on any of the documents in this list to make it the current document on screen. This can be used to switch between documents. This can also be achieved by the keyboard short cut Control + F6 (see Keyboard Shortcuts).

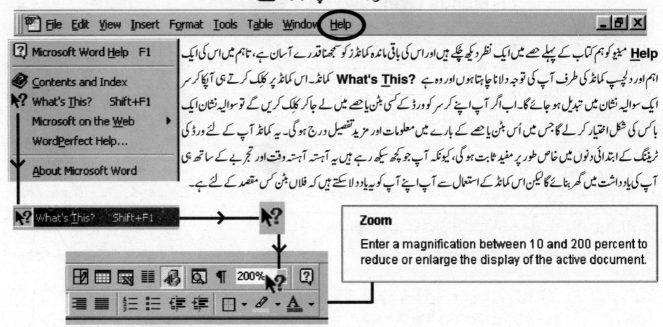

Menus (Help) مینیوز - ہیلپ

Help مینیو کو ہم کتاب کے پہلے حصے میں ایک نظر دیکھ چکے ہیں اور اس کی باقی ماندہ کمانڈز کو سمجھنا قدرے آسان ہے، تاہم میں اس کی ایک اہم اور دلچسپ کمانڈ کی طرف آپ کی توجہ دلانا چاہتا ہوں اور وہ ہے **What's This?** کمانڈ۔ اس کمانڈ پر کلِک کرتے ہی آپکا کرسر ایک سوالیہ نشان میں تبدیل ہو جائے گا۔ اب اگر آپ اپنے کرسر کو ورڈ کے کسی بٹن یا حصے میں لے جا کر کلِک کریں گے تو سوالیہ نشان ایک باکس کی شکل اختیار کرلے گا جس میں اُس بٹن یا حصے کے بارے میں معلومات اور مزید تفصیل درج ہو گی۔ یہ کمانڈ آپ کے لئے ورڈ کی ٹریننگ کے ابتدائی دنوں میں خاص طور پر مفید ثابت ہو گی، کیونکہ آپ جو کچھ سیکھ رہے ہیں یہ آہستہ آہستہ وقت اور تجربے کے ساتھ ہی آپ کی یادداشت میں گھر بنائے گا لیکن اس کمانڈ کے استعمال سے آپ اپنے آپ کو یہ یاد دلا سکتے ہیں کہ فلاں بٹن کس مقصد کے لئے ہے۔

Zoom
Enter a magnification between 10 and 200 percent to reduce or enlarge the display of the active document.
200%

Help was covered in the early part of the book and it is anticipated that you would be able to explore this menu without problems. However, there is one really useful feature of this menu, which I must point out. It is the **'What's This?'** command. When you click on it, a question mark gets attached to your cursor. Take this question mark on top of a button, menu, or any other feature of Word that you do not understand, and click with your mouse. An explanation of that particular item will appear to replace the question mark attached to your cursor. Magic, isn't it? This command will be indispensable in the early days; to reminding you of anything that you do forget, which can be expected when so much is being fed to your memory.

اس کے ساتھ ہی ہم ورڈ کی ٹریننگ کے اختتام پر پہنچنے کو ہیں۔ مجھے امید ہے کہ آپ نے ورڈ سے اس تربیتی تعارف کو مُفید پایا ہو گا۔ اگر آپ یہ محسوس کریں کہ آپ کی ورڈ پروسیسنگ کی بنیادی صلاحیت میں قدرے اضافہ ہوا ہے، تو اس کتاب کا مقصد انشااللہ پورا ہو رہا ہے۔ یاد رکھیئے کہ کوئی بھی کتاب آپ کو سب کچھ نہیں دے سکتی اور کوئی بھی استاد آپ کو سب کچھ نہیں سکھا سکتا۔ تمام تربیتی پروگرام ایک مخصوص ہُنر کو سیکھنے کے لئے اُس کے بنیادی اصولوں کو شاگردوں تک منتقل کرنے کے متعلق ہوتے ہیں۔ میں چاہتا تو تھا کہ ورڈ کے چند طاقتور ترین اجزاء جیسا کہ میل مرج اور میکروز کو اسی کتاب میں شامل کیا جاتا لیکن مجھے یہ بھی احساس تھا کہ شائد یہ اجزاء اس تربیتی تعارف میں پیچیدگی پیدا کر دیں۔ ان ایڈوانس اجزاء کو انشااللہ اگلی کتاب میں شامل کیا جائے گا۔ تب تک کے لئے یہ آپ کے لئے چیلنج ہیں اس کتاب کو ختم کر لینے کے بعد آپ ان اجزاء کو پروگرام کی امدادی کمانڈز کو استعمال کرتے ہوئے ضرور سیکھنے کی کوشش کیجئے۔

With this, we have completed our coverage of M S Word. This basic introduction may not have turned you into word processing wizard, but if you feel that it has given you some kind of foundation to build on, then the purpose of this book is being served well. No book can give you everything and no teacher can teach you all. All training programs are designed to give you basic concepts of a certain trade - the rest is ingenuity, intuition and experience. I desperately wanted to dig deeper into some powerful features of MS Word like Mail merge and Macros, but I constantly had to remind myself to keep things relatively simple. I do intend to follow this book up with a sequel, which digs deeper into these subjects. In the meantime, such subject can be taken as a challenge for your talent buds.

اگلے صفحے پر کی بورڈ کی اہم ترین شارٹ کٹس کی تفصیل دی جا رہی ہے، امید ہے کہ آپ انہیں نہ صرف کارآمد بلکہ دلچسپ پائیں گے۔ کی بورڈ شارٹ کٹ ایک یا ایک سے زائد کیز کو استعمال کرتے ہوئے کسی عمل کے انجام دینے کو کہتے ہیں۔

Short cut keys are keys used in combination to quickly accomplish tasks you perform frequently. A list of the most useful short cut keys are given on the next page.

Some Useful Keyboard Shortcuts for M S Word-ورڈ کے لئے کی بورڈ شارٹ کٹس

اگرچہ ورڈ میں درجنوں کی بورڈ شارٹ کٹس موجود ہیں، لیکن ذیل میں اہم ترین شارٹ کٹس کی ایک فہرست دی جارہی ہے۔ میری پسندیدہ شارٹ کٹس ہائی لائٹ (موٹے خط) میں نمایاں ہیں۔

There are many short cuts in Word but I have listed below the most important ones in my opinion. The highlighted (BOLD) ones are my favourite, I think you will find them useful.

عمل	Action	Short cut شارٹ کٹ
سطر ڈالنے کے لئے	Insert Line break	SHIFT+ENTER
نیا صفحہ شروع کرنے کے لئے	**Insert Page break**	**CTRL+ENTER**
سلیکٹ کی ہوئی عبارت کو انڈر لائن کرنے کے لئے	Underline formatting	CTRL+U
سلیکٹ کی ہوئی عبارت کو نمایاں (موٹی عبارت) کرنے کے لئے	**Bold formatting**	**CTRL+B**
سلیکٹ کی ہوئی عبارت کو اٹالیک کرنے کے لئے	Italic formatting	CTRL+I
کسی عمل کو منسوخ کرنے کے لئے	Cancel an action	ESC
پیراگراف کو درمیان میں لگانے کے لئے	Center a paragraph	CTRL+E
حروف کو چھوٹی سے بڑی اور بڑی سے چھوٹی طرز میں تبدیل کرنے کے لئے	Change the case of letters	SHIFT+F3
فانٹ (طرزِ تحریر) کو تبدیل کرنے کے لئے	Change the font	CTRL+SHIFT+F
فانٹ (طرزِ تحریر) کی جسامت تبدیل کرنے کے لئے	Change the font size	CTRL+SHIFT+P
ڈاکومنٹ بند کرنے کے لئے	Close a document	CTRL+W
سلیکٹ کی ہوئی عبارت کو کاپی کرنے کے لئے	**Copy text or graphics**	**CTRL+C**
نیا ڈاکومنٹ کھولنے کے لئے	**Create a new document**	**CTRL+N**
سلیکٹ کی ہوئی عبارت کو کاٹ کر کاپی کرنے کے لئے	**Cut selected text to the Clipboard**	**CTRL+X**
فانٹ کی جسامت کو کم کرنے کے لئے	**Decrease the font size (also see Increase)**	**CTRL+SHIFT+<**
بائیں طرف والے حرف کو مٹانے کے لئے	Delete one character to the left	BACKSPACE
دائیں طرف والے حرف کو مٹانے کے لئے	Delete one character to the right	DELETE
بائیں طرف والے لفظ کو مٹانے کے لئے	Delete one word to the left	CTRL+BACKSPACE
دائیں طرف والے لفظ کو مٹانے کے لئے	Delete one word to the right	CTRL+DELETE
ایک سطر نیچے جانے کے لئے	Move down one line	DOWN ARROW
ایک سکرین نیچے جانے کے لئے	**Move down one screen (scrolling)**	**PAGE DOWN**
حروف کو کیپٹل بنانے کے لئے	Format letters as all capitals	CTRL+SHIFT+A
فانٹ کی جسامت کو بڑھانے کے لئے	**Increase the font size (also see Decrease)**	**CTRL+SHIFT+>**
مینیو بار کو حرکت میں لانے کے لئے	Make the menu bar active	F10
ڈاکومنٹ کی ونڈو کو بڑھانے کے لئے	Maximize the document window	CTRL+F10
ڈاکومنٹ کی ونڈو کو کم کرنے کے لئے	Minimize the document window	CTRL+F9
ایک لفظ بائیں جانے کے لئے	Move one word to the left	CTRL+LEFT ARROW
ایک لفظ دائیں جانے کے لئے	Move one word to the right	CTRL+RIGHT ARROW
محفوظ شدہ ڈاکومنٹ کھولنے کے لئے	**Open a document**	**CTRL+O**
لسٹ باکس کھولنے کے لئے	Open a drop-down list box	ALT+DOWN ARROW
کاپی شدہ مواد کو پیسٹ یعنی چسپاں کرنے کے لئے	**Paste the Clipboard contents**	**CTRL+V**
سکرین پر موجود ڈاکومنٹ کو پرنٹ کرنے کے لئے	**Print a document**	**CTRL+P**
ورڈ سے اِخراج کے لئے	Quit Word	ALT+F4
گذشتہ عمل کو دُہرانے کے لئے	Redo or repeat an action	CTRL+Y
حالیہ ونڈو (کمتر کی ہوئی) کو بحال کرنے کے لئے	Restore the active document window	CTRL+F5
ڈاکومنٹ کو محفوظ کرنے کے لئے	**Save a document**	**CTRL+S**
شارٹ کٹ مینیو کو سامنے لانے کے لئے	Show the shortcut menu	SHIFT+F10
سٹارٹ بٹن کو چلانے کے لئے	Show the Windows Start menu	CTRL+ESC
ڈاکومنٹ کی تقسیم (سپلٹ) کے لئے	Split a document	ALT+CTRL+S
پرنٹ پری ویو (پرنٹ کرنے سے پہلے ایک نظر) کے لئے	Switch to Print Preview	ALT+CTRL+I
اگلی ڈاکومنٹ ونڈو کو سامنے لانے کے لئے	Switch to the next document window	CTRL+F6
گذشتہ ڈاکومنٹ ونڈو کو سامنے لانے کے لئے	Switch to the previous document window	CTRL+SHIFT+F6
گذشتہ پروگرام کو سکرین پر سامنے لانے کے لئے	Switch to the previous program	ALT+SHIFT+TAB
مکمل ڈاکومنٹ کو ہائی لائٹ کرنے کے لئے	**Select the entire document**	**CTRL+A**
ڈاکومنٹ کے آغاز میں جانے کے لئے	Go to the beginning of a document	CTRL+SHIFT+HOME
سطر کے آغاز میں جانے کے لئے	Go to the beginning of a line	HOME
سطر کے آخر میں جانے کے لئے	Go to the end of a line	END
گذشتہ عمل کو منسوخ کرنے کے لئے	**Undo the last action**	**CTRL+Z**
ایک سکرین اوپر جانے کے لئے	**Go Up one screen (scrolling)**	**PAGE UP**

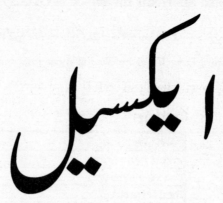

ایکسیل

ایکسیل مائیکروسافٹ آفس کا ایک اہم پیکج ہے اور نہایت ہی کثیر المقاصد پروگرام ہے۔ یہ سپریڈ شیٹ کا کام انجام دیتا ہے۔ سپریڈ شیٹ کیا ہے؟ اس پروگرام کی سکرین ایک ایسی شیٹ یعنی صفحے پر مشتمل ہے جو کہ ایک گرڈ کی طرح خانوں (cell) سے بھری ہوئی ہوتی ہے۔ شیٹ کے اوپر والے حصے میں ان خانوں کی پہلی سطر کو کالم ہیڈنگ (Column Heading) کہا جاتا ہے اور یہ کالمز حروفِ تہجی یعنی A سے Z کی ترتیب میں تشکیل دیئے گئے ہیں جبکہ سکرین کے بائیں جانب روہیڈنگ (Row heading) ہیں اور یہ حروفِ عددی یعنی گنتی کی ترتیب میں تشکیل دیئے گئے ہیں۔ ان حروف اور ہندسوں کی مدد سے سپریڈ شیٹ کے ہر خانے کو ایک مخصوص اور انفرادی پتا (Address) حاصل ہو جاتا ہے۔ ان خانوں میں آپ عبارت بھی ٹائپ کر سکتے ہیں اور حسابی ہندسے بھی۔ لیکن سپریڈ شیٹ کے ان خانوں کی سب سے بڑی خوبی ان کی فارمولوں کی مدد سے اعداد و شمار کی جمع تفریق ضرب و تقسیم کرنے کی اہلیت ہے۔ فارمولے ترتیب دینے والی فنکشنز کی مدد سے ایکسیل آسان حساب وکتاب سے لے کر پیچیدہ ترین سائنسی تحقیقات میں استعمال کی جا سکتی ہے۔ اس کے خانوں کو ایک دوسرے کے ساتھ لنک کیا جا سکتا ہے۔ مگر شائد سپریڈ شیٹ کی سب سے بہترین خوبی ہزاروں اعداد و شمار کے نتائج کو گراف اور چارٹوں کی مدد سے تصویری جائزے کی شکل میں پیش کرنے کی اہلیت ہے۔ جدید سپریڈ شیٹ کی ایک اور صلاحیت اس کی ڈیٹابیس تشکیل دینے کی اہلیت بھی ہے۔ ایکسیل کی ڈیٹابیس فنکشن نہایت ہی طاقتور آلات سے لیس ہے۔ اس حد تک کہ مائیکروسافٹ آفس کا ڈیٹابیس کے لئے اسپیشلسٹ پروگرام ایکسیس آفس کے عام ورشن میں شامل نہیں کیا جاتا بلکہ اسے صرف پروفیشنل ورشن میں شمار کیا جاتا ہے۔ اگر آپ کی سمجھ میں یہ سبھی کچھ یکدم نہیں سمایا تو گھبرایئے مت۔ یقین جانیئے آپ ایکسیل کو سیکھنا پسند کریں گے۔

Excel is an important part of the Microsoft Office suite and, in my opinion, one of the most versatile packages of them all. Excel is the commercial name for Microsoft's Spreadsheet package. So what is Spreadsheet? It is, in fact, a sheet spread over your screen and beyond - a sheet with loads of cells, labelled alphabetically across and numerically down. This arrangement gives each of these cells a unique location called an address or a cell reference. Each cell can have text or figures in it. But the single most powerful, and the pivotal feature of the spreadsheet, is its ability to perform calculations within its cells. All of its cells are capable of carrying out complex calculations with the help of mathematical formulae. What's more, these cell can be linked with each other to generate results from the most complex business and scientific analysis. One of the best features of spreadsheet is its ability to translate complex results of an analysis into simple charts and graphs. Modern spreadsheets also have powerful database functions. Excel offers some excellent sets of tools for this task. So much so, that Microsoft's specialist database application, M S Access, is not included in the standard Office suite. It is only bundled with the Professional version. If you find all this to be a little bit difficult to absorb at this stage, then don't worry. You are going to have fun learning this package.

EXCEL

Excel - the Spreadsheet - Important Components ایکسیل۔سپریڈ شیٹ کے اہم اجزاء

ایکسیل کی سکرین میں آپ کو بہت سے بٹن اور مینیوز ورڈ جیسے ہی نظر آئیں گے۔اگر آپ کی سکرین نیچے دی ہوئی سکرین سے قدرے مختلف ہے تو ورڈ کے آغاز میں دی گئی تکنیک کو استعمال کرتے ہوئے اسے تبدیل کرلیں۔طریقہ: ایکسیل کی **Tools** مینیو میں سے **Cusotmize** کو چنئے اور یہ یقین کر لیجئے کہ اس کے **Toolbars** سیکشن میں **Worksheet Menu Bar**، **Standard** اور **Formatting** کے سامنے ٹِک لگا ہوا ہے۔

You can see from Excel's main screen, how similar it is in appearance to M S Word . If your screen looks a great deal different from the one given below, then change it (as we did with Word) by going to **Tools** - **Cusotmize** - and making sure that the **Worksheet Menu Bar**, **Standard** and **Formatting** in the **Toolbars** tab is ticked.

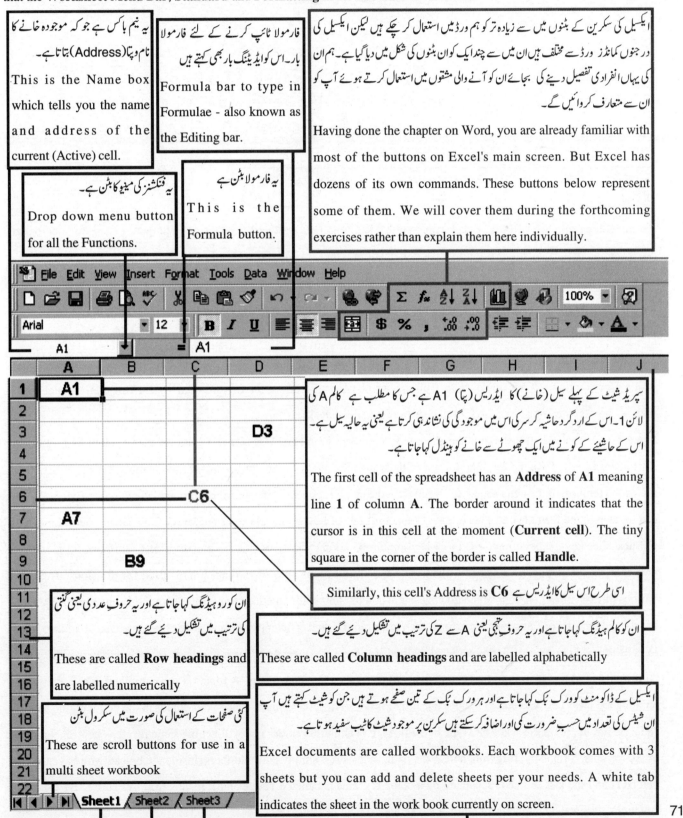

یہ نیم باکس ہے جو کہ موجودہ خانے کا نام وپتا(Address) بتاتا ہے۔

This is the Name box which tells you the name and address of the current (Active) cell.

فارمولا ٹائپ کرنے کے لئے فارمولا بار۔اس کو ایڈیٹنگ بار بھی کہتے ہیں

Formula bar to type in Formulae - also known as the Editing bar.

ایکسیل کی سکرین کے بٹنوں میں سے زیادہ تر کو ہم ورڈ میں استعمال کر چکے ہیں لیکن ایکسیل کی درجنوں کمانڈز ورڈ سے مختلف ہیں ان میں سے چند ایک کو ان بٹنوں کی شکل میں دیا گیا ہے۔ہم ان کی یہاں انفرادی تفصیل دینے کی بجائے ان کو آنے والی مشقوں میں استعمال کرتے ہوئے آپ کو ان سے متعارف کروائیں گے۔

Having done the chapter on Word, you are already familiar with most of the buttons on Excel's main screen. But Excel has dozens of its own commands. These buttons below represent some of them. We will cover them during the forthcoming exercises rather than explain them here individually.

یہ فنکشنز کی مینیو کا بٹن ہے۔

Drop down menu button for all the Functions.

یہ فارمولا بٹن ہے

This is the Formula button.

سپریڈ شیٹ کے پہلے سیل (خانے) کا ایڈریس (پتا) A1 ہے جس کا مطلب ہے کالم A کی لائن 1۔اس کے اردگرد حاشیہ کرسر کی اس میں موجودگی کی نشاندہی کرتا ہے یعنی یہ حالیہ سیل ہے۔اس کے حاشیئے کے کونے میں ایک چھوٹے سے خانے کو ہینڈل کہا جاتا ہے۔

The first cell of the spreadsheet has an **Address** of **A1** meaning line **1** of column **A**. The border around it indicates that the cursor is in this cell at the moment (**Current cell**). The tiny square in the corner of the border is called **Handle**.

Similarly, this cell's Address is **C6** اسی طرح اس سیل کا ایڈریس ہے

ان کو روہیڈنگ کہا جاتا ہے اور یہ حروفِ عددی یعنی گنتی کی ترتیب میں تشکیل دیئے گئے ہیں۔

These are called **Row headings** and are labelled numerically

ان کو کالم ہیڈنگ کہا جاتا ہے اور یہ حروفِ تہجی یعنی A سے Z کی ترتیب میں تشکیل دیئے گئے ہیں۔

These are called **Column headings** and are labelled alphabetically

کئی صفحات کے استعمال کی صورت میں سکرول بٹن

These are scroll buttons for use in a multi sheet workbook

ایکسیل کے ڈاکومنٹ کو ورک بک کہا جاتا ہے اور ہر ورک بک کے تین صفحے ہوتے ہیں جن کو شیٹ کہتے ہیں آپ ان شیٹس کی تعداد میں حسبِ ضرورت کمی اور اضافہ کر سکتے ہیں سکرین پر موجود شیٹ کا ٹیب سفید ہوتا ہے۔

Excel documents are called workbooks. Each workbook comes with 3 sheets but you can add and delete sheets per your needs. A white tab indicates the sheet in the work book currently on screen.

Let's Use Excel - آیئے ایکسیل کو استعمال کریں

پریکٹیکل لرننگ کے سُنہرے اصول کے مطابق ہم اب ایکسیل کو استعمال کرتے ہوئے سیکھیں گے۔ ایکسیل میں اس کے ڈاکومنٹ کو ورک بُک کہا جاتا ہے۔ ایک نئی ورک بُک کھولئے اور اپنے کرسر کو اس کے پہلے خانے (A1) میں لے جایئے۔ یہاں 5 کا ہندسہ ٹائپ کیجئے۔ اب کرسر کی مدد سے یا کی بورڈ پر کرسر کیز کی مدد سے کرسر کو اگلے خانے یعنی (B1) میں لے جاکر یہاں بھی 5 کا ہندسہ ٹائپ کیجئے اور اسی طرح E1 تک تمام خانوں میں 5 کا ہندسہ ٹائپ کرلیں۔ اب کرسر کو F1 میں لے جایئے۔ یہاں ہم ایک فارمولا ٹائپ کریں گے جو ان تمام نمبروں کو جمع کردے۔ F1 میں = ٹائپ کیجئے، اور پھر اس فارمولے کو ترتیب دیجئے (A1+B1+C1+D1+E1)۔ (جمع کے نشان کو ٹائپ کرنے کے لیئے بائیں ہاتھ سے شفٹ کی کو دبائے رکھیں اور دائیں ہاتھ سے جمع والے نشان والی کی کو دبائیں) اس کے بعد اینٹر (Enter) کی کو پریس کیجئے تو آپ کو آپ کے نمبروں کا ٹوٹل (25) فوراً مل جائے گا۔ اسی طرح ایکسیل میں فارمولوں میں تفریق کے لئے (-)، تقسیم کے لئے (/) اور ضرب کے لئے (*) کے علاوہ ایک بڑی تعداد میں حسابی اور غیر حسابی نشانات استعمال کئے جاتے ہیں۔ ایکسیل میں فارمولوں کی آسان تشکیل کے لئے فنکشنز کا استعمال ایک نہایت ہی طاقتور امر ہے۔

ہم نے جو فارمولا استعمال کیا وہ صرف نمبروں کو جمع کرنے کے لئے تھا، اگر ہمیں درجنوں بلکہ سینکڑوں نمبر جمع کرنا پڑ جائیں تو اس کے لئے تو ایک بہت ہی لمبا چوڑا فارمولا چاہیے، لیکن ایسی صورت میں ہم فنکشن کا استعمال کر سکتے ہیں۔ کرسر کو دوبارہ F1 میں لے جاکر اس دفعہ فارمولا Sum(A1:E1) ٹائپ کیجئے۔ اینٹر (Enter) کی کو پریس کرنے پر آپ کو ٹوٹل مل جائے گا۔ آیئے اس فارمولے کا جائزہ لیں۔ Sum ایک فنکشن ہے، جس کا مطلب ہے جمع اور A1:E1 کا مطلب ہے A1 سے لے کر E1 تک۔ اس کو رینج کہا جاتا ہے اور کولون (:) ایک ہندسے سے دوسرے تک کی علامت ہے۔ اس طرح آپ ایک بڑی تعداد میں ہندسوں کو بآسانی جمع کر سکتے ہیں۔

F1
=A1+B1+C1+D1+E1
A
B
C
D
E
F
1
5
5
5
5
5
25

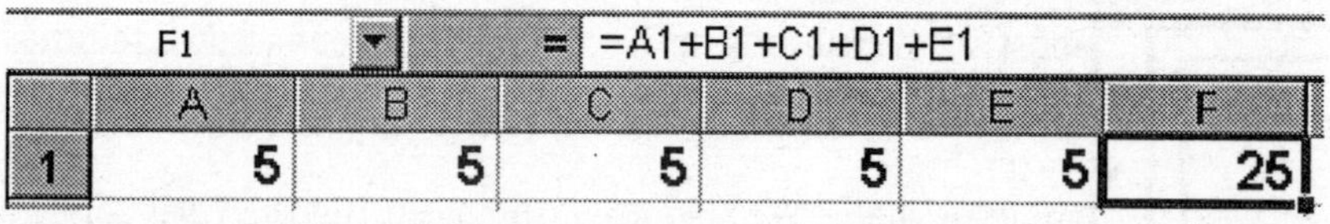

Per my golden rule, we will start Excel with practical learning. Lets start with a very simple project. Lets use Excel to carry out a very simple calculation. An individual document in Excel is called **Workbook**. Let's open a new workbook (**New** in the **File** menu). Place your cursor in cell **A1** (first in the corner) and insert **5** in it. Now move to cell **B1**, which is next on the right (by either clicking it with your mouse or by using the right cursor key) and enter 5 here too. Do the same all along the line until and including **E1**. Now place your cursor in cell **F1**, where we are going to enter a formula to add all these numbers. Press the equal key (=) on your KEYBOARD and you will see your cursor flashing in front of the equal sign, waiting for you to insert a formula. **Note**: This can also be done directly in the **formula bar** by clicking on the equal sign in the grey box on the left side of the formula bar (more on this later).

Since we want to add all these cells the obvious formula will be **A1+B1+C1+D1+E1** (you get the+ symbol by keeping the shift key pressed). Type the formula in front of the = sign and press Enter, you should see the number **25** appear in cell F1, this is the total of all the cells added. If you click in the cell **F1**, you will find a formula embedded under the figure 25 - this can be seen in the formula bar. This is a very basic example of how a formula works in Excel. You can use addition (+ next to Backspace key), subtraction (- next to + key), multiplication (* Shift and 8 key), and division (/ Shift and ? key). Please note that, in computing, an Asterisk (*) is used for multiplications and forward slash (/) is used for divisions. These and various other symbols on your keyboard are used in conjunction with Functions to perform some truly amazing tasks. Excel has a huge number of Functions to perform such tasks quickly and efficiently. Although our little exercise of adding values in cells seemed clever, it is hardly an ideal method if there were dozens and even hundreds of such numbers to be added. You would need a mile long formula - and that's when the functions are handy. A function is a command, which carries out an assigned task. Lets use one to replace our little (or not so little!!) formula. Place your cursor in the cell with the formula (**F1**). As before, press the = key and type in **Sum(A1:E1)** and press enter. You will get the same result as before. Now look at the formula. Sum is the **function**, and as the name suggests, it simply adds numbers. Inside the bracket you have the first cell (**A1**) and the last cell (**E1**) separated by a colon (:). This is called a **range** and it means from **A1 to E1**. By using this function, you can add hundreds of numbers in a range almost instantly.

Let's Use Excel - آیئے ایکسیل کو استعمال کریں

ایکسیل کے فارمولوں میں فنکشن کے استعمال سے آپ شائد متاثر ہوئے ہوں لیکن ہم نے پھر بھی ہاتھ ہی سے فارمولا ٹائپ کیا تھا جو کہ ایک بڑی سپریڈ شیٹ میں کافی بورنگ کام ثابت ہو سکتا ہے علاوہ ازیں ہاتھ سے ٹائپنگ کرنے میں ٹائپنگ میں غلطیوں کا بھی خطرہ ہوتا ہے۔ آیئے اس فارمولے کو بغیر ٹائپنگ کے ترتیب دیں۔ کرسر کو **F1** میں لے جایئے اور فارمولا بار میں = کے نشان (1) پر کلِک کیجئے، نیچے دیا ہوا ڈائیلاگ باکس سامنے آئے گا۔ اس میں ایک چھوٹی سی تکون (2) والے بٹن کو کلک کرتے ہوئے فنکشن کی مینیو کھولئے۔ اس میں سے **SUM** کی فنکشن کو چنئے۔ آپ کا ڈائیلاگ نیچے دی ہوئی تصویر (درمیان میں) کی مانند نظر آئے گا۔ نوٹ کیجئے کہ فارمولا بار میں آپ کا فارمولا تکمیلی مراحل میں ہے۔ اب **Number1** کے فیلڈ کے آخر میں ایک ننھے سے سُرخ تیر والے بٹن (3) پر کلِک کیجئے۔ اس ڈائیلاگ باکس کا نچلا حصہ غائب ہو جائے گا۔ اب آپ خانوں کی رینج کو سلیکٹ کرنے کے لئے تیار ہیں۔ کرسر کی مدد سے نمبروں والے تمام خانوں کو سلیکٹ کیجئے (پہلے خانے [A1] میں کرسر کو لے جا کر ماؤس کے بائیں بٹن کو کلِک کر کے اسے بغیر چھوڑے دائیں جانب گھسیٹتے ہوئے آخری خانے [E1] تک لے جائیں)۔ اب Enter کیجئے تو رینج کا ڈائیلاگ باکس آپ کی چُنی ہوئی رینج کے ساتھ دوبارہ نمودار ہوگا۔ اس باکس کے **OK** بٹن کو کلِک کرتے ہوئے اپنے فارمولا کو مکمل کیجئے۔ اس کے ساتھ ہی آپ اپنے فارمولے اور اس کے نتائج کو سیل **F1** میں پائیں گے۔ اگر آپ اب بھی متاثر نہیں ہوئے تو مجھے یقین ہے کہ آپ آئندہ صفحات پر آنے والی مشقوں کے بعد ضرور متاثر ہونگے۔ ابھی مکمل کی جانے والی مشق کو **Sum Exercise** کے نام سے محفوظ کرلیں۔

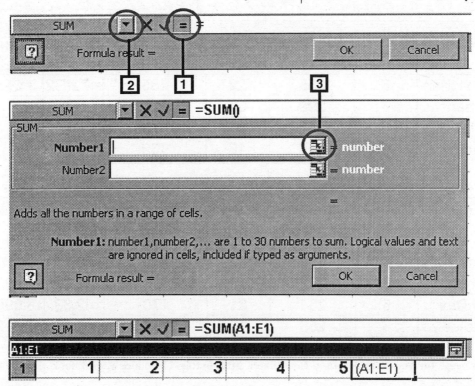

You might think this is truly efficient. I say it can be even better! We do not have to enter the formula manually, which is time consuming and prone to typing errors. Put your cursor back in cell **F1** and, instead of typing in the equal's sign from the keyboard, click on the = sign in the formula bar (1). A dialogue box will appear, click on the button with a tiny triangle (2) and choose Sum from this drop-down function box. The above dialogue box (middle) will appear. The cursor is flashing waiting for you to insert the formula, which you can type in manually if you wanted to, BUT we are not going to do that. Instead, we will go to the button with a little red arrow (3) on the other end of the **Number 1** field and click on it, the box will disappear leaving you to select the range with your cursor. Have you noticed the formula being nicely built in the formula bar? Take your cursor to the first cell of the range (**A1**) click your mouse button and keep it pressed, then dragging your mouse towards right, select your whole range from **A1 to E1** and let go of the mouse button. You have just selected your range that you want to be added up. Press **Enter** and the same dialogue box returns, with your range now displayed in its **Number 1** field. Press OK and the box will disappear leaving your formula in the formula bar and its results in the correct cell, F1. Impressed? If no, stick around; if yes, then you have seen nothing yet! Please save your file with the name **Sum Exercise**.

More on Formula - فارمولوں کے بارے میں مزید کچھ

یہ مشق فارمولوں کو بہتر سمجھنے کے لئے تشکیل دی گئی ہے۔ایک نئی ورک بک کھولئے اور تصویر نمبر ا میں دیئے ہوئے ٹیبل میں موجود ڈیٹا کی نقل کر لیجئے۔ آخری دو کالم (F اور G) خالی ہیں۔ یہاں آپ نے اوسط کے طور پر فارمولے درج کرنے ہیں۔ان دونوں کی ہیڈنگ قدرے مختلف ہیں یعنی ایک خانے میں دو سطروں پر مشتمل ہیں۔اس کی ترکیب نوٹ کیجئے: **F1** میں لفظ **Batting** ٹائپ کرنے کے بعد **Alt** کی کو دبائے رکھتے ہوئے **Enter** کریں۔ آپ کا کرسر بغیر خانے سے باہر نکلے دوسری سطر پر آجائے گا۔ یہاں لفظ **Averages** ٹائپ کیجئے۔ یہی عمل **G1** میں دُھرایئے۔اس کے بعد **F2** میں بیٹنگ اوسط کا فارمولا جو کہ رنز کی تعداد کو اننگز کی تعداد سے تقسیم کرتا ہے یعنی **C2/B2** (تقسیم کے لئے سلیش (/) کا نشان استعمال کیا جاتا ہے) اسی طرح **G2** میں باؤلنگ کی اوسط کے لئے **E2/D2** کا فارمولا ٹائپ کیجیے۔اس طرح آپ کو فہرست میں پہلے کرکٹر کی بیٹنگ اور باؤلنگ کی اوسط مل جائے گی۔اب باقی کرکٹرز کے لئے علیحدہ فارمولے ٹائپ کرنے کی ضرورت نہیں ہے۔دونوں خانوں کو سلیکٹ کرتے ہوئے ان کو باقی خانوں میں کاپی کیجئے۔یاد رکھیئے آپ ایسے ہینڈل کو ماؤس کی مدد سے نیچے کھینچنے کے علاوہ کاپی اور پیسٹ کمانڈ کی مدد سے بھی کر سکتے ہیں۔ایسا کرتے ہی باقی کرکٹرز کی اوسط بھی سامنے آجائے گی۔یہ کس طرح ممکن ہوا؟ غور کیجئے: جب آپ نے عمران کے خانوں میں فارمولے ڈالے تھے تو اُن کا تعلق عمران کے نام کے سامنے والے خانوں سے تھا لیکن جب آپ نے اس فارمولے کو ایک سطر نیچے کاپی کیا تو ایکسیل نے بھی فارمولوں کو عمران والی سطر سے ایک سطر نیچے والے متعلقہ خانوں سے منسلک کر دیا۔یہ عمل کسی بھی سمت میں فارمولوں کو کاپی کرتے ہوئے سرانجام دیا جا سکتا ہے۔اس عمل کو **Relative Address** کہتے ہیں جس کے بارے میں ہم آگے چل کر مزید معلومات فراہم کریں گے۔امید ہے کہ یہ سب کچھ کر لینے کے بعد آپ کا ٹیبل بھی تصویر **2** کی طرح نظر آ رہا ہو گا۔اسے **Cricketers** کے نام سے محفوظ کر لیجئے۔

	A	B	C	D	E	F	G
1		Matches	Runs Scored	Wickets	Runs conceded	Batting Average	Bowling Average
2	Imran Khan	6	355	22	135	=C2/B2	=E2/D2
3	I Botham	6	298	21	228		
4	Kapil Dev	6	254	21	170		
5	R Hadlee	6	256	18	139		

1

Formulae for bowling averages باؤلنگ کی اوسط کے لئے فارمولا

بیٹنگ کی اوسط کے لئے فارمولا - Formulae for batting averages

	A	B	C	D	E	F	G
1		Matches	Runs Scored	Wickets	Runs conceded	Batting Average	Bowling Average
2	Imran Khan	6	355	22	135	59.17	6.13636
3	I Botham	6	298	21	228	49.67	10.8571
4	Kapil Dev	6	254	21	170	42.33	8.09524
5	R Hadlee	6	256	18	139	42.67	7.72222

2

Here is an exercise for you to understand formulae a little better. Open a new workbook. Copy the table above, which gives an analysis of a hypothetical cricket tournament of the past. Start copying the contents of the table exactly as it appears in fig.1 in such a way that Imran Khan's name appears in Cell **A2**. You can see the last two columns (**F** and **G**) are left blank for you to insert formulae to calculate the batting and bowling averages. How did I get the words Batting and Bowling above the words Averages in the same cells in these two Columns? After typing the word Batting in cell **F1**, press the Alt key and then press Enter to type in the word Averages on a new line (Same goes for column **G**). This is how you start a new line INSIDE a cell (pressing Enter without **Alt** will bring you out of the cell into the cell below). Once the table is complete, place your cursor in the cell **F2**. The formula for calculating batting averages is simple enough - runs divided by innings (**C2/B2**). Sign for division is (/). Now move to cell **G2** and enter the formula for bowling averages, which is runs conceded divided by wickets taken (**E2/D2**). Now that we have the formulae for the first cricketer, we can copy these formulae for the remaining cricketers in the table. This is one of Excel's marvels. Although the cell reference in the first formula refers to Imran's figures, when copied down, Excel will intelligently change the cell reference to point to relevant cells one row down. This is called **Relative Address**, and we will take a deeper look at it later. Excel can intelligently copy formulae like this in any direction. If everything has gone OK then you should have your table looking like the one in fig.2. Save your file as **Cricketers**.

More on Formula - فارمولوں کے بارے میں مزید کچھ

آپ نے نوٹ کیا ہوگا کہ بیٹنگ اوسط کے ہندسے اعشاریہ سے دو جگہوں تک درست ہیں جبکہ باؤلنگ کی اوسط کے ہندسے اعشاریہ سے پانچ جگہوں تک درست ہیں جو کہ غیر ضروری ہیں۔ آپ ایسے حالات میں انکریز ڈیسیمل (اعشاریہ کے بعد ہندسوں کی تعداد میں اضافہ) اور ڈیکریز ڈیسیمل (اعشاریہ کے بعد ہندسوں کی تعداد میں کمی) والے بٹنوں کو استعمال کر سکتے ہیں۔ کرسر کو **G2** میں لے جائیے اور ڈیکریز ڈیسیمل کے بٹن کو ایک دفعہ کلِک کیجئے۔ آپ دیکھیں گے کہ اس خانے میں اب اوسط اعشاریہ سے پانچ کی بجائے چار ہندسوں تک رہ گئی ہے۔ اب اسی بٹن کو مزید دو دفعہ کلِک کیجئے۔ اب اس خانے میں اوسط کا ہندسہ اعشاریہ سے صرف دو جگہوں تک درست ہے، جو کہ ہماری ضرورت کے عین مطابق ہے۔ اب اس خانے میں جو تبدیلی ہم نے کی ہے اس کو کالم G کے دوسرے خانوں تک کاپی کیا جاسکتا ہے، جو کہ آپ کئی طریقوں سے کرنا جان چکے ہیں لیکن میں تجویز کروں گا کہ آپ یہاں اس مقصد کے لئے پینٹر بٹن استعمال کریں (یاد کیجئے آپ کا اس بٹن سے تعارف ورڈ میں ہو چکا ہے اور میں چاہتا ہوں کہ آپ اس کا یہاں استعمال اپنے علم اور تجربے کی روشنی میں کریں)۔ ہر تبدیلی کے بعد فائل کو محفوظ کرنا نہ بھولئے۔

انکریز ڈیسیمل۔ اعشاریہ کے بعد ہندسوں کی تعداد میں اضافہ کے لئے بٹن
Button to Increase decimal places.

ڈیکریز ڈیسیمل۔ اعشاریہ کے بعد ہندسوں کی تعداد میں کمی کے لئے بٹن
Button to Decrease decimal places.

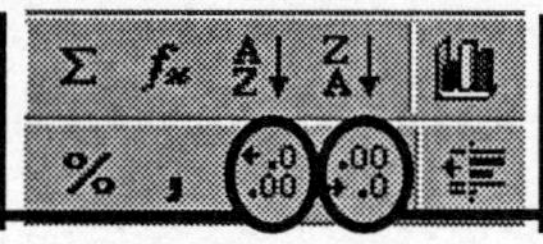

You will note that although the batting figures are correct to two decimal places, which is fine, the bowling figures are spread to five decimal places, which is unnecessary. You can use the **Increase decimal** and **Decrease decimal** commands for such situations. Take your cursor to the cell **G2** and click on the Decrease decimal button once. You will see the figure decrease to 4 decimal places. Click it twice more to get it down to two decimal places. Now, instead of doing each of the other cells separately, you could use one of the copying techniques you have learnt to date to transfer this format to them. But I would like you to use the **Format Painter** button. Remember?, you learnt it in Word, think about it. And do get into the habit of saving your files after every change you make.

To delete and insert Rows and Columns ۔سطروں اور کالموں کو مٹانا یا ان میں اضافہ کرنا

آپ کو ایکسیل میں اکثر سطروں اور کالموں کو مٹانا یا ان کی تعداد میں اضافہ کرنا پڑے گا۔ ایکسیل یہ عمل آسانی اور ذہانت کے ساتھ سرانجام دے سکتی ہے۔ اس مشق کے لئے ہم کرکٹرز والی سپریڈ شیٹ استعمال کر سکتے ہیں۔ فرض کیجئے کہ ہمیں ان کھلاڑیوں کی قومیت کے لئے ایک اضافی کالم ڈالنا درکار ہے۔ نئے کالم کی جگہ کالم B کے بعد مناسب ترین ہوگی۔ اپنے کرسر کو کالم B کی ہیڈنگ پر لے جا کر کلِک کیجئے۔ پورا کالم سلیکٹ ہو جائے گا۔ اب Insert مینیو سے Column کو چنیئے (یا پھر اپنے ماؤس کے دائیں بٹن کو کلِک کر کے نمودار ہونے والی کوئیک مینیو میں سے لفظ کالم کو چنئے)۔ آپ کی شیٹ میں نہ صرف ایک اضافی کالم شامل ہو جائے گا بلکہ دائیں جانب والے تمام کالم ایک ایک جگہ دائیں طرف منتقل ہو جائیں گے علاوہ ازیں ان کالموں میں موجود فارمولے بھی خود بخود تبدیل ہو جائیں گے۔ اب آپ اس نئے کالم کو Country کا لیبل دے کر اس میں تمام کھلاڑیوں کی قومیت ٹائپ کر لیں۔ کالم کو مٹانے کا طریقہ بھی اس سے ملتا جلتا ہے یعنی کہ مٹائے جانے والے کالم کی ہیڈنگ پر دائیں بٹن سے کلِک کرتے ہوئے Delete کی کمانڈ کو چننے سے کالم مٹ جائے گا اور ساتھ والے کالم اس کی جگہ لے لیں گے۔ آپ اس کا Undo بٹن کی مدد سے عارضی تجربہ کر سکتے ہیں۔ سطروں کو مٹانے یا اُن میں اضافہ کرنے کا طریقہ بھی بالکل اسی طرح ہے، یعنی روہیڈنگ (Row Heading) پر دائیں بٹن سے کلِک کرتے ہوئے آپ یہ دونوں عمل سرانجام دے سکتے ہیں۔ ایک مشق کے طور پر وسیم اکرم کو کارکردگی کے فرضی اعداد دیتے ہوئے اس فہرست میں عمران اور بوتھم کے درمیان شامل کیجئے۔

Very often you will need to add or delete rows and columns in order to alter and enhance your workbooks. This is done in Excel easily and intelligently. Suppose, in your Cricketer spreadsheet, you wanted to insert a column to show the nationality of these cricketers. Click on the column heading of the column **B** so that the whole column is selected. Go to the Insert menu and select Column, or use the right mouse click while your cursor is still on the column heading and select Insert. You will see a column has been inserted. All the columns on the right are moved, renamed and their formulae cleverly adjusted by Excel. You can actually place your cursor in the cells with formulae and see how the cell reference in the formulae has been adjusted to accommodate the additional column. Give this new column a label (i.e Country) and insert the nationalities of the cricketers. To delete a column, right click on the heading of the column you have just created and select delete from the quick menu. The column will disappear and all the columns on the right will move towards the left to fill the gap and the formulae in them will be adjusted. You can use the Undo button to reverse this action in order to retain your countries Column. Similarly, with a right click on the Row headings, you can add or delete rows in the same fashion. For an exercise, try to insert Wasim Akram between Imran and Botham - give him imaginary figures for data.

Further with Formula - فارمولوں کے بارے میں مزید کچھ

آیئے فارمولوں کو ایک مرحلہ آگے لے کر چلیں۔ اس مشق میں ہم ایک پھل فروش کے لئے ایک سپریڈ شیٹ بنائیں گے جو اسے اس کی لاگت، منافع اور قیمتِ فروخت نکالنے میں مدد دے۔ ایک نئی ورک بک کا آغاز کیجیے اور اس میں نیچے دیئے ہوئے ٹیبل (1) کو کاپی کر لیجئے لیکن صرف اس کے ڈھانچے کو، یعنی بغیر قیمتِ خرید اور فارمولوں کے۔ اس کے بعد ہم پہلے فارموں کو ترتیب دیں گے اور پھر آخر میں قیمتِ خرید کے کالم کو بھریں گے۔ میرے ساتھ ہم آہنگی کے لئے اپنے ٹیبل کو اس طرح سے ترتیب دیجیے کہ **Apples** سیل **A2** میں اور قیمتِ خرید کا لیبل **B1 (Cost)** میں ہو۔ پھل فروش کی قیمتِ خرید پر اُسے 50 فیصد منافع درکار ہے۔ سیل **C2** میں اب پہلا فارمولا ٹائپ کیجئے جو کہ **B2*50/100** ہونا چاہیئے۔ سیل **C2** میں ابھی آپ کو صرف صفر نظر آئے گا۔ اب کرسر کو سیل **D3** میں لے جا کر وہاں قیمتِ فروخت کا فارمولا ٹائپ کیجئے جو کہ قیمتِ خرید اور منافع کو جمع کر کے ملے گا یعنی **(B2+C2)**۔ یہاں بھی آپ کو ابھی صرف صفر ہی نظر آئے گا۔ اب ان فارمولوں والے دونوں خانوں کو سلیکٹ کرتے ہوئے ان کو سطر **7** تک کاپی کر لیں۔ اب ٹیبل میں دی ہوئی پھلوں کی قیمتوں کو کالم **B** میں ٹائپ کیجئے۔ آپ جیسے جیسے ٹائپ کرتے جائیں گے کالم **C** اور کالم **D** میں منافع اور قیمتِ فروخت خود بخود آتے جائیں گے۔

ہم اس سپریڈ شیٹ کو مزید بہتر بنا سکتے ہیں۔ بے شک یہ سپریڈ شیٹ ایک کار آمد آلہ ہی سہی لیکن کیونکہ پھل فروش کو ہر روز فارمولے تبدیل کرنا درکار ہیں اس لئے یہ اب اتنی مفید نہیں جتنی اسے ہونا چاہیئے۔ ذرا سوچئے کہ اگر پھل فروش کا کاروبار صرف چند پھلوں کی بجائے درجنوں اقسام کے کھلونے بیچنا ہوتا تو اتنے سارے فارمولے تبدیل کرنا یقیناً ایک ناگوار کام ثابت ہوتا۔ اگلے صفحے پر ہم اس مسئلے کا بھی حل نکالیں گے۔

1

	A	B	C	D
1		Cost Per Kilo	Profit	Selling Price
2	Apples	50	=B2*50/10	=B2+C2
3	Oranges	40		
4	Bananas	30		
5	Pears	52		
6	Grapes	60		
7	Tangerines	38		

اوپر دی ہوئی تصویر میں حسابی فارمولوں سے ظاہر ہے کہ ان کا مقصد کیا ہے۔

Simple mathematical formula above are self explanaory provided your math certificate is genuine!

فارمولوں کی مدد سے نکلے ہوئے نتائج

Results generated by the formulae

2

	A	B	C	D
1		Cost Per Kilo	Profit	Selling Price
2	Apples	50	25	75
3	Oranges	40	20	60
4	Bananas	30	15	45
5	Pears	52	26	78
6	Grapes	60	30	90
7	Tangerines	38	19	57

Let's take the formula one stage further. We will create a spreadsheet to help a wholesale fruit seller to easily work out his costing, prices and profit margins. Copy the table in Fig**1.** Column one is the only column you (or the fruit seller!) will have to type out. The rest of the figures will be automatically generated by the Formula. But do not enter the cost prices given in column one quite yet. We will enter the formula first this time, to test your confidence! In order to get the cell reference for the formula same as mine, please make sure that you insert the data in such a way that your **Apples** end up in cell **A2** and your label for the **cost** per kilo in cell **B1**. Our first formula is going to be inserted in cell **C2** to work out the profit. This fruit seller puts 50% profit margin on his cost price to get the sale price. The formula, therefore, should be **B2*50/100** (B2 times 50 divided by 100) which is straight-forward math and it gives us 50% of what is in cell **B2**. If this is the profit then the formula in cell **D2** should now be **B2+C2** (in other words, cost price plus profit) to give us selling price. With both formula in place, highlight both cell and copy them down to row **7** to cover the whole table. Now you can type in the cost prices for each of the fruit as per the table 1 and see how remaining figures are automatically worked out for you (Fig2). Good isn't it?

We are going to add another dimension to this spreadsheet now. Despite its clever calculations, it is still not as efficient as it should be. Suppose the fruit seller had to change his profit margins on daily basis depending on the market situation. He would have to change formula in profit column every day, which is not very convenient. And if the spreadsheet was to be used by a toy dealer with hundreds of toys in stock, it will not be practical at all. We shall remedy this problem next with a simple technique.

Further with Formula - فارمولوں کے بارے میں مزید کچھ

اس سپریڈ شیٹ کو مزید بہتر بنانے کے لئے ہم اس میں ایک اور تبدیلی کریں گے۔ بجائے ہر فارمولے میں منافع کی شرح تبدیل کرنے کے ہم تمام فارمولوں کو منافع کی شرح کے لئے ایک مخصوص خانے سے رجوع کرنے کے لئے پروگرام کریں گے اور پھر اس مخصوص خانے کو منافع کی شرح کا نرخ ڈالنے کے لئے استعمال کریں گے۔ اس طرح دکاندار کو منافعے کی شرح تبدیل کرنے کے لیئے صرف اُس خانے کو ہی تبدیل کرنا پڑے گا نہ کہ سپریڈ شیٹ میں موجود تمام کے تمام فارمولوں کو۔

کرسر کو سیل **F1** میں لے جا کر منافع کی موجودہ شرح **50** کو یہاں ٹائپ کریں۔ اب سیل **C2** میں موجود فارمولے (**B2*50/100**) کو **B2*F1/100** میں تبدیل کر دیں۔ (یہاں نوٹ کیجئے کہ ایک سیل میں تبدیلی یعنی ایڈیٹنگ کرنے کے لئے یا تو فنکشن کی **F2** کو استعمال کیجئے اور یا اس خانے میں ڈبل کلِک کیجئے) اگرچہ دونوں فارمولوں میں فرق عیاں ہے، لیکن ابھی ایک مسئلہ باقی ہے۔ جیسا کہ آپ سیکھ چکے ہیں کہ ایک فارمولے کو کہیں اور کاپی کرنے سے ایکسیل خود بخود اس فارمولے میں متعلقہ خانوں کا پتا (**Relative Address**) تبدیل کر دے گی اب یہی خوبی ہمارے لئے مسئلہ بن جائے گی۔ جب ہم سیل **C2** میں موجود نئے فارمولے کو نیچے والے خانوں میں کاپی کریں گے تو فارمولے میں موجود **F1** تبدیل ہو کر **F2** اور **F3** وغیرہ میں تبدیل ہو جائے گا جبکہ ہمیں تمام فارمولوں کو **F1** سے لنک کرنا درکار ہے۔ آپ تجرباتی طور پر ایسا کر کے دیکھ سکتے ہیں لیکن ایسی صورت میں **Undo** بٹن کو ستعمال کرنا نہ بھولیئے۔ ایکسیل میں تمام مسائل کی طرح اس مسئلہ کا بھی حل موجود ہے۔ ہم **C2** میں ابتدائی فارمولے میں **F1** کے پتا کو نہ تبدیل ہونے والے قطعی پتا (**Absolute Address**) میں تبدیل کر دیں تو یہ کاپی کرنے پر تبدیل نہیں ہوگا۔ ایسا کرنے کے لئے ڈالر کے نشان (**$**) کا استعمال کیا جاتا ہے۔ یہ ہمارا ایکسل کو بتانے کا طریقہ ہے کہ ہم اس پتے کی تبدیلی نہیں چاہتے۔ **C2** میں ڈبل کلِک کرتے ہوئے کرسر کو **F** کی بائیں جانب لے جا کر وہاں ڈالر کا نشان ٹائپ کر دیجئے (ڈالر کا نشان **Shift** کی کو دبا کر رکھتے ہوئے **4** کے ہندسے والی کی سے حاصل ہوتا ہے) اسی طرح **1** کے بائیں جانب ڈالر کا نشان ٹائپ کرلیں۔ اب اس سیل کو جب آپ نچلے خانوں میں کاپی کریں گے تو **F1** مسلسل **F1** ہی رہے گا اور آپ کے فارمولے درست رہیں گے۔ اب اگر آپ **F1** میں **50** کی جگہ کوئی اور ہندسہ ڈالیں گے تو اس کے نتائج یکدم فارمولوں پر اثر انداز ہونگے۔ مختلف ہندسے آزما کر دیکھئے۔

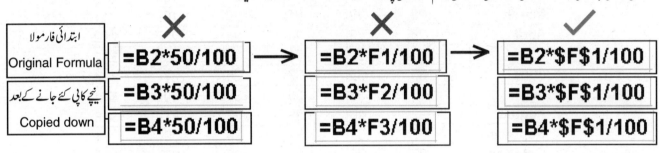

	✗	✗	✓
ابتدائی فارمولا Original Formula	=B2*50/100	→ =B2*F1/100	→ =B2*$F$1/100
نیچے کاپی کئے جانے کے بعد Copied down	=B3*50/100	=B3*F2/100	=B3*$F$1/100
	=B4*50/100	=B4*F3/100	=B4*$F$1/100

We shall introduce another change to the spreadsheet so that, instead of changing all the formula in the spread sheet in order to change the profit margin, we will only have to change one cell to bring about the same effect. We will do this by making all the formula look into a specific cell for the profit margin and then enter the margin rate in that particular cell. This will enable the user to change all the formula in the spreadsheet by changing that one cell rather than change the profit margin in all of the formula.

Chose the cell **F1** and insert the figure **50** (rate for profit margin) here. We are going to make all the formula to refer to this cell for the profit margin figure. Change the formula in cell **C2** from **B2*50/100** to **B2*F1/100**. Before I explain the change, please note and learn that to edit a cell in Excel you either press the **F2** key on your keyboard or double click in the cell. If you look at the new formula, the only difference is that instead of figure **50**, it is now pointing to the cell **F1,** which has the figure **50** in it. But there is a problem here. When we copy this formula down to other cells below, excel will change **F1** to **F2** and **F3** and so on as we copy it downward. The fact is that there is nothing in cell **F2** and **F3** and so on, which will cause obvious errors. You should remember this as we discussed it on the previous few pages (**Relative Address**). But do not worry, there is a way around this. To prevent excel from making these changes automatically, we need to make the **F1** cell address in the formula **permanent**. We do this by placing a dollar sign ($) (press shift key and then number **4** key on the main keyboard). This is called **Absolute Address**. Insert the $ sign in front of **F** and also in front of **1** in our new formula and press Enter. This will keep the formula in its original form referring to the same cell (**F1**) no matter where it is copied to. Now you can copy it down and it will still point to **F1** all the way down without changing and causing error. Now if you try a different profit margin value in cell **F1**, you will see the figures in the grid change instantly with it.

Charts and Graphs - چارٹ اور گرافس

اب اس مشق میں ہم چارٹ اور گراف بنانا سیکھیں گے۔ اس کے لئے ہم پاکستان میں ایک فرضی مقام کے سالانہ درجہء حرارت کا پانچ سالہ تجزیہ اعداد و شمار کے طور پر استعمال کریں گے۔ ایک نئی ورک بُک کا آغاز کیجئے اور اس میں نیچے دیئے ہوئے ٹیبل کو تشکیل دیجئے لیکن اس سے پہلے کہ آپ ٹائپنگ شروع کریں میں چاہتا ہوں کہ آپ کو اس کے ساتھ ساتھ ڈیٹا اینٹری کی تکنیکی مہارت بھی حاصل ہو جائے۔

یہاں آپ کو سال کے مہینوں کے نام لکھنا درکار ہیں۔ اپنے کرسر کو **B3** خانے میں لے جا کر **January** ٹائپ کیجئے۔ اب اس خانے کے ارد گرد حلقے میں دائیں جانب والے نچلے کونے میں ایک بالکل چھوٹا سا خانہ نظر آئے گا۔ اسے ہینڈل کہا جاتا ہے۔ اس پر ماؤس کی بائیں بٹن کو کلِک کیجئے اور اس کو دبائے رکھتے ہوئے کھینچ کر سیل **B14** تک لے جایئے۔ سال کے باقی گیارہ مہینے آپ کی سپریڈ شیٹ میں خود بخود آ جائیں گے۔ یہ جادو نہیں ایکسیل کا اندازہ لگانے کی اہلیت ہے کہ آپ کیا کرنا چاہ رہے ہیں۔ یہ تکنیک آٹو فلز (Auto Fills) کے نام سے جانی جاتی ہے اور اسی قسم کی خصوصیات نے ایکسیل کو اپنے حریف پروگراموں کو مات دے کر دُنیا کی نمبر ایک سپریڈ شیٹ بننے میں مدد دی۔ اسی طرح اب سیل **C2** میں **1996** ٹائپ کیجئے۔ لیکن اس دفعہ ہمارا آٹو فل سال کے مہینوں جتنا آسان نہیں ہے۔ ہمیں اس سے اگلا لیبل بھی خود ٹائپ کرنا ہو گا تا کہ ایکسیل کو پتہ چل جائے کہ ہم کس ترتیب میں آٹو فل کرنا چاہتے ہیں۔ سیل **D2** میں **1997** ٹائپ کیجئے۔ اب دونوں خانوں کو سلیکٹ کر لیں اور پہلے کی طرح دونوں خانوں کے ارد گرد حلقے میں دائیں جانب والے نچلے کونے میں موجود ہینڈل کو گھسیٹ کر سیل **G2** تک لے جایئے۔ آپ کے لئے باقی ماندہ سال ٹائپ ہو جائیں گے۔ اب آپ درجۂ حرارت کا ڈیٹا ٹائپ کر سکتے ہیں۔

	1996	1997	1998	1999	2000	Average
January	18	17	16	12	13	15.2
February	19	19	18	17	16	17.8
March	23	22	21	20	19	21
April	26	23	25	24	23	24.2
May	32	30	31	33	35	32.2
June	35	32	33	35	37	34.4
July	38	37	35	37	40	37.4
August	39	40	39	38	37	38.6
September	32	33	31	29	30	31
October	27	25	22	26	29	25.8
November	25	24	19	20	21	21.8
December	17	20	15	14	13	15.8

In this exercise, we will put together figures reflecting a 5-year analysis of the annual average temperatures recorded for a certain hypothetical place in Pakistan. Then we will create a chart to reflect these figures in a graphical form. Start a new workbook and copy the data in the table above. BEFORE you jump into it, I would like you to learn and use some data entry techniques so please follow these steps.

You need to enter all the months in but you do not have to type them all. Take your cursor **B3** and type in **January** in it. You see the outline of the cell is broken by a tiny square in the bottom left hand corner of the cell. This is called Handle. Take your cursor on top of this square (or handle). Your cursor will change from a large cross to a smaller cross. Click your left mouse button, and keep it down as you would do to highlight cells, and drag it down to cell **B14** and let go of the mouse button. You probably noticed yellow little flags with names of the months written on them appear as you drag down. This may seem like magic but it is quite logical for Excel to 'think' like this. This technique is known as **AutoFills,** and it was features like this which made Excel beat its rival spreadsheets to become the industry standard. AutoFills can be used for days of the week, numbers and you can even design your own custom fills.

In cell **C2**, type in **1996** as the year. As this is not as easy as January, February, March and so on, you will have to help Excel a little as to what sequence you want it to move in. In the next cell across, **D2**, type in **1997**. Now Excel will know you want to move in yearly steps. Highlight both of these cells starting with **1996**. As before, grab hold of the handle and drag it across to **G3**. You will have rest of the years filled in automatically. Now you can fill in the data.

Charts and Graphs - چارٹس اور گرافس

ٹیبل میں درجۂ حرارت کے اعداد کو بھر لینے کے بعد سیل **H3** میں جنوری کے درجۂ حرارت کے اوسط کا فارمولہ ٹائپ کیجئے اور اسے **H14** تک کاپی کر لیجئے۔ ایسا آپ گذشتہ مشقوں میں کر چکے ہیں۔ اس کے بعد ہمارا ٹیبل تیار ہو جائے گا اور اب ہم چارٹ بنانے کے لئے تیار ہیں لیکن پہلے اپنے ٹیبل کو Pak Temperatures کے نام سے محفوظ کر لیجئے۔ آپ کی آسانی کے لئے ہم پہلے صرف 1996ء کا چارٹ بنائیں گے جسے بنانے کے بعد پانچ سالہ چارٹ آپ خود ایک مشق کے طور پر کریں گے۔ پہلے جنوری سے دسمبر تک والے خانوں کو سلیکٹ کیجئے۔ اب ایک ہاتھ سے Shift کی کو دبا کر رکھتے ہوئے دوسرے ہاتھ سے کی بورڈ کی کرسر کیز (تیروں والی) میں سے دائیں جانب والی کی کو ایک دفعہ دبائیے، آپ دیکھیں گے کہ دائیں جانب یعنی 1996ء والا پورا کالم سلیکٹ ہو جائے گا۔ (نوٹ کیجئے: سلیکٹ کرنے کا یہ طریقہ نہایت ہی کار آمد ہے اور آپ اس کے ساتھ Page up اور Page down کی کیز کو بھی استعمال کرتے ہوئے مکمل صفحوں کو سلیکٹ کر سکتے ہیں)۔ اب Chart Wizard کے بٹن پر کلک کیجئے یا پھر Insert مینیو میں سے Chart کی کمانڈ کو چنئے۔ آپ کے سامنے چارٹ وزرڈ ڈائیلاگ باکس نمودار ہو گا۔ اس کی بائیں ونڈو میں چارٹس کی مختلف اقسام کی فہرست دی ہوئی ہے۔ اس میں سے ماؤس کی کلک کے ساتھ Column کا انتخاب کیجئے جو سرِ فہرست شائد پہلے سے ہی منتخب ہو۔

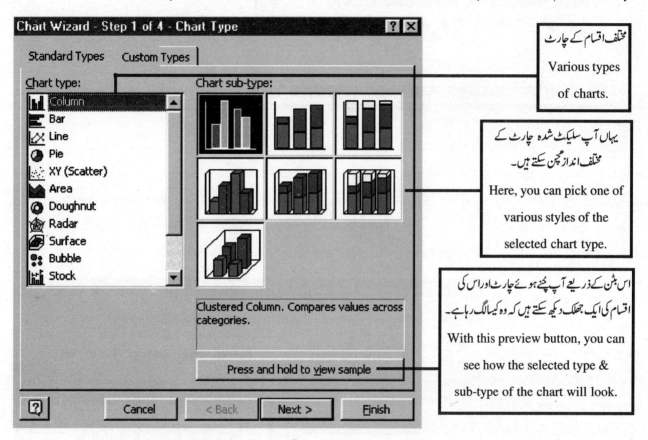

Once you have completed the grid, move into the cell **H3** to enter formula to get five years average temperature for January. I am sure you know how to do this by now - if not, refer back to previous exercises. Then copy the formula down to **H14** for the remaining months. This gives you the averages for all of the months. You are ready to transform this research into a chart. Creating chart is very simple in Excel. We will do two of them using the figures from our table, and later, enhance their general outlook. But before we go any further, save your file as **Pak Temperatures**.

Let's create the first chart to give us a graphical analysis of monthly temperatures for the year 1996 **only**. In order to do this we must select (highlight) all the months and also all the temperatures for **1996**. Select all the months from January to December first and let go of the mouse. Here is something additional you can learn about selecting. We are going to extend the selection to include the temperatures' column manually. Press the shift key and keep it down and press the RIGHT cursor key on the keyboard. The next column is selected. You can use cursor keys as well as page up and page down keys for this purpose, which I find very useful when selecting large areas of a spreadsheet. Now press the **Chart Wizard** button from the top of the page OR go to the **Insert** menu and select **Chart**. You will be presented with the chart dialogue box. From the chart type window on the left, the most used type, Column, is already selected so press next.

More on Charts ۔ چارٹس پر مزید کچھ

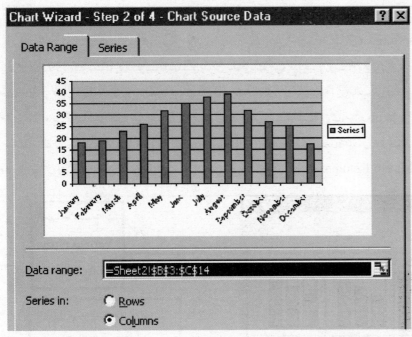

اس کے بعد Next پر کلِک کیجئے تو آپ کو آپ کے چارٹ کی ایک جھلک مع آپ کی سلیکٹ کی ہوئی ڈیٹا رینج کے ملے گی، ایک دفعہ پھر Next پر کلِک کیجئے۔ یہاں آپ اپنے چارٹ میں ان آلات کی مدد سے اسے سنوارنے کے علاوہ اس میں دیگر معلومات کا اضافہ بھی کر سکتے ہیں لیکن یہاں ہم صرف Titles ٹیب کو استعمال کرنے پر ہی اکتفا کریں گے۔ Chart title والے خانے میں اپنے چارٹ کا نام Average temperatures - Pakistan 1996 ٹائپ کریں اور اس کے X-axis والے خانے میں Month اور Y-axis والے خانے میں Centigrade ٹائپ کریں۔ اس کے بعد Finish کے بٹن پر کلِک کرتے ہوئے اس باکس کو بند کر دیں۔

You will see the first glimpse of your chart (As above). Press next and here you will have various options (as below), which enhance the look of your chart but also help to add other features to it. We will use the very first one named title. Here you can give your chart a title along with a title for each of its Axis. Give it the title of "Average temperatures - Pakistan 1996". Name its X-axis as Month and it's Y-axis as Centigrade. Now press next.

After the title screen, you come to step 4 where you decide whether to have your chart in the same sheet that you are working in or you want the chart to be added to the workbook as a separate sheet. For this particular exercise, leave things as they are (to have the chart as an object within the sheet you are working in). But make a mental note that you can have it as a separate sheet if you wanted to. We will accept the default (without making any changes) in this screen. Finish your chart by clicking on the finish button. Your chart will appear on the screen.

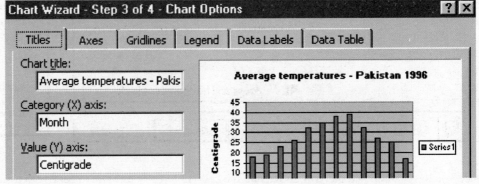

اس سلسلے کے چوتھے اور آخری مرحلے میں آپ کو یہ فیصلہ کرنا ہے کہ آپ اپنا چارٹ جس شیٹ میں کام کر رہے ہیں اسی میں ڈالنا چاہتے ہیں یا اس کو اسی ورک بک کی ایک علیحدہ ورک شیٹ میں محفوظ کرنا چاہتے ہیں۔ یہ آپ کی مرضی پر منحصر ہے لیکن یہاں ہم آہنگی کی غرض سے اسے بغیر تبدیل کئے موجودہ شیٹ میں ہی رہنے دیں، جس کے لئے آپ کو کسی مزید تبدیلی کی ضرورت نہیں ہے اور اس طرح اب آپ Finish کے بٹن کو دباتے ہوئے اپنے چارٹ کو مکمل کر لیجئے۔ آپ کا چارٹ آپ کے سامنے تیار ہے۔

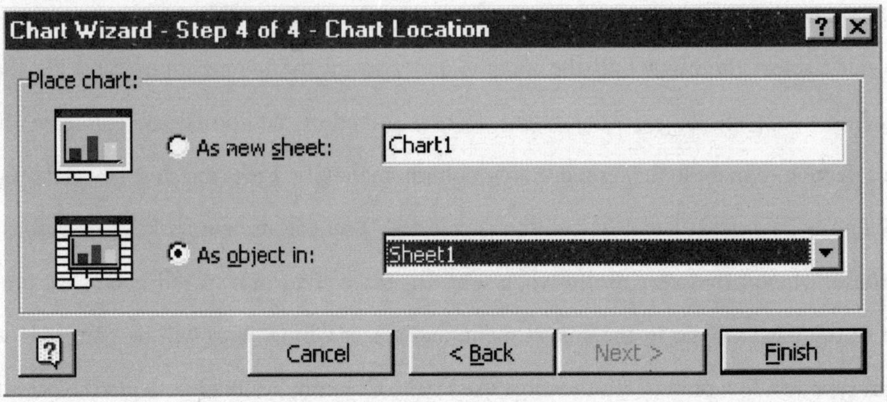

More on Charts - چارٹس پر مزید کچھ

شائد آپ کا چارٹ میرے چارٹ سے مکمل طور پر ملتا جلتا نہ ہو لیکن اس سے زیادہ مختلف بھی نہیں ہونا چاہیئے۔ اب ہم اسے تھوڑا سنواریں گے لیکن اس سے پہلے کہ لوڈ شیڈنگ ہو جائے اپنی فائل کو محفوظ کر لیجئے۔ سب سے پہلے چارٹ کے سائز میں اضافہ درکار ہے اس کے لئے چارٹ کے اردگرد حاشیئے میں آٹھ چھوٹے چھوٹے خانے یعنی ہینڈل موجود ہیں۔ ان کو ماؤس کی مدد سے کھینچتے ہوئے چارٹ کو پوری سکرین پر جتنا بڑا ہو سکے کر لیں۔ اس میں **Series** والے خانے کو کلک کر کے Delete کی کے ساتھ مٹا دیں۔ ہم اس کو آگے چل کر بیان کریں گے لیکن یہاں اس کی ضرورت نہیں ہے۔ چارٹ میں عبارت کا سائز ضرورت سے بڑا ہے، آیئے اسے کم کریں۔ مہینوں میں سے کسی ایک کے نام پر ڈبل کلک کیجئے۔ سامنے آنے والے باکس (آپ اسے ورڈ میں استعمال کر چکے ہیں) میں سے **Font** کے ٹیب کو چُھیے اور اس میں سے سائز کے خانے میں سے **14** سائز کا فانٹ چُھیے فانٹ سٹائل کے خانے میں سے **bold** اور **Colour** والے خانے میں سے **Blue** کو چُھیے اور **OK** بٹن کو کلک کیجئے۔ اب اسی طریقے سے چارٹ کے بائیں جانب درجہ حرارت والے ہندسوں کو بھی تبدیل کر لیں لیکن اس دفعہ **Blue** کی بجائے **Red** رنگ کو چُھیے۔ اب ہم ہر مہینے کے کالم کو ایک مختلف اور مخصوص رنگ دیں گے۔ ان میں سے کسی ایک مہینے کے کالم پر ڈبل کلک کیجئے آپ کے سامنے **Format Data Point** کا باکس نمودار ہو گا۔ اس کے **Options** ٹیب پر کلِک کیجئے اور اس میں **Vary colours by point** والے چھوٹے سے خانے میں ماؤس کو کلِک کیجئے۔ اب **OK** پر کلِک کیجئے، اس عمل کے رنگارنگ نتائج آپ کے سامنے ہیں۔

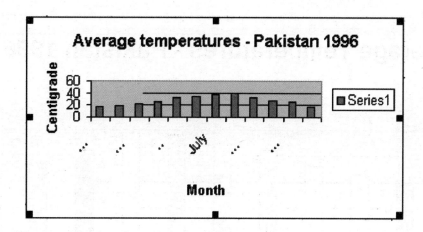

Doesn't it look terrible? Yes it does, but its our baby and we are now going to jazz it up a bit. Don't forget to save your work periodically, in case you have a power cut! They call it Load Shedding in Pakistan I believe.

Depending on various factors, your chart may not look exactly the same as mine but it should not look a great deal different either. First of all, we need to stretch it. You can see eight little squares (handles) on the border of the chart. With the help of your mouse drag them to enlarge the chart. You will see a box in the chart titled **Series**. We will explain this later, but in this case, it is irrelevant. Click on it and press Delete key on your keyboard to get rid of it. The text in the chart is probably too large. Double click on any one of the names of the months and you will be presented with **Format dialogue box**. Click on its **Font** tab (you should find this familiar as you have used this in Word). From the **Size** button select font size of **14**, select **bold** from the **Font Style** box and from the **Colour** box select **Blue** and then press **OK**. Do the same with numbers representing temperatures on the left of your chart with one exception - choose red as the colour for temperature figures. Next, we are going to give a different colour to each of the twelve columns indicating temperatures for each individual month. Double click on any of them, and from the **Format Data point** dialogue box, select **Options** tab and tick the box which says **Vary colours by point** and press **OK**. You should see all the columns change into different colours.

More on Charts - چارٹس پر مزید کچھ

اب ہم چارٹ کے پسِ منظر کو سنوارنے کی کوشش کریں گے۔ اس تبدیلی کے لئے چارٹ میں نظر آنے والی متوازی سطروں کے درمیان (سطروں سے ہٹ کر) کہیں بھی ڈبل کلک کیجئے آپ کے سامنے **Patterns** کا باکس آئے گا۔ اس کے **Fill Effects** بٹن پر کلِک کیجئے، اس سے اگلی سکرین پر آپ کو **Gradient**، **Texture**، **Pattern** اور **Picture** کے ٹیب نظر آئیں گے۔ اگر آپ خود اعتمادی سے ان کے ساتھ تجربات کرنا چاہیں تو بے شک کیجئے آپ **Undo** بٹن کی مدد سے اپنے تجربات کے اثرات کو مٹا سکتے ہیں۔ جیسا کہ **Picture** کے ٹیب سے عیاں ہے آپ چارٹ کے پسِ منظر کے لئے تصاویر کا استعمال بھی کر سکتے ہیں۔ **Gradient** بھی ایک دلچسپ طریقہ ہے آیئے اس کا استعمال کریں۔ **Gradient** دو رنگوں کے ملاپ کو کہتے ہیں۔ **Fill Effects** کے ڈائیلاگ باکس میں **Gradient** ٹیب کے اوپر والے حصّے میں سے **Two colour** والے دائرے کو چُنیے۔ پہلے **Colour 1** کی مینیو میں سے گہرے نارنجی (Orange) رنگ کو چُنیے اور **Colour 2** والی مینیو میں سے سفید رنگ کو چُن کر **OK** کو کلِک کیجئے۔ اس کے بعد والی سکرین پر بھی **OK** کو کلِک کیجئے۔ آپ کا چارٹ اب قدرے بہتر نظر آنا چاہیئے۔ اسے **Pak Temperatures** کا نام دیتے ہوئے محفوظ کر لیجیے۔ یہ تو ہوا 1996 کا چارٹ۔ اب ہم نے پانچوں سالوں کے اوسط کا چارٹ ترتیب دینا ہے جو کہ اب ہرگز مشکل نہیں رہا۔ فرق صرف اتنا ہے کہ مہینوں والے کالم کے ساتھ 1996 والے کالم کی بجائے ہم کو پانچ سالہ اوسط والے کالم کو سلیکٹ کرنا ہے۔ پہلے مہینوں والے کالم کو جنوری سے دسمبر تک سلیکٹ کر لیں اور پھر کنٹرول کی کو دبا کر رکھتے ہوئے اوسط والے کالم کو **H3** سے **H14** تک سلیکٹ کر لیں۔ باقی طریقہ کار بالکل وہی ہے۔ (نوٹ کیجئے آپ نے ابھی کنٹرول کی کے استعمال کے ساتھ سلیکٹ کرنے کی ایک نئی تکنیک سیکھی ہے یعنی کنٹرول کی کی مدد سے سپریڈ شیٹ کے مختلف حصوں کا سلیکٹ کرنا۔ اسے یاد رکھئے گا)۔

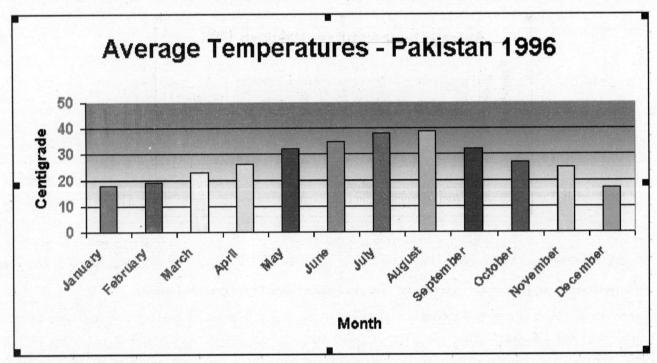

Let's put a nice background to it. You can see the background is divided by lines, each representing 5 degrees. Double click anywhere between these lines (but NOT on the line) to get to the box with **Patterns** options. Click on **Fill Effects** and you will come across another screen. Here, you can see the **Gradient, Texture, Pattern** and **Picture** tabs. If you feel confident enough, try a few **Patterns** or **Textures** - you can always use the **Undo** button to get back to your original. If not, then you can always come back to this some other time. As you can see from the picture tab, even your favourite pictures can be inserted as background for the charts. For now, we will fill it with a gradient. A gradient is a mixture of two or more colours in such a way that a gradual blending takes place where the colours actually meet. In the **Gradient** tab, select the **Two colour** option, pull down the **Colour 1** menu and select dark orange. Similarly, drop down the **Colour 2** menu and select white. Now press OK to close both boxes to see your gradient fill the screen. I think you will agree that your chart looks a little better than before. You can save this by giving it the name **Pak Temperatures**. Similarly, you can create the other table, giving five years' average temperature. Just select January to December and then by holding down control key select averages column (H3 to H14). Rest of the procedure is exactly the same. (**Note**: you have just learnt another selection technique i.e. selection of different parts of spreadsheet with the help of the Control [Ctrl] key).

Pie Chart - پائی چارٹ

اب ہم مشق کے طور پر ایک پائی چارٹ کی تشکیل کریں گے۔ پائی چارٹ سب سے زیادہ استعمال ہونے والے چارٹوں میں سے ایک ہے۔ یہ اعداد وشمار کی مختلف تعداد کی باہمی تناسب کا تجزیہ کرنے کا ایک آسان اور تصویری طریقہ ہے۔ آیئے پاکستان کے صوبوں کی آبادی کا پائی چارٹ بنائیں۔ نیچے دیئے ہوئے آبادی کے ٹیبل (تصویر 1) کو ایک نئی ورک بک میں کاپی کر لیجئے پھر اس کو سلیکٹ کرنے کے بعد چارٹ وزرڈ کے بٹن پر کلک کیجئے۔ چارٹ وزرڈ کے ڈائیلاگ باکس میں سے **Pie** کا انتخاب کیجئے۔ اب **Finish** بٹن پر کلِک کیجئے۔ آپ کا پائی چارٹ (تصویر 2) تیار ہے۔ اس کے ساتھ ایک چھوٹا سا باکس ہے، جسے **Legends** کہا جاتا ہے۔ یہ جیسا کہ ظاہر ہے، چارٹ کے اجزاء کو سمجھنے میں مدد دیتا ہے۔ ایک چیلنج اور مشق کے طور پر اب آپ اس چارٹ کو اس طرح سنواریں کہ یہ تصویر 3 کی طرح نظر آئے۔ اس سلسلے میں آپ کو اتنا بتا دیتے ہیں کہ اس کو سنوارنے کے تمام آلات ایک ایسی مینیو میں موجود ہیں جو کہ چارٹ کے سفید (پائی کے دائرے سے تھوڑا سا ہٹ کر) حصے میں دائیں ماؤس بٹن کے ذریعے سامنے آتی ہے۔ جہاں تک رنگوں کا تعلق ہے تو آپ Pakistan Temperatures والے چارٹ کی طرح پائی کے ٹکڑوں پر کلِک کرتے ہوئے اُن کے رنگ اور ڈیزائن اجتماعی یا انفرادی طور پر تبدیل کر سکتے ہیں۔ Come on کم از کم کوشش تو کیجئے!

Here is a quick exercise to extend your learning. We shall make another of the most commonly used charts, a Pie chart, which is normally used to express an accurate proportion of a number of quantities put together to make up a total. We shall create a Pie chart of Pakistan's population divided between its provinces. Open a new workbook. Copy the table below (Fig 1) starting form Cell A1. Once copied, select all the cells with data. Press the Chart wizard button from button menu. Select **Pie** as the Chart Type from the list given and press **Finish** button. Simple, (Fig 2) isn't it? See the **Legends** box next to your main pie chart? This is similar to the series box, which we deleted in the temperatures chart. The purpose of the legends is self-explanatory, that it gives a key to the contents of the chart. With some thoughtful alterations with the help of left and right clicking in the chart area, It can be enhanced to look a little more attractive (Fig 3). The clue is that most of the tools, needed to do this, are in the menu you invoke by right clicking in the white area of the chart. Do not spend too much time on it but do try it. The colour and design changing technique is same as the one used in the Pakistan temperatures chart.

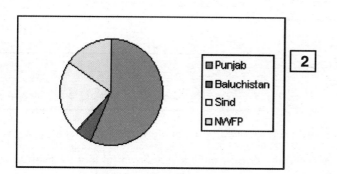

Punjab
Baluchistan
Sind
NWFP

2

Punjab	73,160,000
Baluchistan	6,740,000
Sind	29,570,000
NWFP	20,340,000

1

3

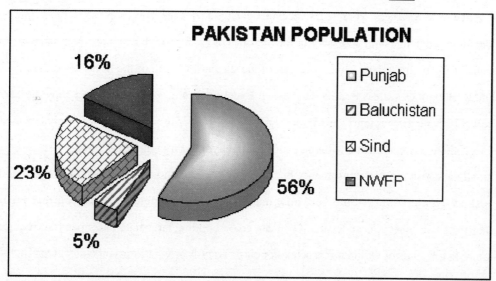

PAKISTAN POPULATION
16%
23%
5%
56%
Punjab
Baluchistan
Sind
NWFP

Data-base in Excel - ایکسیل میں ڈیٹا بیس

Sydney Olympics Medal Table - سڈنی اولمپک کا میڈل ٹیبل

	A	B	C	D	E
1	Country	Gold	Silver	Bronze	Total
2	USA	39	25	33	97
3	Russia	32	28	28	88
4	China	28	16	15	59
6	Germany	14	17	26	57
7	France	13	14	11	38
8	Italy	13	8	13	34
9	Holland	12	9	4	25
10	Cuba	11	11	7	29
11	G Britain	11	10	7	28
12	Romania	11	6	9	26
13	S Korea	8	9	11	28
14	Hungary	8	5	3	16
15	Poland	6	5	3	14
16	Japan	5	8	5	18
17	Bulgaria	5	6	2	13
18	Greece	4	6	3	13
19	Sweden	4	5	3	12
20	Norway	4	3	2	9
21	Ethiopia	4	1	3	8

ڈیٹا بیس کیا ہوتا ہے یہ آپ کتاب کے آغاز میں پڑھ چکے ہیں۔ مائیکروسافٹ نے اس مقصد کے لئے ایک مخصوص اور اسپیشلسٹ پیکج ایکسیس تیار کر رکھا ہے، لیکن ایکسیل ایک کثیر المقاصد پروگرام ہے اور یہ ایک بڑی اکثریت کی ڈیٹا بیس کی ضروریات کو بخوبی پورا کر سکتی ہے۔ اسی لئے ایکسیس کو آفس کے عام ورشن میں شامل نہیں کیا جاتا بلکہ اسے صرف آفس کے پروفیشنل ورشن میں ہی شامل کیا جاتا ہے۔ ایکسیل کے 97 اور اس کے بعد کے ورشن میں اس کی ڈیٹا بیس کی اہلیت میں زبردست اضافہ کیا گیا۔ اب آپ ایکسیل کی صرف ایک شیٹ میں 65000 سطروں پر مشتمل ڈیٹا بیس تنصیب دے سکتے ہیں۔ آیئے ایکسیل میں ایک ڈیٹا بیس کی تعمیر کریں۔ نیچے دیئے ہوئے میڈل ٹیبل کی نقل ایک نئی ورک بک میں اس طرح شروع کریں کہ سیل **A2** میں پہلے مُلک **(USA)** کا نام اور سیل **B1** میں **Gold** آئے۔ یہ سڈنی اولمپک میں سب سے زیادہ میڈل جیتنے والے ممالک کی فہرست ہے۔

جب ٹیبل تیار ہو جائے گا تو ہم اسے ایک ڈیٹا بیس کے طور پر استعمال کریں گے۔ آپ کو ٹائپنگ کی زحمت سے بچانے کے لئے اسے محدود رکھا جا رہا ہے، لیکن جو چند ایک مشقیں ہم اسے استعمال کرتے ہوئے کریں گے اُن سے آپ کو ڈیٹا بیس کی اہمیت کا اچھا خاصا اندازہ ہو جائے گا۔ یہاں بنیادی تکنیک کو جان لینے کے بعد آپ اس سے کئی گنا بڑے ڈیٹا بیس کو بآسانی تعمیر کر سکیں گے۔ یاد رکھیئے اس کتاب کا مقصد آپ کو راستہ دکھلانا ہے۔ اس کے بعد کون کون سی منزلیں آپ پاتے ہیں یہ آپ پر منحصر ہے۔ مجھے یقین ہے کہ اس مشق کے بعد آپ کے ذہن میں کئی تراکیب آئیں گی کہ آپ اس علم کو کس طرح اپنے تعلیمی، کاروباری یا گھریلو مقاصد کے لئے استعمال کرتے ہوئے اس سے فائدہ اٹھا سکتے ہیں۔

Tip: If you want to avoid a lot of typing, perhaps you can look for this table on the internet and copy and paste it into Excel (a challenge perhaps?). Or else start typing!

Tip: اگر آپ اس ٹیبل کو ٹائپ کرنے کی زحمت سے بچنا چاہیں تو آپ اس کو انٹرنیٹ پر تلاش کر کے اس کی کاپی ایکسیل میں پیسٹ کر سکتے ہیں۔ (چیلنج!)

Using Excel for Database: One of the numerous features of Excel is its ability to handle very large databases in a very efficient manner. This feature, combined with its standard functions, Excel can be a very powerful tool for analysis and statistics. What is more, its data can be easily taken to other applications within M S Office. For example, you can export a database from Excel to M S Access, Microsoft's specialist database package. But for a very large number of people, use of Access as a database program, is not necessary in the presence of Excel, which can meet their database requirements in an efficient manner. This is why Access is not even part of the standard version of the M S Office. It only comes with the premium version at an extra cost. Let's build a database in Excel. Start a new workbook and copy the above table in its entirety using cell **A2** for the first country (**USA**) in the table, and **B1** for the first category (**Gold**) of medal. This, as is obvious, is a table of the top twenty medal winning nations at the Sydney Olympics in 2000.

This is just a small data-base for your convenience but it will give you an indication of what Excel can do in this sphere. This is only to show you how to turn the key, how many doors it can open for you is up to your ingenuity and imagination. Once the basic concept is understood, you can go on building large data bases per your requirements, which could be a customer list, records of children in a school or class, records of whatever you collect etc. The possibilities are endless.

Data-base in Excel 2 ایکسیل میں ڈیٹابیس

ٹیبل کے مکمل ہو جانے پر اس کو **Medal table** کے نام سے محفوظ کرلیں۔ سیکھنے کے ہر موقعے سے فائدہ اُٹھانے والی ہماری پالیسی کے مطابق ہم اس ٹیبل کی مزید کاپیاں بنانے کے دو مختلف طریقے استعمال کریں گے۔ **File** مینیو کی کمانڈ **Save As** کو استعمال کرتے ہوئے **Save As** کا ڈائیلاگ باکس کھولئے۔ جہاں آپ کی فائل کا نام **Medal table** درج ہے اس کے سامنے یعنی دائیں جانب کلِک کیجئے اور یہاں **2** کے ہندسے کو ٹائپ کیجئے۔ اس کے بعد **Save** بٹن کو کلِک کیجئے۔ اب آپ کی سکرین پر نمبر **2** کاپی موجود ہے جبکہ ابتدائی فائل اپنی اصل حالت میں محفوظ رہے گی۔ اب ہم اس ٹیبل کی اسی فائل کے اندر مزید ایک کاپی بنائیں گے۔ آپ کو جو **Sheet** ٹیب اس ورک بُک کے بائیں طرف کے نچلے حصے میں نظر آرہے ہیں اُن میں سے ایک کا رنگ سفید ہے جو کہ آپ کی شیٹ کے حالیہ ہونے کی نشاندہی کر رہا ہے۔ اس پر ماؤس کی دائیں کلک کرنے سے سامنے آنے والی کوئیک مینیو میں سے **Move or copy** کی کمانڈ کو چنئے۔ اس کے بعد ایک اور باکس سامنے آئے گا اس میں **Create a copy** کے سامنے والے ڈبے میں ٹِک کرتے ہوئے **OK** پر کلِک کیجئے۔ اب ٹیبل والی شیٹ کی ایک کاپی **Sheet1(2)** کے نام سے آپ کی ورک بُک میں شامل ہو جائے گی۔ بالکل اسی طرح آپ ایک ورک بُک کی کسی بھی شیٹ کو ایک اور ورک بُک میں کاپی یا منتقل بھی کر سکتے ہیں۔ اس سلسلے میں مطلوبہ عمل **Move or copy** کے ڈائیلاگ باکس میں بآسانی چُنا جاسکتا ہے۔ اب آیئے اس شیٹ کا نام تبدیل کریں۔ **Sheet1(2)** پر دائیں کلِک کیجئے ایک کوئیک مینیو نمودار ہوگی اس میں سے **Rename** کمانڈ کو چنئے۔ اب موجودہ نام کو مٹائے بغیر آپ اسی کے اوپر **Medal table 2** ٹائپ کرتے ہوئے **Enter** کیجئے۔ اب اس شیٹ کا نام **Medal table 2** میں تبدیل ہو جائے گا۔

آیئے اس ٹیبل کو اب استعمال کریں۔ ٹیبل کی موجودہ ترتیب سب سے زیادہ میڈل جیتنے والے ممالک کی کارکردگی کے حساب سے ہے۔ فرض کیجئے کہ آپ کو یہ فہرست Alphabetical ترتیب میں درکار ہو تو اسے بآسانی تبدیل کیا جاسکتا ہے لیکن یہاں ایک اہم بات نوٹ کیجئے جب آپ ایسی تبدیلیاں کرنا چاہیں تو پورے کے پورے ٹیبل کو سلیکٹ کرنا نہایت ہی ضروری ہے اور خاص طور پر نوٹ کیجئے کہ جزوی سلیکشن آپ کے ٹیبل کی اصلی ترتیب کو شدید نقصان پُہنچا سکتی ہے۔ مثال کے طور پر اگر آپ ٹیبل میں موجود ممالک کے صرف ناموں والے کالم کو سلیکٹ کرتے ہوئے اسے Alphabetical ترتیب دیتے ہیں تو اس کالم میں ممالک کی فہرست تو Alphabetical ترتیب میں تبدیل ہو جائے گی لیکن میڈلوں والے کالم ویسے کے ویسے ہی رہیں گے جو کہ ظاہری بات ہے کہ ایک بڑی غلطی ہے۔ اس طرح آپ کے ٹیبل کے ممالک اپنے حاصل کردہ میڈل کی اصلی تعداد کی ترتیب کو کھو بیٹھیں گے۔

Once you have typed all the contents of the table save it as **Medal table**. As an exercise, let's make a copy of this workbook in a couple of different ways while making a backup at the same time. Go to the **File** menu and select the **Save As** command. When the **Save As** dialogue box appears, click in front of the file name (which should still be **Medal table**) and click at the end of it with your **I-beam** cursor. Now just insert the figure **2** so that the new file name should read **Medal table2**. And click on **Save**. You have now got version 2 of this file on your screen. Since this is your backup, close it and re-open the original version Medal table.

Similarly, you can copy sheets within this workbook for the same reason. Let's do it. You will see the Sheet tabs in the bottom left hand corner. One of these will have white background and bold writing - this is your active sheet (the one you are in at the moment). Right click on it and chose **Move or copy** from the resulting menu. You will get another dialogue box, which gives you further options. Tick in the little square that says **Create a copy** and press **OK**. You have an exact copy of the **Sheet1** with a tab name of **Sheet1(2) -** the figure two in bracket indicates copy number 2. Note that you can also move a sheet from one workbook to another. This can be selected when you are presented with the **Move or copy** option. Now let's rename your current sheet, **Sheet1(2)**. Right click on the tab **Sheet1(2)** and select **Rename**, the tab will become selected. Just type in the name **Medal table 2** and press **Enter**. This sheet is now named **Medal table 2**.

Let's use our table now. You can see this small database has a list of countries arranged in order of their performance. Let's change the order of their listing into alphabetical order. We are going to use the **sort** command, which can be accessed from the **Data** menu or via the sort buttons in the button bar. But before you do that you must select the table. **Warning**: You must select the entire table, as partial selection can play havoc with your data. For example if you failed to select the totals column when selecting the table, and carried out the sort command to change the order of countries, the countries will change their present position but the totals will remain unchanged and will become associated with the wrong countries.

Data-base in Excel 3 ایکسیل میں ڈیٹابیس

پورے ٹیبل کو سلیکٹ کر لینے کے بعد **Data** مینیو سے **Sort** کمانڈ کو چنئے۔ نیچے دیا ہوا **Sort** ڈائیلاگ باکس سامنے آئے گا۔ اس کے ٹیبل میں ڈیٹا کو ترتیب دینے کے لئے تین خانے موجود ہیں۔ اس کے ابتدائی خانے میں پہلے کالم کا نام پہلے سے ہی موجود ہے جو کہ درست ہے کیونکہ ہم اسی کالم کو حروفِ تہجی کی ترتیب میں تشکیل دینا چاہتے ہیں۔ اس باکس کے دائیں حصے میں آپ کو یہ چننا ہے کہ آپ کی مطلوبہ ترتیب **Ascending** یعنی **A to Z** ہونی چاہیئے یا **Descending** یعنی کہ **Z to A**۔ یہاں ہماری ضرورت **Ascending** ہے اس لئے اسی کو چنئے۔ اس باکس کے نچلے حصے میں **My list has** کے سیکشن میں آپ ایکسیل کو یہ بتاتے ہیں کہ اس ٹیبل کی پہلی سطر آپ کے ڈیٹابیس کا حصہ ہے یا کہ صرف اس کے کالموں کے نام۔ اگر ہم **Header Row** کو چنتے ہیں تو ایکسیل کالموں کے ناموں کو نئی ترتیب میں شامل نہیں کرے گی جو کہ درست ہے۔ اب اگر آپ بٹن پر کلِک کریں تو آپ کی فہرست یکدم حروفِ تہجی کی ترتیب میں تشکیل پذیر ہو جائے گی۔ اب اس کو اجتماعی تعداد کے لحاظ سے ترتیب دینے کے لئے دوبارہ اسی عمل کو دُہراتے ہوئے ممالک **(Column A)** والے خانے کی مینیو میں سے **(Column E)** یعنی **Totals** کا چناؤ کیجئے تو یہ فہرست مجموعی تعداد کے لحاظ سے تشکیل پذیر ہو جائے گی۔ اسی طریقے سے آپ اس فہرست کو سونے، چاندی اور کانسی کے تمغوں کی تعداد کے لحاظ سے ترتیب دے سکتے ہیں، بلکہ سورٹ باکس کے تینوں خانوں کو استعمال کرتے ہوئے آپ تین مختلف انداز میں اپنی فہرست کو ترتیب دے سکتے ہیں۔ ہماری فہرست میں صرف بیس ریکارڈ ہیں جبکہ اس کے صرف چار کالم ہیں۔ کئی ہزاروں ریکارڈ اور درجنوں کالموں کی معلومات والے ڈیٹابیس کے بارے میں ذرا سوچئے۔ ایکسیل کی ایک شیٹ میں **65,000** ریکارڈ سما سکتے ہیں۔ ایسا ڈیٹابیس ایک دُکان میں موجود سٹاک کی نقل و حرکت کے لئے یا ایک کمپنی کے گاہکوں کی فہرست کے لئے مُفید ہے۔ مثال کے طور پر ایسا ہی ایک ڈیٹابیس ایک کتب فروش کو اس کی تمام کتابوں کے نام، ادیب کا نام، قیمت، پبلشر کا نام، آئی ایس بی این نمبر، زبان، موضوع اور تعداد وغیرہ کی معلومات یکدم مُہیا کر سکتا ہے۔

Having selected the whole table, go to the **Data** menu and click on the **Sort** command, this will invoke the sort dialogue box. This box has three fields, the very first one already has a suggested entry **(Column A)**, which happens to be correct because we want to sort the table by Column A (country names). On the right of this box we have to select which order we want the alphabetical sort to take place. **Ascending** would be **A to Z** and **Descending** would sort it **Z to A**. There is another option at the bottom of this dialogue box which helps to chose whether your selected data has a heading or not. The answer to this would, in most cases, be **yes** as most databases would have column headings. As our list has header row, so select **My list has header row** and select **Ascending** button and click **OK.** Your countries are instantly sorted in alphabetical order complete with their medal records.

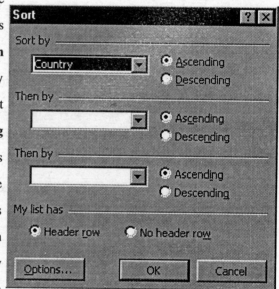

Lets sort this in the order of total number of medals won. From the Data menu, select Sort again and in the dialogue box, drop down the menu in the **Sort by** field and select **Totals** (or column E), choose Descending this time as we want the top number to be at the top and click **OK**. The table is sorted in the order of total number of medals won by each country. Using the same method, you can sort the whole table by any of the categories. In fact, as you can gather from the three sort fields in the sort dialogue box, you can use more than one order in one sort. For example, you can ask Excel to sort the table first by number of Gold medals and then by Silver medals and then by Bronze medals. We only had twenty records in our medals table and only four columns of information in it. Imagine a database with hundreds of records with dozen of columns containing several categories of information. With over **65,000** rows available in one Excel Sheet, I don't think you are going to run out of space. A good example of such a database would be a stock list for a shop, to list every single product in it. An electronic database of a bookshop, for example, will have columns with provision for the Title, name of the author, category, language, price, ISBN number, publisher, quantity in stock etc.

Data-base in Excel 4 ایکسیل میں ڈیٹابیس

اگرچہ ایک فہرست کو مطلوبہ ترتیب میں تشکیل کرنے کا ہم نے کارآمد مظاہرہ کیا ہے لیکن ایک ڈیٹابیس کا اصل مقصد اس میں سے مطلوبہ معلومات کو جلد از جلد اور آسانی سے حاصل کرنا ہے۔ اب ہم ایکسیل کی اس اہلیت کو آزمائیں گے۔ یاد رکھیئے ہم جو مشقیں اس چھوٹی سی فہرست کو استعمال کرتے ہوئے کر رہے ہیں ان کو آپ تھیوری کے طور پر سمجھ لینے کے بعد ان اصولوں کی بنیاد پر آپ اس سے کئی گنا بڑے ڈیٹابیس کو تعمیر کر سکیں گے۔ ایسا کرنے سے آپ اپنی ضرورت کے مطابق وہ کچھ کر پائیں گے جو کہ کوئی کتاب آپ کو کرنے کی ہدایات نہیں دے سکتی۔ ہم اب ایکسیل کے ڈیٹابیس میں سے مطلوبہ معلومات کو تلاش کرنے کے لئے اس کی سب سے اہم کمانڈ **Autofilter** کو استعمال کرتے ہوئے اسے سیکھیں گے۔ جیسا کہ نام سے ظاہر ہے یہ ایک بڑی سپریڈ شیٹ میں سے مطلوبہ معلومات کو چھان لینے کے کام آتی ہے۔ اپنے ٹیبل کو ایک دفعہ پھر سلیکٹ کیجئے اور **Data** کی مینو سے **Filter** کی کمانڈ کو چنئے ایک چھوٹی سی سب مینیو سامنے آئے گی اس میں سے **Autofilter** کو چنئے۔ آپ دیکھیں گے کہ اب ہر کالم ہیڈنگ کے ساتھ ایک مینیو بٹن کی طرز کا آٹو فلٹر بٹن نظر آ رہا ہے۔ اب آپ کہیں بھی کلِک کرتے ہوئے ٹیبل کی سلیکشن کو اُتار دیں۔ ان آٹو فلٹر بٹنوں میں سے کسی پر بھی کلِک کرنے پر اس کالم میں موجود ڈیٹا سے متعلق معلومات کی ایک فہرست سامنے آئے گی۔ فرض کیجئے کہ آپ کو صرف ایک مخصوص ملک کی کارکردگی کا ڈیٹا چاہیئے، مثلاً جاپان کا۔ ویسے تو جاپان کی کارکردگی اس مختصر سے ٹیبل میں اسی صفحے پر نظر آ رہی ہے لیکن اگر یہ فہرست سینکڑوں صفحوں پر بھی مشتمل ہوتی تو بھی اس عمل کے نتائج مختلف نہ ہونگے۔ ممالک والے کالم یعنی **Country** کالم کے آٹو فلٹر بٹن پر کلِک کیجئے اور نیچے گرنے والی مینیو میں سے Japan کے نام پر کلِک کیجئے آپ کے سامنے اب صرف جاپان کی کارکردگی موجود ہے۔ آپ دیکھیں گے کہ اب Japan والے کالم کے آٹو فلٹر بٹن میں تکون کا رنگ تبدیل ہو کر نیلا ہو گیا ہے۔ یہ اس امر کی نشاندہی ہے کہ اس کالم میں فلٹر لگا ہوا ہے۔ اپنے ٹیبل کے تمام ریکارڈ واپس لانے کے لئے ہمیں یہ فلٹر اُتارنا ہے۔ اب اسی نیلے رنگ والی تکون پر کلِک کیجئے اور سکرول کرتے ہوئے لسٹ کی سب سے اوپر والی کمانڈ **All** پر کلِک کیجئے۔ آپ کے ٹیبل کے تمام ریکارڈ واپس آجائیں گے۔ اب بالکل اسی طریقے سے گولڈ میڈل والے کالم کے آٹو فلٹر بٹن پر کلِک کیجئے اور اس کی مینیو میں سے 11 کے ہندسے پر کلِک کیجئے۔ اب آپ کے سامنے اُن ملکوں کے نام ہیں جنہوں نے 11 گولڈ میڈل جیتے۔ اسی طرح کے چند تجربات کیجئے اور ہر عمل کے بعد فلٹر کو اُتارنا نہ بھولئے وگرنہ آپ کے آٹو فلٹر کے نتائج غلط ہو سکتے ہیں ماسوائے اُن حالات میں جب آپ کو ایک سے زیادہ کالموں میں آٹو فلٹر کی ضرورت پڑے۔ اس کے بعد ہم آٹو فلٹر کی اہم ترین اور نہایت ہی کارآمد کمانڈ **Custom** کا جائزہ لیں گے۔

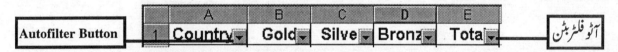

The purpose of an electronic data base goes far beyond this simple organisational function. The real purpose is not to just neatly construct it, but to be able to call upon it and retrieve information from it quickly and efficiently. We will look into that next. Try to relate the actions we are about to carry out on our Medal table to other forms of databases. This would lead you to other ideas that no book can give you, as the book writers do not know your personal requirements. We are going to use one of Excel's most powerful functions, **Autofilter**. As the name suggests, its main function is to filter the required information out of a very large database. Select all the cells of your Medal table once again. Go to **Data** menu and move down to the **Filter** command. Another little submenu will appear, chose **Autofilter** from here (click on it). If you have not noticed already, check the top of your table and you will find a drop down menu button at the top of each the columns of your table. You can take the selection of the table now. If you click on any of these drop-down menus, you will see a list of various related entries in them. Let's just say that we want to see Japan's performance. Drop down the menu in **Country** column and scroll the list down to Japan and click on it. Only Japan is now listed. I appreciate that you could already see Japan in the table but what if this was a list hundreds of pages long and Japan was on page 788?! You will notice that the little triangle on the drop-down button is blue now, indicating that a filter is in force and not all records are listed. Once again this could be crucial if the data-base was a very big one and you did not realise that a filter was already in force meaning not all the records were listed and any subsequent filtering might not be accurate. To remove this filter and to get back all the records in the table, click on the blue triangle and then click on the **All** command at the top of the list. All of the records will be listed back. Similarly go to the Gold column and pull down the menu and select 11 - the result is that all the countries with 11 gold medals are listed. Use the **All** command to remove the filter. Carry out a few experiments but remember to take off the previous filter before you carry out the next one as this could sometimes create problems. Then we will move on to **Custom**, the most useful feature of the AutoFilter command.

Data-base in Excel 5 ایکسیل میں ڈیٹا بیس

کسٹم کمانڈ ان گنت طریقوں کی مدد سے ڈیٹا بیس کی گہرائیوں سے آپ کی مطلوبہ معلومات کو چھان کر نکال سکتی ہے۔ فرض کیجئے کہ آپ کو اُن تمام ممالک کے ریکارڈ چاہئیں جن کا نام **G** کے ساتھ شروع ہوتا ہو۔ **Country** کے کالم میں سے **Custom** کمانڈ کو چلائیے۔ آپ کے سامنے کسٹم آٹو فلٹر کا ڈائیلاگ باکس آئے گا۔ اس میں خانوں کے دو جوڑے ہیں۔ اوپر والے خانوں میں سے بائیں طرف والے خانے کی مینیو بٹن پر کلِک کرتے ہوئے **begins with** کو چن لیجئے اور اس کے سامنے والے خانے میں کلِک کرتے ہوئے **G** ٹائپ کیجئے۔ اب **OK** کو کلِک کرنے پر آپ کے سامنے صرف اُن ملکوں کی فہرست آئے گی جن کے نام **G** سے شروع ہوتے ہیں۔ اسی طرح اب **Begins With** کی بجائے **Ends With** کو چنئے اور اس کے سامنے والے خانے میں کلِک کرتے ہوئے **Y** ٹائپ کیجئے۔ اب **OK** کو کلِک کرنے پر آپ کے سامنے صرف اُن ملکوں کی فہرست آئے گی جن کے نام **Y** کے ہندسے پر ختم ہوتے ہیں۔ اب یہ فرض کیجئے کہ ہمیں ان دونوں کے نتائج ایک ہی فہرست میں درکار ہیں۔ اس کے لئے ہم اب **And** اور **or** کے بٹنوں میں سے **or** کو استعمال کرتے ہوئے کسٹم آٹو فلٹر کے ڈائیلاگ باکس کے خانوں کے دوسرے جوڑے کو بھی استعمال کریں گے۔ بالکل پہلے کی طرح **Country** کے کالم میں سے **Custom** کمانڈ کو چلائیے اور اوپر والے خانوں میں سے بائیں طرف والے خانے کی مینیو بٹن پر کلِک کرتے ہوئے **Begins With** کو چن لیجئے اور اس کے سامنے والے خانے میں کلِک کرتے ہوئے **G** ٹائپ کیجئے۔ اس کے بعد **or** کے گول دائرے میں ٹِک کیجئے اور اس کے بعد خانوں کے نچلے جوڑے میں سے بائیں طرف والے خانے کی مینیو بٹن پر کلِک کرتے ہوئے **Ends With** کو چنئے اور اس کے سامنے والے خانے میں کلِک کرتے ہوئے **Y** ٹائپ کیجئے۔ اب **OK** کو کلِک کرنے پر آپ کے سامنے اُن ملکوں کی فہرست آئے گی جن کے نام یا تو **G** سے شروع ہوتے ہیں یا پھر جن کے نام **Y** کے ہندسے پر ختم ہوتے ہیں۔

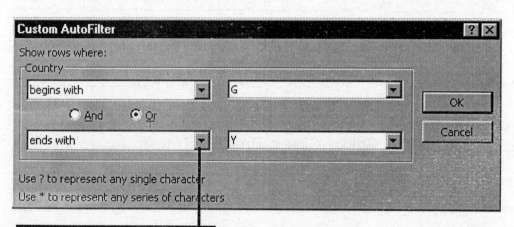

کسٹم آٹو فلٹر کا ڈائیلاگ باکس

Custom Autofilter Dialogue box

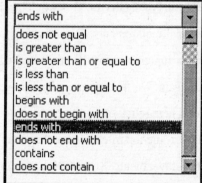

The **Custom** command lets you define countless different ways to filter out the information you are looking for. For example, if you wanted to list all the countries whose name starts with **G**, you can do this with the Custom command a great deal more. Drop down the filter menu from the **country** column and select **Custom.** The resulting dialogue box will have two pairs of fields. Click on the drop down button in the very first field (top left) to reveal various search criteria. Most of these are self-explanatory.

Choose **begins with** from the list, then click in the opposite field and type in the letter **G**. Now press **OK** and you should see only those countries in the table whose name begins with the letter **G**. Similarly, repeat this procedure but select **ends with** this time and put **Y** in the opposite field. You will have only those countries listed whose names end with the letter **Y**. In our medal table, these functions may not seem to be of much practical benefit, but it is the concept of their use which is important here for you to grasp. Also in this box, there are two round buttons labelled **and** and **or** followed by two fields very similar to the first pair. I am sure you will figure out how this gives your search abilities another dimension of sophistication. Here is a pointer. You have just filtered the countries whose names begin with **G** and then you filtered the countries whose names end with **Y**. What if you needed to filter both of these together? You could enter one filtering criteria in the first field and then click the **or** button and enter the second criteria in the second sets of fields. Your resulting list will have only those countries whose names either begin with the letter G or end with the letter Y.

Data-base in Excel 6 ایکسیل میں ڈیٹابیس

کسٹم آٹو فلٹر کے ڈائیلاگ باکس میں ڈیٹابیس میں سے مطلوبہ معلومات کو چھاننے کے لئے یہاں بے شمار کمبینیشن موجود ہیں۔اگر آپ ایک ایسے ڈیٹابیس کی تلاش کر رہے ہوں جس میں ہزاروں ریکارڈ درج ہوں تو اس میں سے مطلوبہ معلومات کو روایتی طریقے سے ڈھونڈنا ایک نہایت ہی بورنگ کام ہی نہیں بلکہ کسی حد تک ناممکن بات ہے۔ویسے تو آپ اس کی مینیو میں دی ہوئی کمانڈز کے ناموں سے ہی یہ جان سکتے ہیں کہ کون سی کمانڈ کیا کام انجام دیتی ہے لیکن میرے خیال میں اس مینیو کی سب سے زیادہ مفید کمانڈ **Contains** ہے۔ذرا سوچیئے اگر آپ ایک ایسے ڈیٹابیس کی تلاش کر رہے ہوں جس میں ہزاروں کی تعداد میں کتابوں کے ریکارڈز درج ہوں۔آپ کو گارڈننگ کے متعلق کچھ کتابیں درکار ہیں لیکن آپ کو نہ تو ان میں سے کسی کتاب کے نام کا پتہ ہے نہ ہی آپ کتاب کے بارے میں کسی اور معلومات سے آگاہ ہیں لیکن ہم ایکسیل میں موجود ایسے ڈیٹابیس کی کئی طریقوں سے تلاش کر سکتے ہیں۔مثال کے طور پر کتابوں کے نام کے کالم میں کسٹم آٹو فلٹر کے ڈائیلاگ باکس میں ہم بائیں خانے میں **Contains** کی کمانڈ کو چنتے ہوئے دائیں طرف والے خانے میں **Gardening** ٹائپ کرنے کے بعد اگر **OK** کو کلِک کریں گے تو ان تمام کتابوں کے ناموں کی فہرست ہمارے سامنے آجائے گی جن کے ناموں میں لفظ **Gardening** آیا ہو۔اب یہ بھی ممکن ہے کہ کئی کتابوں کے ناموں میں لفظ **Gardening** کی بجائے لفظ **Gardener** استعمال ہوا ہو۔تو ہم کسٹم آٹو فلٹر کے ڈائیلاگ باکس میں دوسرے دو خانوں کو استعمال کرتے ہوئے بائیں خانے میں **Contains** کی کمانڈ کو چن کر دائیں طرف والے خانے میں اب **Gardener** ٹائپ کر سکتے ہیں۔یاد رکھیئے ایسا کرتے ہوئے ہمیں **OR** کے بٹن کو بھی ٹِک کرنا ہوگا۔اب یہ تلاش اُن تمام کتابوں کے ناموں کی فہرست ہمارے سامنے لے آئے گی جن کے ناموں میں لفظ **gardener** یا **gardening** آیا ہو۔کیا ہم اس سے بھی بہتر طریقے سے اپنی ضرورت کی کتابوں کی تلاش کر سکتے ہیں؟ میرے خیال میں ایسا ممکن ہے۔کیونکہ یہ بھی تو ممکن ہے کہ کئی کتابوں کے ناموں میں **gardener** یا **gardening** کے علاوہ صرف لفظ **garden** آیا ہو۔اب ہم اس تلاش کی تکنیک کو ایک سٹیج مزید آگے لے چلتے ہیں۔آپ نے نوٹ کیا ہوگا کہ کسٹم آٹو فلٹر کے ڈائیلاگ باکس کے نچلے حصے میں **?** اور * کے نشانات کے استعمال کا بھی ذکر ہے۔ہم ان میں سے ایسٹرسک (*) کا استعمال کرتے ہوئے کتابوں والے ڈیٹابیس کی تلاش ایک بہتر طریقے سے کر سکتے ہیں۔آپ میں سے جو **DOS** کی کمپیوٹنگ سے آگاہ ہیں وہ سمجھتے ہوں گے کہ * کو کمپیوٹنگ کی اصطلاع میں **All** یعنی تمام کے طور پر استعمال کیا جاتا ہے۔کسٹم آٹو فلٹر کے ڈائیلاگ باکس کے پہلے خانے میں **contains** کی کمانڈ کو چن کر اگر اس کے سامنے والے خانے میں **garden*** ٹائپ کریں گے تو ہمیں اُن تمام کتابوں کی فہرست مل جائے گی جن کے ناموں میں الفاظ **gardening**، **gardener** وغیرہ ہوں یعنی وہ تمام الفاظ جن میں **garden** موجود ہو۔ہے نا خوب؟

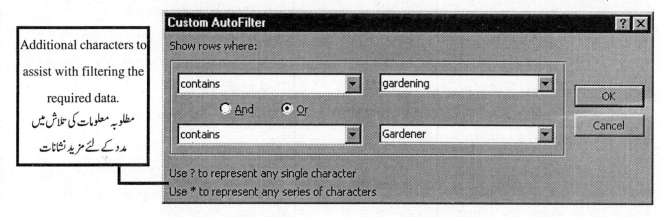

Custom AutoFilter has a wealth of tools to dig information out of a large database with thousands of entries where a visual search would be extremely difficult if not almost impossible. You can workout the purpose of each command from its name and they are all very useful. The most versatile of them all is the **Contains** command. Think of a huge database listing all the books in a library. Let's say we needed books on gardening but did not know the titles of any of the books. Using this command in the **Custom AutoFilter** box, we could carry out an instant and effective search. In the Title column of such Excel databases, we would use the **Custom** option and, from the first field of the **Custom AutoFilter** box, we would select the **Contains** command. Entering **gardening** in the opposite field and pressing **OK** would give us the names of all the books with the word gardening in their title. But some of the books might have the word Gardener in them. We could easily remedy that. We could use the second set of fields in the Custom AutoFilter box in a similar way with the use of **OR** button in the middle. Could we still improve our search? I say yes. What if some of the books had neither gardener nor gardening in their name but just garden? Have you noticed the notes on the use of **?** and ***** in the bottom left corner of the **Custom AutoFilter** box? We will use **asterisk** (*) in our search. Those of you, who are familiar with **DOS,** would know that it means **ALL**. If we used the **Contains** command in the first field of the Custom AutoFilter box and entered **garden*** in the opposite box, we would have all the books with titles containing the words garden, gardener, gardening etc. Great, is it not?

89

Some Useful Keyboard Shortcuts for Excel-ایکسیل کے لئے کچھ مفید کی بورڈ شارٹ کٹس

ذیل میں ایکسیل کی چند مفید ترین شارٹ کٹس کی ایک فہرست دی جا رہی ہیں۔

Here are some of the most useful short cuts in Excel

عمل	Short cut-شارٹ کٹ	Action
پورے کالم کو سلیکٹ کرنے کے لئے	CTRL+ SPACEBAR	Select/highlight entire column
پوری ورک شیٹ کو سلیکٹ کرنے کے لئے	CTRL+A	Select the entire active worksheet.
عبارت کو بولڈ (موٹا) کرنے کے لئے (ٹاگل)	CTRL+B	Apply or remove Bold formatting to selected text
موجودہ سیل (خانے) تک جانے کے لئے	CTRL+BACKSPACE	Scroll to display the active cell.
کاپی کرنے کے لئے	CTRL+C	Copy selected text or area to Windows Clipboard.
موجودہ سیل کے اوپر والے خانے کی کاپی کرنے کے لئے	CTRL+D	Enter data from cell above active cell
بغیر ایکسیل کو بند کئے سٹارٹ مینیو کو چلانے کے لئے	CTRL+ESC	Display Windows Start menu.
شیٹ کے آغاز میں جانے کے لئے	CTRL+HOME	Go to the beginning of the active worksheet.
پرنٹ کے ڈائیلاگ باکس کے لئے	CTRL+P	Display the Print dialogue box
سلیکشن کو آخری سیل تک پھیلانے کے لئے	CTRL+SHIFT+END	Extend a selection to the last cell used
سلیکشن کو پہلے سیل تک پھیلانے کے لئے	CTRL+SHIFT+HOME	Extend the selection to first cell of the worksheet
کاپی شدہ مواد کو پیسٹ (چسپاں) کرنے کے لئے	CTRL+V	Paste a copied item
موجودہ ورک بک کی ونڈو کو بند کرنے کے لئے	CTRL+W	Close the active workbook window.
موجودہ سیل یا سلیکٹ شُدہ کو کاٹنے کے لئے	CTRL+X	Cut
ابھی کئے جانے والے عمل کو دُہرانے کے لئے	CTRL+Y	Redo, or repeat, the previous action.
یہ بھی کاپی شدہ مواد کو پیسٹ (چسپاں) کرنے کے لئے ہے	Enter	Paste whatever is cut or copied
امدادی کمانڈ (آن لائن مدد حاصل کرنے کے لئے)	F1	Display Help or the Office Assistant.
سلیکٹ شُدہ ڈیٹا کا چارٹ بنانے کے لئے	F11	Create a chart.
Save As کی کمانڈ کو چلانے کے لئے	F12	Display Save As dialogue box
کسی فائل کو کھولنے والے باکس کے لئے	F12+CTRL	Display Open dialogue box
موجودہ سیل میں تبدیلی کرنے کے لئے	F2	Edit the active cell.
گذشتہ عمل کو دُہرانے کے لئے	F4	Repeat the last action.
ایکسیل کو بند کرنے کے لئے	F4+ALT	Quit Excel.
کسی مخصوص سیل میں جانے کے لئے	F5	Open the Go to dialogue box
سپیلنگ اور گرامر چیکر	F7	Display Spelling and Grammar dialogue box
شارٹ کٹ مینیو کو حاصل کرنے کے لئے	SHIFT+F10	Display a shortcut menu
ایک ورک بک میں ایک نئی ورک شیٹ کے لئے	SHIFT+F11	Insert a new worksheet into a workbook.
فائل کو محفوظ کرنے والے باکس کے لئے	SHIFT+F12	Carry out Save command
ایک کامنٹ میں تبدیلی کرنے کے لئے ر	SHIFT+F2	Edit a cell comment.
ایک پوری سطر کو سلیکٹ کرنے کے لئے	SHIFT+SPACEBAR	Select/highlight entire row

پاور پوائنٹ

اگرچہ پاور پوائنٹ عام طور پر صرف پریزینٹیشن کے لئے استعمال کیا جانے والا پروگرام تصور کیا جاتا ہے لیکن یہ ایک کثیر المقاصد پروگرام ہے جسے کسی حد تک ایک ڈیسک ٹاپ پبلشنگ پیکج کے طور پر بھی استعمال کیا جاسکتا ہے۔ پاور پوائنٹ میں تیار کی جانے والی پریزینٹیشن ایک لیکچر یا تقریر کا جدید طریقہ ہے۔ اس کا مقصد ناظرین اور سامعین کے سامنے الفاظ کے علاوہ تصاویر، عبارت اور ڈایاگرام وغیرہ کی مدد سے کسی موضوع اور اس کے نقاط کا پیش کرنا ہے۔ ایسی پیشکش کرنے والا ایک سیلزمین، لیکچرر، فوجی کمانڈر، شاگرد اور انسٹرکٹر وغیرہ بھی ہوسکتا ہے۔

پاور پوائنٹ کا ایک صفحہ ایک سلائیڈ کہلاتا ہے۔ ہر ایسی سلائیڈ پر آپ تصاویر، ڈرائنگ اور عبارت کے علاوہ آواز اور میوزِک کا استعمال بھی کر سکتے ہیں۔ ان سلائیڈوں کو پیش کرنے کے کئی طریقے ہیں۔ ان کو کمپیوٹر ہی کی سکرین پر دکھائے جانے کے علاوہ پرنٹ کر کے ایک کتابچے کی شکل میں بھی تقسیم کیا جاسکتا ہے۔ ان کو پیش کرنے کا مقبول ترین طریقہ انھیں پلاسٹک کی شیٹ پر پرنٹ کر کے اور ہیڈ پروجیکٹر کے ذریعے سکرین پر دکھانا ہے، لیکن اب ایسے پروجیکٹر بھی دستیاب ہیں، جن کو پی سی کے ساتھ اٹیچ کر کے پریزینٹیشن کو براہِ راست سکرین پر دکھایا جاسکتا ہے۔ یہ سلائیڈ یکے بعد دیگرے ایک مخصوص اور خودکار ترتیب میں چلائی جاسکتی ہیں یا ان کو ماؤس کے ساتھ بھی کنٹرول کیا جاسکتا ہے۔

پاور پوائنٹ پریزینٹیشن کے علاوہ اور بھی بہت کچھ کرنے کی اہلیت رکھتا ہے۔ اس میں تصاویر اور ڈرائنگ کو عبارت کے ساتھ استعمال کرنے کے لئے وہ تمام ٹول موجود ہیں جو آپ نے ورڈ کی ڈرائنگ بار کو استعمال کرتے ہوئے سیکھے۔ مجھے امید ہے کہ جب آپ اس حصّے کو ختم کرلیں گے تو آپ پاور پوائنٹ کو اپنے سکول، کمپنی، کاروبار اور ذاتی پراجیکٹ کے لئے مفید پائیں گے۔

Just like Excel, PowerPoint is another highly versatile package although most people use it for its primary function, creating presentations. A presentation is simply the presenting of something. A speech, an exhibition or a brochure are all forms of presentations. They are all used to inform an audience about something. A classic example of a presentation is a salesman promoting a product and outlining its benefits to an audience of perspective customers with the help of samples and market survey figures. In PowerPoint, all of this can be done in an electronic form with some input from the presenter.

PowerPoint screens are called Slides. Each PowerPoint slide can have text, graphics and sound in it. Text and graphics can even be animated. A collection of these slides makes up the presentation. Slides can be printed, presented on the monitor of your PC, or projected directly on to a large screen through a special projector, which is connected to the PC running the presentation. These slides can be made to run in an order automatically or with the click of a mouse button or even by a remote control.

PowerPoint is a resourceful and versatile package with many other uses. It handles graphics and text better than any other package in the standard Office suite. It can be a useful desktop publishing package for all sorts of projects. Once you have learnt its basic functions, you would be using it for all sorts of personal, professional and leisure projects.

PowerPoint

PowerPoint 1 پاور پوائنٹ

اب تک آپ پر یہ بات عیاں ہو گئی ہو گی کہ میں عملی تربیّت کو ہر قسم کی کتابی تربیت پر ترجیح دیتا ہوں۔اسی فلاسفی کو برقرار رکھتے ہوئے ہم پاور پوائنٹ میں ایک پریزینٹیشن کا آغاز کرتے ہیں اور ساتھ ہی ساتھ پاور پوائنٹ کے متعلق تربیّت بھی جاری رکھی جائے گی۔ گھبرائیے مت،اس پریزینٹیشن کے مکمل ہونے پر آپ پاور پوائنٹ اور اس سلسلے میں اس کی اہلیت کے بارے میں اچھا خاصا جان چکے ہوں گے۔تب آپ کو اس کے بارے میں مزید معلومات سے روشناس کروایا جائے گا۔ہماری پریزینٹیشن کا موضوع غیر ملکی سیاحوں کے لئے پاکستان کے متعلق کچھ بنیادی معلومات کا مُہیا کرنا ہوگا۔ پاور پوائنٹ کا آغاز کیجئے ۔ اگر آپ پاور پوائنٹ کو پہلی دفعہ استعمال کر رہے ہیں تو شائد آپ کو ابتدائی ڈائیلاگ باکس کا سامنا ہو۔ ایسی صورت میں **Start Using PowerPoint'** والے بٹن کو کلک کرتے ہوئے اسے ہٹادیں۔پاور پوائنٹ کے آغاز میں آپ کا استقبال نیچے دیئے ہوئے ڈائیلاگ باکس(1) سے ہو گا،جس کے ذریعے آپ چار مختلف طریقوں سے پاور پوائنٹ میں داخل ہو سکتے ہیں۔باقی طریقوں کی طرف ہم بعد میں لوٹ کر آئیں گے مگر اس مشق کے لئے ہم پاور پوائنٹ کا آغاز **Blank presentation** سے کریں گے۔اس کے دائرے میں کلِک کرتے ہوئے **OK** کو کلِک کیجئے۔اب آپ کو اگلی سکرین(2) میں مختلف **layout** کے چننے کا اختیار دیا گیا ہے۔ہم یہاں بھی بغیر کسی **layout** والی سکرین (دائیں طرف نچلے کونے میں) کو ڈبل کلِک کرتے ہوئے منتخب کریں گے۔**layout** کی دوسری اقسام کے استعمال و مقاصد کو ہم بعد میں ایک نظر دیکھنے کے لئے اس کی طرف لوٹیں گے۔

By now, I am sure you must have gathered that I strongly believe in teaching through practice rather than theory. Well, things are not about to change either. We are going to create a PowerPoint presentation straight away. I will explain various features of PowerPoint as we go along and deal with the rest later. Those of you not familiar with PowerPoint presentations may feel a little apprehensive. However, by the time we have finished our tutorial presentation, I am sure you would have learnt more about PowerPoint and its presentations than you would have by reading a 1000 word essay on it. We are going to do a brief presentation on Pakistan for some tourists to give them some basic information about Pakistan. Let's go for it. Start PowerPoint - (**Start - Programs - Microsoft Power Point**). If PowerPoint is being launched for the first time on your PC then you may get a first time dialogue box, just click on the **'start using PowerPoint'** button. This will take you to the opening screen with its dialogue box (Fig.1) giving you four options to enter PowerPoint. We are going to do this presentation totally from scratch, and therefore, select the **Blank presentation** option and press **OK**. We shall return to the others later. This will lead you to another box (Fig.2) with choices to select from a number of screen **layout** designs. We will come back to explain them too; just chose the blank layout for now from the bottom right hand corner (double click on it or click on it and press OK).

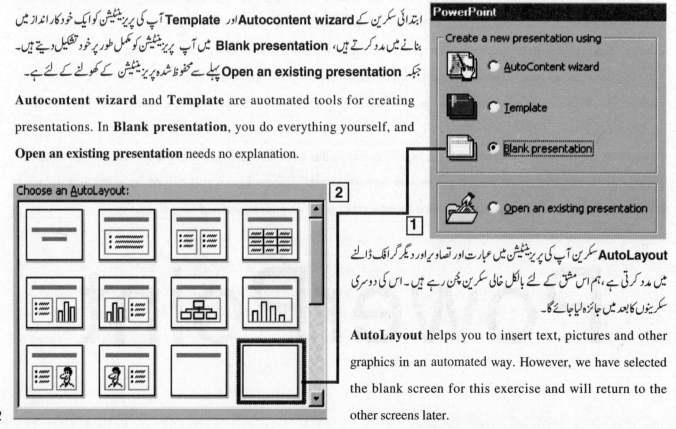

ابتدائی سکرین کے **Autocontent wizard** اور **Template** آپ کی پریزینٹیشن کو ایک خودکار انداز میں بنانے میں مدد کرتے ہیں، **Blank presentation** میں آپ پریزینٹیشن کو مکمل طور پر خود تشکیل دیتے ہیں۔ جبکہ **Open an existing presentation** پہلے سے محفوظ شدہ پریزینٹیشن کے کھولنے کے لئے ہے۔

Autocontent wizard and **Template** are auotmated tools for creating presentations. In **Blank presentation**, you do everything yourself, and **Open an existing presentation** needs no explanation.

1

2

AutoLayout سکرین آپ کی پریزینٹیشن میں عبارت اور تصاویر اور دیگر گرافک ڈالنے میں مدد کرتی ہے،ہم اس مشق کے لئے بالکل خالی سکرین چُن رہے ہیں۔اس کی دوسری سکرینوں کا بعد میں جائزہ لیا جائے گا۔

AutoLayout helps you to insert text, pictures and other graphics in an automated way. However, we have selected the blank screen for this exercise and will return to the other screens later.

PowerPoint 2 پاورپوائنٹ

اگر آپ Office 2000 استعمال کر رہے ہیں تو آپ کی ابتدائی سکرین Office 97 استعمال کرنے والوں سے تھوڑی مختلف ہو گی۔ لیکن یاد رکھیئے کہ چند ایک اجزاء کے مختلف ہونے کے سوا یہ دونوں ورشن تقریباً ایک جیسے ہی ہیں۔ Office 2000 کی ابتدائی سکرین تین حصوں میں تقسیم ہے۔ اس کا مرکزی حصہ سلائیڈ کے لئے ہے، بائیں جانب والی پٹی میں پریزینٹیشن کا خلاصہ درج ہوتا ہے اور نچلے حصے میں آپ اپنے لئے پریزینٹیشن کے بارے میں نوٹ درج کر سکتے ہیں جبکہ Office 97 کے ورشن میں ساری کی ساری سکرین سلائیڈ کے لئے ہی مخصوص ہے لیکن آپ Office 2000 کی سکرین سیٹنگ کو تبدیل کر سکتے ہیں۔ اگر آپ Office 2000 استعمال کر رہے ہیں تو یگانگت اور ہم آہنگی کی غرض سے ہمیں آپ کے پاور پوائنٹ کی سیٹنگ میں دو معمولی سی تبدیلیاں کرنے کی ضرورت ہے۔ (تبدیلی نمبر 1) سب سے پہلے اپنی سکرین کا **View** تبدیل کر لیجئے۔ **View** کو تبدیل کرنے والے بٹن پاور پوائنٹ کی سکرین کے بائیں طرف کے نچلے کونے میں موجود ہیں۔ ان پانچ بٹنوں میں سے درمیان والا بٹن سلائیڈ ویو **Slide View** بٹن ہے۔ اس پر کلِک کرنے پر آپ کے سلائیڈ والے حصے کا سائز بڑھ جائے گا۔ آپ کی سلائیڈ کے بائیں جانب والی بار نے سکرین کو پریزینٹیشن کے خلاصے کے لئے تقسیم کیا ہوا ہے۔ آپ اس کو ماؤس کی مدد سے بائیں جانب لے جا کر سلائیڈ کے حصے میں مزید اضافہ کر سکتے ہیں۔ (تبدیلی نمبر 2) ورڈ کے آغاز میں دیئے ہوئے طریقے کو استعمال کرتے ہوئے اپنی سیٹنگ کو تبدیل کر لیں۔ اس کے لئے **Tools** مینیو کی **Customize** کمانڈ کو چلایئے اور **Toolbars** کے ٹیب میں یہ یقین کر لیجئے کہ صرف **Menu bar**، **Standard**، **Formating**، اور **Drawing** کی مینیوز چنی ہوئی (ٹھیک کے نشان کے ساتھ ٹک شدہ) ہیں اور اسی ڈائیلاگ باکس میں **Options** کے ٹیب میں اس کے اوپر والے حصے میں (**Personalized Menus and Toolbars**) دو سفید خانے خالی ہیں، یعنی اُن میں ٹک مارک نہ ہوں اور پھر **Close** بٹن کی مدد سے اس باکس کو بند کر دیجئے۔

PowerPoint 2000

ویو بٹنز

View Buttons

PowerPoint 97

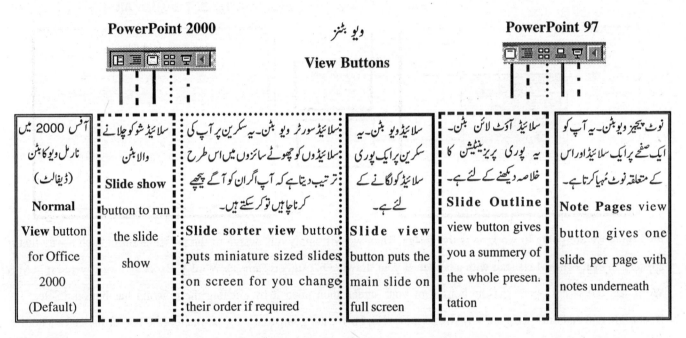

آفس 2000 میں نارمل ویو کا بٹن (ڈیفالٹ) **Normal View** button for Office 2000 (Default)	سلائیڈ شو کو چلانے والا بٹن **Slide show** button to run the slide show	سلائیڈ سورٹر ویو بٹن۔ یہ سکرین پر آپ کی سلائیڈوں کو چھوٹے سائزوں میں اس طرح ترتیب دیتا ہے کہ آپ اگر ان کو آگے پیچھے کرنا چاہیں تو کر سکتے ہیں۔ **Slide sorter view** button puts miniature sized slides on screen for you change their order if required	سلائیڈ ویو بٹن۔ یہ سکرین پر ایک پوری سلائیڈ کو لگانے کے لئے ہے۔ **Slide view** button puts the main slide on full screen	سلائیڈ آوٹ لائن بٹن۔ یہ پوری پریزینٹیشن کا خلاصہ دیکھنے کے لئے ہے۔ **Slide Outline** view button gives you a summery of the whole presen. tation	نوٹ پیجیز ویو بٹن۔ یہ آپ کو ایک صفحے پر ایک سلائیڈ اور اس کے متعلقہ نوٹ مُہیا کرتا ہے۔ **Note Pages** view button gives one slide per page with notes underneath

If you are using Office 2000, then the first screen will look a little different than it does in the previous version - we will come back to this later. Whether you are using version 97 or 2000, both versions are very similar. The 2000 version has a few improvements and a few cosmetic changes in appearance but it is essentially the same package. However, in order to have some sort of conformity amongst all of us, you need to make a couple of changes if you are using Office 2000.

Firstly, select the **Slide View**, (the one in the middle). This will give you a larger view for the slide area you can make it even larger by moving the bar dividing the screen towards the left edge. Important Note: In order to have the slide fit in neatly on your screen so that you see all of it, you will have to use the Zoom button (the one with the % symbol) to see which setting is suitable for you, as this is dependant on your screen resolution settings.

Secondly do the following (As we did with Word and Excel, remember?); Go to the **Tools** menu and chose the **Customize** command. From the **Toolbars** tab, make sure only **Menu bar**, **Standard**, **Formatting** and **Drawing** toolbars are ticked. Then, in the **Options** tab, make sure the first two white squares in the **Personalized Menus and Toolbars** section are **NOT** ticked and close the box by clicking on the **Close** button. The resulting screen should look very much like the previous version to give us all a common ground. Shall we start then?

Pakistan Presentation 1 پاکستان پریزینٹیشن

ہمیں سب سے پہلے اپنی پریزینٹیشن کا ڈیزائن تشکیل کرنا ہے، جسے ہم پریزینٹیشن کی ہر سلائیڈ کے لئے استعمال کریں گے۔ اگر آپ کی ڈرائنگ بار (جو کہ بالکل ورڈ اور ایکسیل جیسی ہے) سکرین کے نچلے حصے میں موجود نہیں ہے تو ڈرائنگ بار کے بٹن کی مدد سے اسے کھولئے۔ اس کے **Rectangle tool** پر کلِک کیجئے اور کسی بھی سائز کا ایک چوگوشہ (square) بنائیے۔ ہمیں اس کا صرف حاشیہ چاہیئے اس لئے اس کا موجودہ اندرونی رنگ ہمیں نہیں چاہیئے۔ یہ یقین کرتے ہوئے کہ اس چوگوشے کے ہینڈل مسلسل نظر آرہے ہیں ڈرائنگ بار کے **Fill color** بٹن سے منسلک تکون پر کلِک کیجئے اور اس کے باکس میں سے **No Fill** کمانڈ کو چنیئے۔ آپ کے چوگوشے کا اندرونی رنگ غائب ہو جائے گا۔ اب اس کی موٹائی کے لئے **Line Style** کے بٹن پر کلِک کیجئے اور **(6 pt)** کو چنتے ہوئے حاشیئے کی موٹائی میں اضافہ کر لیجئے۔ نوٹ کیجئے کہ لکیروں کی موٹائی کی پیمائش (pt) points میں کی جاتی ہے۔ حاشیئے کے ہینڈلوں کو اب ماؤس کی مدد سے سلائیڈ کے کناروں تک لے جاکر سلائیڈ کا بورڈر بنا لیجئے۔ اب ہمیں اس کے رنگ کو پاکستانی سبز میں تبدیل کرنا ہے۔ ڈرائنگ بار کے **Line color** بٹن پر کلِک کیجئے اور اس کے باکس کی **More line colors** کمانڈ کو چنیئے۔ رنگوں کے پیلٹ میں سے پاکستانی سبز کو چُن کر **OK** کیجئے۔ نہ صرف آپ کا حاشیہ سبز ہو جائے گا بلکہ سبز رنگ آپ کے پیلٹ میں بھی آئندہ استعمال کے لئے شامل ہو جائے گا۔ اب ہمیں سلائیڈ کے ڈیزائن کی شہ سُرخی چننا ہے۔ ڈرائنگ بار کے **Text Box** بٹن پر کلِک کیجئے اور اس میں PAKISTAN ٹائپ کیجئے۔ اس **Text Box** کے ارد گرد چھوٹی ٹیڑھی لکیروں والے حاشیئے کو مزید ایک دفعہ کلِک کرنے پر اس کی ٹیڑھی لکیریں دانوں (dots) میں تبدیل ہو جائیں گی۔ اس کا مطلب یہ ہے کہ آپ اس میں موجود عبارت کو تبدیل (Edit) کر سکتے ہیں۔ اس کی عبارت کے سائز کو **40** اور **Bold** کر لیں اور اس کے رنگ کو **Font color** والے بٹن کی مدد سے سبز میں تبدیل کر لیں، پھر اس کو ماؤس کی مدد سے سلائیڈ کے اوپر والے حصے میں لے جاکر شہ سُرخی کے طور پر لگا دیں (تصویر 2)۔ نوٹ کیجئے: (اور یاد رکھیئے!) پاور پوائنٹ میں عبارت اور تصاویر کو ایک جگہ سے دوسری جگہ لے جاتے ہوئے **Alt** والی کی کو دبائے رکھنے سے اشیاء کو قدرے آسانی سے مطلوبہ جگہ پر منتقل کیا جا سکتا ہے۔

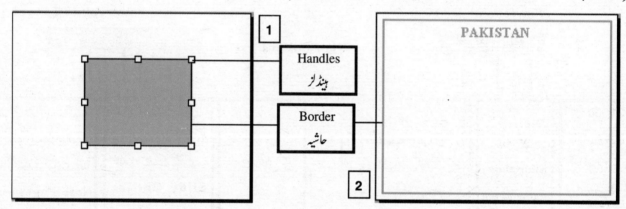

First thing we are going to work on is the design. Then we will apply this design to the presentation in such a way that it appears on every slide. Lets start with a border. If your drawing bar (this is same as Word & Excel and we covered it in M S Word section) is not opened at the bottom of your screen then open it by clicking the drawing bar button. Select the **Rectangle tool** and draw a square, any size for now (Fig.1). We are going to use the perimeter (the borderline!!) for a border, so we need to get rid of whatever colour you have in it. With the square still selected (handles still visible), click on the little triangle next to the **Fill colour** icon on the Drawing bar (the one with the bucket!) and click on the **No Fill** button. The colour will disappear with just the border of the square left behind. With the handles still visible, click on the **Line Style** icon on the **Drawing bar** and select the thickest line (**6 pt**). The thin border will become thicker. Using its handles, stretch it towards the edges of the slide until it looks like Fig.1. Click on the **Line color** button (the one with a brush) and select the **More line colors** command, which will give you a large selection of colours. Chose a shade of Pakistan green click on **OK**. Your border is now green and this shade of green has also been added to your colour palette for future use. Next, Click on the **Text Box** icons on the drawing bar and by clicking anywhere on the slide type in PAKISTAN. The border of this box is made up of tiny slashes. If you click it once more (away from handles), these salshes will turn to tiny dots. This means you can edit it now. So go to the font size box on the **Formatting** menu at the top of the page and increase the font size to **40** and **Bold**. Use the **Font color** button on the Drawing menu and select Green for this heading. Then by grabbing it from the border place it in the heading position. (Fig 2). **TIP:** (and remember it!): When moving objects (test boxes, graphics etc.) in PowerPoint with your mouse, keep the **Alt** key pressed and the moving about will be smoother and easier.

Pakistan Presentation 2 پاکستان پریزینٹیشن

AutoShapes کو استعمال کرتے ہوئے ہم ایک ایسا نشان (Logo) بنائیں گے، جو پاکستان کی نشاندہی کرتا ہو۔ ڈرائنگ بار کے دائرہ بنانے والے بٹن کی مدد سے سلائیڈ کے دائیں طرف والے نچلے کونے میں تقریباً دو سینٹی میٹر کا ایک دائرہ بنایئے اور اسے سبز رنگ سے بھر لیجئے۔ اب ڈرائنگ بار کی **AutoShapes** کی مینیو پر کلِک کیجئے اور **Basic Shapes** میں سے چاند کی شکل کو چُن لیجئے۔ اب سبز دائرے میں چاند کی شکل کو اس سائز میں تبدیل کرلیں کہ وہ دائرے کے آدھے بائیں حصے میں سما جائے پھر اسے سفید رنگ سے بھر لیں۔ بالکل اسی طرح ڈرائنگ بار کی **AutoShapes** کی مینیو میں **Stars and Banners** میں سے پانچ نوکوں والے ستارے کی شکل کو چنئے اور اسے سبز دائرے کے دائیں آدھ میں بنا کر اس میں بھی سفید رنگ بھر لیجئے۔ اس کے بعد سلائیڈ کے نچلے بارڈر سے تھوڑا اوپر ایک **Text Box** میں **'Welcome to the land of the Pure'** ٹائپ کیجئے۔ اسے **24** کے فانٹ سائز میں **Bold** کر لیجئے۔ امید ہے کہ آپ کی سلائیڈ نیچے دی ہوئی تصویر کی طرح نظر آرہی ہوگی۔ اگر ایسا نہیں ہے تو دوبارہ کوشش کیجئے۔ اب ہم پاور پوائنٹ کی ایک اہم ترین خوبی کو بروئے کار لاتے ہوئے اس ڈیزائن کو ماسٹر میں تبدیل کردیں گے۔ ایسا کرنے سے اس پریزینٹیشن کی آئندہ کی تمام سلائیڈز کا ڈیزائن خود بخود یہی بن جائے گا۔

یہ یقین کرتے ہوئے کہ سکرین پر موجود کوئی بھی شے سلیکٹ نہیں ہے **Edit** مینیو کی **Select All** کمانڈ کو چنئے۔ جب تمام اشیاء سلیکٹ ہوجائیں تو ان کو **Cut** کمانڈ یا قینچی والے بٹن کی مدد سے کاٹ لیجئے، پھر **View** مینیو کی کمانڈ **Master** کی سب مینیو میں سے **Slide Master** پر کلِک کیجئے۔ یہ ہماری پریزینٹیشن کی ماسٹر سلائیڈ ہے۔ اس میں موجود عبارت اور خانوں کو نظرانداز کرتے ہوئے **Paste** کے بٹن یا کمانڈ کی مدد سے کاٹی ہوئی تمام اشیاء کو یہاں چسپاں **(paste)** کر دیجئے۔ یہاں آپ کے ڈیزائن کے تمام اجزاء نمودار ہوں گے اور اس کے ساتھ ہی آپ کی سکرین پر ایک چھوٹی سی ماسٹر ونڈو بھی نمودار ہونی چاہیئے، جس پر لفظ **Close** درج ہوگا، یہ اس ماسٹر ونڈو کو بند کرنے کے لیئے ہے۔ اس پر کلِک کرتے ہوئے ماسٹر کی سلائیڈ کو بند کر دیجئے۔ پہلی سلائیڈ مع ڈیزائن کے آپ کے سامنے موجود ہے، اسے **Pak Presentation** کا نام دیتے ہوئے محفوظ کر لیجئے۔

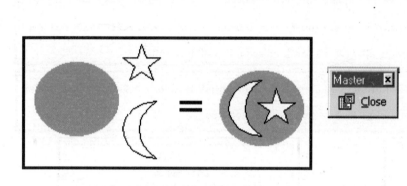

We are going to create an appropriate logo by using the **AutoShapes** next. Firstly, in the bottom right corner of the screen, create a little circle no bigger than a couple of centimetres using the circle icon on the Drawing bar and fill it with green colour. Click on the AutoShapes button on the Drawing bar and from **Basic Shapes**, select the Crescent and draw it neatly into the left half of the circle. With the **Fill** button, fill it with white. Similarly, from the **Stars and Banners** submenu of **AutoShapes** and choose the five pronged star icon. Draw this in the right half of the circle and also give it the white fill. Finally by using another text box put the slogan **'Welcome to the land of the Pure'**, give it a font size of **24** with **Bold** and place it next to the circle at the bottom of the slide. Your slide should now look like Fig.1. If not, then try again. We are ready to use a very important feature of PowrPoint and make this design applicable to all future slides we may add to this presentation.

Make sure nothing is selected at this point in the slide. Then go to the **Edit** menu and chose the **Select All** command. You will see that every thing we have put on the slide is now selected (has borders and handles). Use the **Cut** command from the **Edit** menu or the scissors icon to got everything from the slide (do not panic, everything is under control). Now, go to the **View** menu and move down to the **Master** command, another little sub-menu will appear. Chose the **Slide Master** command and what you have in front of is the Master part of the presentation. Every thing placed here appears in every slide of the presentation. Do not worry about the Text boxes already there. Just use the Paste button or the **Paste** command from the Edit menu and everything you created will be inserted here. On your screen, you should have a little Master window with the word **Close** written on it. Click on close to see your first slide with all your logos and writing embedded in it. Save it by giving it the name **Pak Presentation**.

Pakistan Presentation 3 پاکستان پریزینٹیشن

آیئے پہلی سلائیڈ کو مکمل کرلیں۔ایک نئے **Text Box** میں اس سلائیڈ کا ٹائٹل **'The Land'** ٹائپ کیجئے اور پھر مزید ایک اور **Text Box** کو بناتے ہوئے اس میں باکس **1** میں دی ہوئی تفصیل ٹائپ کرلیجئے۔ آپ کی پہلی سلائیڈ تیار ہے اور اسے تصویر **3** کی طرح نظر آنا چاہیئے۔اب اگلی سلائیڈ یعنی سلائیڈ نمبر **2** کو آپ کئی طریقوں سے حاصل کرسکتے ہیں۔**New Slide** بٹن پر کلِک کرتے ہوئے، یا **Insert** مینیو میں سے **New Slide** کمانڈ کو چنتے ہوئے یا پھر کی بورڈ کی شارٹ کٹ (**Control** کی کے ساتھ **M** کی) کے ساتھ۔ان میں سے جو بھی طریقہ آپ نے استعمال کیا آپ کو سلائیڈ نمبر **2** یکدم مکمل آپ کے بنائے ہوئے ڈیزائن کے ساتھ مل جائے گی۔ پہلی سلائیڈ کی طرح ایک نئے **Text Box** میں اس سلائیڈ کا ٹائٹل **'The People'** ٹائپ کیجئے۔اور پھر مزید ایک اور **Text Box** کو بناتے ہوئے اس میں باکس **2** میں دی ہوئی مختصر تفصیل ٹائپ کرلیجئے۔ آپ کو یاد ہوگا کہ ہم نے ایکسیل میں پاکستان کی آبادی کا ایک پائی چارٹ بنایا تھا۔ہم اسے یہاں استعمال کرسکتے ہیں۔پاور پوائنٹ کو بند کئے بغیر سٹارٹ بٹن کی مدد سے ایکسیل کو چلایئے۔(MS Excel-Programs-Start)

نوٹ:اس طرح سے جب ونڈوز میں ایک سے زیادہ پروگرام چل رہے ہوں تو اُن کے بٹن سکرین کے نچلے حصے میں ٹاسک بار پر ہر وقت موجود رہتے ہیں، تاکہ آپ کو یہ پروگرام بار بار کھولنے اور بند کرنے کی زحمت گوارانہ کرنی پڑے اور ان بٹنوں پر کلِک کرتے ہوئے آپ بآسانی ایک پروگرام سے دوسرے پروگرام میں جاسکتے ہیں۔

ایکسیل کے لوڈ ہو جانے پر اس کی فائل **Pak Pop Pie** کو کھولئے۔اس میں بنے ہوئے پائی چارٹ پر ایک دفعہ کلِک کرتے ہوئے اسے سلیکٹ کرنے کے بعد اس کی کاپی بنالیں اور پھر ٹاسک بار پر پاور پوائنٹ کے بٹن کو کلِک کرتے ہوئے دوبارہ پاور پوائنٹ میں واپس آجائیں۔پاور پوائنٹ کی **Edit** مینیو میں سے **Paste special** کی کمانڈ کو چنئے اور اگلے ڈائیلاگ باکس میں سے **Picture** کو چننے کے بعد **OK** کو کلِک کرتے ہوئے پائی چارٹ کو سکرین میں چسپاں کردیں۔(اگلے صفحہ پر جاری ہے)

1 Pakistan is a large country with an area of 796,095 square Km. It has a fascinating geography. It is a land of fertile Plains, the sprawling rivers of Punjab, the rocky hills and snow covered peaks of the Northwest Frontier Province, the burning deserts and sandy beaches of Sindh, all within a few hundred miles of each other.

2 Pakistan has a fascinating blend of cultures within its boundaries. Punjabis, Sindhis, Baloochis and Pathans are all proud Pakistanis with strong individual identities reflecting their cultural heritage.

3

4

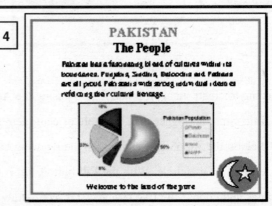

Let's complete the first slide. Use a text box to give it a subtitle (just under the word Pakistan) of **'The Land'** with a font size of **36**. And in another text box, type in the description given in Box 1. Your first slide is ready and should look like the one on fig **2**. Now comes the interesting bit - we need slide number 2. You can get a new slide in a number of different ways. By clicking on the **New Slide** button, or going to **Insert** and selecting **New Slide** or simply using the shortcut Ctrl+M (keep the **Control** key down and then press the **M** key). Whatever the method you will have a new slide on the screen complete with your very own design. Here we insert the sub title **'The People'** and a little description of Pakistan's ethnic composition (Box 2). Remember the population pie chart we did in Excel? Let's put that in here. Do not close PowerPoint. Just launch Excel from the **Start** button and open the file **Pak Pop Pie**.

Note: You will now have buttons for both PowerPoint and Excel on the **Task bar** (at the bottom of the screen). Clicking either will take you to that application. This is how you can switch between the applications when you have more than one application opened. You can also switch applications by holding down the **Alt** key and pressing the **Tab** key. Back to our task. Click on the chart and press the Copy button. Now go back to PowerPoint and through the **Edit** menu, choose **Paste special**, from the resulting menu, select **Picture** and click on **OK**. (see next page)

Pakistan Presentation 4 پاکستان پریزینٹیشن

یہاں نوٹ کیجئے کہ ہم نے **Paste** کی بجائے **Paste special** کی کمانڈ کو استعمال کیا ہے۔ اس کی وجہ یہ ہے کہ اگر ہم صرف **Paste** کی کمانڈ استعمال کرتے تو یہاں جو پائی چارٹ ڈالا جاتا اس کا تعلق مسلسل ایکسیل سے برقرار رہتا۔ عام طور پر یہ ایک فائدہ مند بات ہے، لیکن یہاں ہمیں اس کی ضرورت نہیں ہے ہمیں صرف یہاں اس پائی چارٹ کی ایک تصویر درکار ہے اور اسی لئے ہم نے **Paste special** کی کمانڈ کو چنا۔ جب پائی چارٹ کی تصویر سکرین پر نمودار ہو تو آپ اسے اس کے کونے والے ہینڈلوں کی مدد سے حسبِ ضرورت چھوٹا بڑا کر سکتے ہیں۔
ضروری نوٹ: تصویر کے سائز کو تبدیل کرتے ہوئے صرف کونے والے ہینڈلوں کو استعمال کیا جاتا ہے۔ وگرنہ سائیڈ والے ہینڈلوں کو استعمال کرنے سے تصویر کا حلیہ بگڑ سکتا ہے۔ اب اس پائی چارٹ کی تصویر ارد گرد حاشیہ بناتے ہوئے سلائیڈ نمبر ۲ کو مکمل کیجئے۔ (حاشیہ بنانے کی تکنیک کو آپ گذشتہ صفحات پر سیکھ چکے ہیں)۔

Note: we selected Paste Special instead of Paste as it allowed us to paste the chart in as a picture rather than an Excel object. Just Paste would have put in the chart exactly as it is in Excel complete with a link to the original file, which is a great function of the Office applications working together, but it is not needed here and could cause possible problems.)
Note: When changing the size of objects, always use the handles in the corner of an object for a proportionate stretching and shrinking. Handles on the sides, if used for this purpose, will distort the object. Next, using the technique you learnt while creating the border for the slide Master design, put a border around the picture of the pie chart. Your second slide is complete now.

مزید ایک نئی سلائیڈ حاصل کیجئے۔ یہ تیسری سلائیڈ پاکستان کی آب و ہوا کے بارے میں ہو گی۔ ایک نئے **Text Box** میں تیسری سلائیڈ کا ٹائٹل **'The Climate'** ٹائپ کیجئے اور پھر مزید ایک اور **Text Box** کو بناتے ہوئے اس میں باکس **1** میں دی ہوئی تفصیل ٹائپ کر لیجئے۔ سلائیڈ نمبر2 کی طرح ہم یہاں بھی ایکسیل میں بنائے ہوئے پائی چارٹ **Pak Temperatures** کا استعمال کر سکتے ہیں۔ پہلے کی طرح ایکسیل میں سے اس چارٹ کو کاپی کر کے یہاں ایک تصویر کی شکل میں چسپاں کر لیں۔ دوسری سلائیڈ کی طرح اس چارٹ کی تصویر کا بھی حاشیہ بنالیں۔ اس طرح آپ کی تیسری سلائیڈ بھی تیار ہے۔ اپنے کام کو محفوظ کرتے ہوئے چوتھی سلائیڈ کے لئے ایک نئی سلائیڈ کا اضافہ کیجئے۔ چوتھی سلائیڈ پاکستان کی مختصر تاریخ کے بارے میں ہو گی۔ ایک نئے **Text Box** میں تیسری سلائیڈ کا ٹائٹل **'The History'** ٹائپ کیجئے اور پھر مزید ایک اور **Text Box** کو بناتے ہوئے اس میں باکس **2** میں پاکستان کی تاریخ کے بارے میں دیئے ہوئے چند حروف ٹائپ کر لیجئے۔ یہاں پاور پوائنٹ میں دی ہوئی **Clip Art** میں سے ایک گھڑی کی تصویر کو وقت کے نشان کے طور پر استعمال کریں گے۔ **Edit** مینیو میں سے **Picture** کی کمانڈ کو چنئے اور اس میں سے نکلنے والے ڈائیلاگ باکس میں سے **Clip Art** کو چنئے اگر مزید کوئی ڈائیلاگ باکس آئے تو اُسے **OK** پر کلِک کرتے ہوئے ہٹادیں۔ تب آپ کے سامنے **Clip Art** کی لائبریری آئے گی۔ اس میں سے گھڑی کی تصویر کو ڈھونڈھ کر اُس پر ڈبل کلِک کرتے ہوئے اسے سلائیڈ میں لے آئیں۔ اس کے سائز کو کونے والے (آپ کو یاد ہے نا؟) ہینڈلز کی مدد سے حسبِ ضرورت درست کر لیں۔ اب اپنی پریزینٹیشن کو محفوظ کرتے ہوئے پانچویں اور آخری سلائیڈ کا آغاز کیجئے۔

The third slide will be about the climate. Insert another new slide and give it the sub-title of 'The Climate'. Insert a brief description of its climate (copy from Fig.1) and using the method you have just learnt, bring in the Pak Temperatures chart we created in Excel. Give the chart a border like you did before. Save and move on to the fourth slide. Give it the subtitle of 'Brief History', write a few words (or copy from Fig. 2). We will insert a piece of clip art - a clock as a symbol of time. Go to Insert menu and move down to Picture command. Another little side submenu will appear. Select Clip Art command from this. Click OK on any subsequent boxes until you get to the small collection of clipart within PowerPoint. Choose a picture of a clock from here and double click it to bring it into the slide. Adjust the size using its handles (the ones in the corners, remember?). Save it and move on to the fifth slide.

1

Pakistan is a country with a predictable and stable climate. It has very hot summers and pleasantly warm springs and autumns. Winters are short but can be bitterly cold in many areas especially, the Northern heights.

2

Pakistan was created in 1947 as a homeland for the Muslims of the subcontinent. It was the largest Islamic state in the world until its eastern wing became Bangladesh in 1971. Pakistan became a nuclear power in 1999.

3

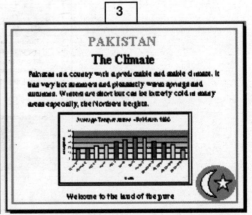

Pakistan Presentation 5 پاکستان پریزینٹیشن

پانچویں اور آخری سلائیڈ میں پاکستان میں غیر ملکی سیاحوں کی دلچسپی کے لئے چند نمایاں مقامات کی جھلکیاں دی جائیں گی۔ سلائیڈ کا آغاز ایک نئے **Text Box** کے ساتھ کیجئے اور اس میں سلائیڈ کا ٹائٹل **'Tourist Attractions'** ٹائپ کیجئے پھر مزید **Text Box** کو بناتے ہوئے اس میں باکس **1** میں اس سلسلے میں دیئے گئے چند حروف ٹائپ کر لیجئے۔ اب ہمیں پاکستان میں غیر ملکی سیاحوں کی دلچسپی والے نمایاں مقامات کی تصاویر درکار ہیں۔ آپ کو اس کے لئے ایک بڑی مرکزی تصویر اور چار چھوٹی تصاویر درکار ہیں۔ اس مشق کے لئے آپ ایسی تصاویر انٹرنیٹ سے حاصل کر سکتے ہیں۔ گر آپ کسی بھی وجہ سے ایسی تصاویر حاصل نہیں کر سکتے تو اس مشق کی تکمیل کے لئے کسی بھی قسم کی تصاویر یا کلپ آرٹ **(clip art)** کو استعمال کیا جا سکتا ہے۔ اگر یہ بھی ممکن نہ ہو تو پاور پوائنٹ کی **AutoShapes** کو ہی استعمال کر لیجئے۔ اس مشق کا مقصد آپ کو تکنیک سے آگاہ کرنا ہے۔ یہاں تھیوری کی زیادہ اہمیت ہے نہ کہ پریکٹس کے لئے مواد کی۔ آیئے اب اس پریزینٹیشن کو ذرا چلا کر دیکھیں۔ **Slide Show** کی مینیو میں سے **View Show** کی کمانڈ کو چنیئے اور اس کے ساتھ ہی آپ کی پہلی سلائیڈ پوری سکرین پر نمودار ہو گی۔ اب ماؤس بٹن کو کلِک کرنے پر اگلی سلائیڈ سکرین پر سامنے آجائے گی۔ اسی طرح ماؤس کو کلِک کرنے سے آپ کی سلائیڈز تبدیل ہوتی رہیں گی حتیٰ کہ آپ آخری سلائیڈ تک پہنچ جائیں گے اور آپ کی پاور پوائنٹ کی سکرین واپس آجائے گی۔

We are going to put some photos in this last slide. Using a text box, give it the subtitle of '**Tourist Attractions**'. Write a few words (or copy those in box 1 below) about the tourist attractions in a second text box. We need to insert some photos of famous Pakistani landmarks. You can use any photos of Pakistan landmarks that you have or search the Internet for them. You need one central photo and four smaller ones. If you can not get photos at all then, for the sake of the exercise, insert any **clip art** you may have. If for reasons not anticipated by me, you can not insert any of the graphics and charts mentioned above then, by all means, use the **AutoShapes** of the PowerPoint to complete your exercise. It's the concept that is important here rather than the contents. Let's give this presentation a run now. Go to the **Slide Show** and select **View Show**. You should see nothing on the screen but your first slide in its full glory - literally, on a full screen. It will stay there until you click with your mouse. This process will carry on until the last slide is displayed.

1

Pakistan is a relatively undiscovered heaven for tourists. Its land preserves centuries old relics such as Mohenjo Daro, from the dawn of civilisation. Its northern heights and valleys offer some of the most stunning natural beauty on earth. Its towering heights are second only to the mighty Himalayas.

2

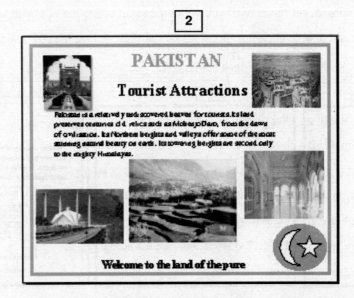

Pakistan Presentation 6 پاکستان پریزینٹیشن

اب ہم اپنی پریزینٹیشن کو ماؤس کی کلِک کے ساتھ چلانے (ایک سلائیڈ کے بعد دوسری سلائیڈ) کی بجائے اسے ایک خود کار طریقے سے چلائیں گے۔ **Slide Show** مینیو میں سے **Slide Transition** کی کمانڈ کو چنئیے یہ آپ کو سلائیڈ ٹرانزیشن ڈائیلاگ باکس (تصویر **1**) میں لے جائے گی۔ **Effect** مینیو میں سے **Cover Down** کے **Effect** کو چنئیے۔ اس کے لئے آپ کو اس مینیو کے ساتھ دی ہوئی سکرول بار کو استعمال کرتے ہوئے نیچے جانا ہوگا۔ اس کے فوراً بعد تین دائروں میں **Slow**، **Medium** اور **Fast** کی رفتار دی گئی ہیں۔ ان کے ذریعے آپ سلائیڈ کے تبدیل ہونے کی رفتار چُن سکتے ہیں۔ بہتر یہی ہے کہ **Slow** رفتار کو چُنا جائے اس طرح ضرورت پڑنے پر اس رفتار میں اضافہ کیا جاسکتا ہے۔ اس باکس کے نچلے حصے میں ہم نے یہ فیصلہ کرنا ہے کہ سلائیڈوں کو ماؤس کے ساتھ (**On Mouse Click**) تبدیل کرنا چاہتے ہیں یا خود کار (**Automatically after**) طریقے سے کیونکہ اس موقع پر ہم اسے خود کار طریقے سے چلانا چاہتے ہیں، اس لئے یہ یقین کر لیجئے کہ صرف **Automatically after** والے دائرے میں ٹک موجود ہو اور اس کے ساتھ ہی **Seconds** والے خانے میں **3** کا ہندسہ درج کیجئے جو کہ سلائیڈ کے تبدیل ہونے کے درمیان انتظار کے لئے وقت ہے۔ ایسا کرنے سے ہر سلائیڈ **3** سیکنڈ کے بعد خود بخود تبدیل ہو جائیگی (یہ سیٹنگ آپ ضرورت کے مطابق تبدیل کر سکتے ہیں)۔ اس کے بعد **Apply all** کے بٹن کو کلِک کیجئے تاکہ یہ عمل ہر سلائیڈ پر اثرانداز ہو جائے۔ اب **Slide Show** مینیو میں سے **View Show** کو چُنتے ہوئے سلائیڈ شو کو چلائیں اور اپنی قابلِ تعریف تخلیق سے لطف اُٹھائیں۔ شو کے خاتمے پر اسے محفوظ کرنا نہ بھولئے۔ اگر آپ نے اس مشق کو پسند کیا ہے تو مجھے یقین ہے کہ آپ اگلی مشق کو مزید دلچسپ پائیں گے، جس میں ہم نے اپنی پریزینٹیشن میں مزید سپیشل افیکٹ کو متعارف کروانا ہے!!!

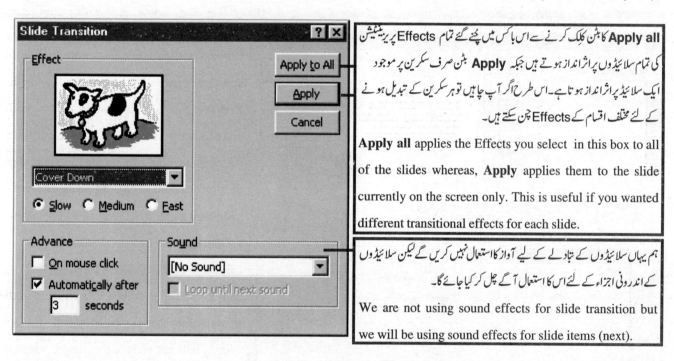

Apply all کا بٹن کلِک کرنے سے اس باکس میں چُنے گئے تمام **Effects** پریزینٹیشن کی تمام سلائیڈوں پر اثرانداز ہوتے ہیں جبکہ **Apply** بٹن صرف سکرین پر موجود ایک سلائیڈ پر اثرانداز ہوتا ہے۔ اس طرح اگر آپ چاہیں تو ہر سکرین کے تبدیل ہونے کے لئے مختلف اقسام کے **Effects** چن سکتے ہیں۔

Apply all applies the Effects you select in this box to all of the slides whereas, **Apply** applies them to the slide currently on the screen only. This is useful if you wanted different transitional effects for each slide.

ہم یہاں سلائیڈوں کے تبادلے کے لیے آواز کا استعمال نہیں کریں گے لیکن سلائیڈوں کے اندرونی اجزاء کے لئے اس کا استعمال آگے چل کر کیا جائے گا۔

We are not using sound effects for slide transition but we will be using sound effects for slide items (next).

Lets take this to next stage now. We would like to add some effects to the transitional process of the slides and make the transition automatic rather than mouse driven. Go to **Slide Show** and select **Slide Transition** . This will presents you with the **Slide Transition** (Fig.1) dialogue box. Drop down the **Effect** menu and look for **Cover Down** effect (you may have to scroll down for it). Just below this you have three speeds (**Slow**, **Medium** and **Fast**) with which the transitional effect will take place. This is something most people can only decide after experimenting a little. My advice is to select Slow and change it if you feel the need for it.

Further down, you have the Advance options. This is to select how you would want your presentation to advance from one slide to another. The choice is to make it advance **On mouse click** or **Automatically**. Make sure only one box is ticked, which in this case is **Automatically After**, and put **3** in the **Seconds** box. This is the duration of the waiting time between the slide changes. Then click on **Apply all** to apply these options to all of the slides. Now run the **View Show** command in the **Slide Show** menu. You do not use the mouse this time, just sit back and watch. The presentation will run automatically with a **3** second pause between the slides. You will also notice the transitional effect of slides falling in place from above. Save it again. If you liked this, you will love the special effects we are going to add to this presentation next !!!

Pakistan Presentation 7 پاکستان پریزینٹیشن

اب ہم اپنی پریزینٹیشن کو حرکت اور آوازوالے special effects سے سنواریں گے۔ یہ نہایت ہی ضروری ہے کہ آپ پہلی سلائیڈ میں special effects کو ترتیب دیتے ہوئے خاص توجہ دیں کیونکہ اس کے بعد والی سلائیڈز کے effects کو آپ نے میری کم سے کم مدد کے ساتھ خود ترتیب دینا ہوگا۔ پریزینٹیشن کی پہلی سلائیڈ کو سکرین پر کھولئے۔اس میں موجود عبارت کو ہم نے اس طرح special effects سے آراستہ کرنا ہے کہ سلائیڈ کے سکرین پر نمودار ہونے کے بعد یہ عبارتیں اُڑتی ہوئی سکرین میں داخل ہوتی نظر آئیں۔ 'View Show' مینیو میں سے Custom Animation کی کمانڈ کو چنئیے یہ آپ کو (نیچے دیئے ہوئے) کسٹم اینیمیشن ڈائیلاگ باکس میں لے جائے گی، جیسا کہ آپ دیکھ سکتے ہیں کہ یہ باکس تین حصوں میں تقسیم ہے۔ دائیں ہاتھ پر اوپر والا حصّہ Preview کے لئے ہے، جہاں آپ کی موجودہ سلائیڈ کا ایک چھوٹا سا نمونہ آپ کو سلائیڈ میں تبدیلیوں کو مسلسل دکھاتا رہتا ہے۔ اس کے بائیں طرف جو باکس ہے اس میں آپ کی سکرین میں حرکت کرنے والی اشیاء کی فہرست ہوتی ہے، جن کے سکرین پر نمودار ہونے کی ترتیب کو اس باکس کے دائیں طرف دیئے ہوئے تیروں کی مدد سے تبدیل کیا جا سکتا ہے۔ نچلے حصّے میں تیسرے باکس میں آپ کی سلائیڈ میں اُن تمام اشیاء کی فہرست ہوتی ہے، جو کہ ابھی حرکت کے آثار کے بغیر ہوں۔ نوٹ کیجئے کہ ان میں سلائیڈ کا ڈیزائن شامل نہیں ہے۔ اسی باکس کے موجودہ ٹیب (Timing) میں سرِفہرست (Text 1) پر کلِک کیجئے، یہ ہماری سلائیڈ کی شہ سُرخی The People ہے۔ دائیں طرف Animate کے دائرے کو ٹِک کیجئے۔ آپ دیکھیں گے کہ Text 1 اب Animation order کی ترتیب دینے والے باکس میں منتقل ہو جائے گی۔ اس دائرے کے نیچے مزید دو دائرے موجود ہیں۔ ان میں سے Automatically والے دائرے کو ٹِک کیجئے۔ یہ عبارت (Text 1) کے سلائیڈ میں داخلے کو ماؤس کلِک کے ساتھ (On mouse click) چلانے کی بجائے ایک خودکار طریقے سے چلانے کے لئے ہے۔ آفس 2000 کے لئے طریقہ کار تقریباً ایک ہی ہے، لیکن اس کی ترتیب تھوڑی مختلف ہے۔ (اگلا صفحہ دیکھئے)

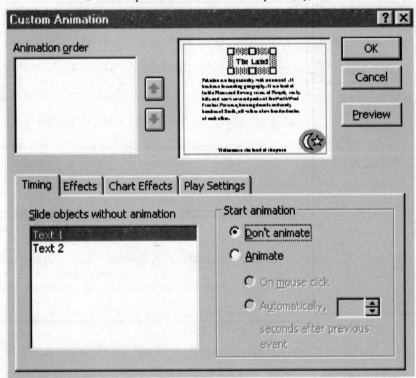

Custom Animation dialogue box is divided into three boxes. The one on the right is the **Preview** box with a miniature version of your current slide. The one on the left, Animation Order, is to arrange and rearrange the order of animation of those objects in the slide which are being animated. The arrows on the right are used to change the order of animation of these objects by taking them up and down. The third box lists all the objects in your slide that can be animated. This, of course, will not include the design, which is embedded in the Master frame.

We are going to add some special effects to this presentation by bringing in some animation and sounds to its contents. Please follow the instructions carefully for the first slide as you will need to repeat them for the remaining slides. It is, therefore, absolutely imperative that you understand the instructions for the first slide before moving on to subsequent slides. Put the first slide on your screen. Go to the **View Show** menu, go down and select the **Custom Animation** command. You will get the **Custom Animation** dialogue box **(above)**. We are going to make the text in this slide come flying in as soon as the slide appears on the screen. Click on the first entry (**Text 1**) in the **Timing tab** - this is our subheading **The People**. Click in the **Animate** toggle button (white little circle on the right). You will see that the Text entry has moved up to the **Animation order** box. There are two more circles underneath it. Click on the one with the word **Automatically** so that the animation for this text takes place automatically instead of **On mouse click**, which in some cases would be desirable.

 For Office 2000, the procedure remains the same but the sequence is a little different (see next page).

اس کے بعد **Custom Animation** باکس کے **Effects** ٹیب پر کلِک کیجئے۔ بائیں طرف **Entry animation and Sound** کے سیکشن میں آپ کو حرکت اور آواز کے لئے کئی **Effects** دیئے گئے ہیں۔ پہلے خانے میں سے **Fly from left** کی حرکت کو منتخب کیجئے اور دوسرے خانے میں سے **Laser** کی آواز کو۔ اس طرح آپ کی عبارت بائیں سمت سے اُڑتی ہوئی آئے گی اور ہر حرف کے ساتھ لیزر کی آواز سُنائی دے گی۔ دائیں طرف والے **Introduce Text** کے خانے میں آپ کو عبارت کے سلائیڈ میں داخل ہونے کے تین انداز، **letter by letter** (حرف با حرف) **Word by word** (لفظ بالفظ) اور **All at once** (پوری عبارت ایک ہی دفعہ) دیئے گئے ہیں کیونکہ شہ سُرخی میں صرف چند ایک حروف ہی ہیں اس لئے ان میں سے **Letter by letter** (حرف با حرف) کا انتخاب کیجئے۔ اب دوبارہ **Timing** کے ٹیب میں واپس آجایئے اور اسی عمل کو اس سلائیڈ میں دوسری عبارت **(Text 2)** کے لئے جو کہ پاکستان کی مختصر جغرافیائی تفصیل ہے کو صرف دو تبدیلیوں کے ساتھ دُہرایئے۔ ایک یہ کہ **Entry animation and Sound** کے سیکشن میں **Fly from left** کی بجائے **Fly from bottom** کو چُنیے اور **Introduce Text** کے خانے میں سے **Letter by letter** کی بجائے **All at once** کو چُنیے۔ آواز کے اس عمل کے لئے ضرورت نہیں ہے آپ کی پہلی سلائیڈ کے **Effects** مکمل ہوئے، آپ ان کے کمال اب اسی ڈائیلاگ باکس کی **Preview** بٹن کی مدد سے اس کے چھوٹے ورشن میں دیکھ سکتے ہیں۔

آفس 2000 میں Effects کے ٹیب کے عمل کو **Timing** سے پہلے کر لیجئے (پاور پوائنٹ 2000 میں **Timing** کو **Timing and order** کے نام سے جانا جاتا ہے)۔

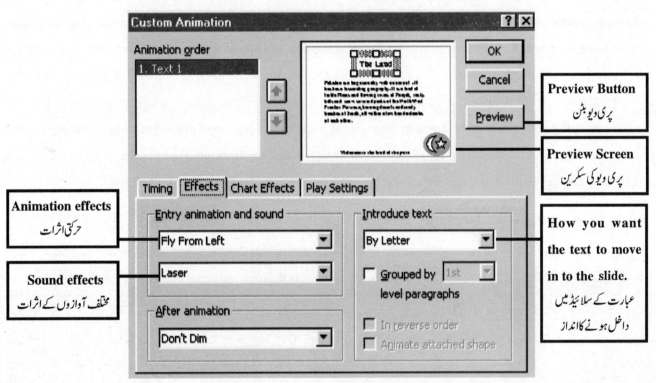

Now, what sort of animation do we want for this text? Click on the **Effects** tab and you will find plenty of special effects here. In the **Entry animation and Sound** section, you have a list of animation effects in the first field and a choice of several sound effects in the second field. Select the **Fly from left** option - this will make the subtitle seem to fly from the left. Chose **Laser** from the second field as the sound effect for the subtitle. Now on the right, you have the **Introduce Text** field to decide whether you want your text to fly in **All at once**, word **By word** or even letter **By letter**. Since there are only a few letters involved in the subtitle, select the **By letter** option. Now, we need to arrange similar effects for the description text (**Text 2**) in the slide. For this, you can repeat the above process with two exceptions. Instead of **Fly from left**, chose **Fly from the bottom** as the entry effect and chose **All at once** instead of **By letter** for the **Introduce text** field in the **Effects** tab. Sound for this action is not required. You can now preview your effects for this first slide by clicking on the **Preview** button within this dialogue box. A miniature version of your slide will be played to give you an idea of the real thing.

In PowerPoint 2000, do the Effects tab before the Timing (known there as **Timing and Order**)

دوسری سلائیڈ میں **Effects** کا طریقہ کار بالکل پہلی سلائیڈ کی طرح ہی ہے۔ سوائے اس کے کہ اب اس سلائیڈ میں عبارت کے علاوہ ایک چارٹ اور اس کا حاشیہ بھی ہے۔ آپ ان دونوں کو **Custom Animation** کے ڈائیلاگ باکس کے **Timing** ٹیب میں پائیں گے۔ یہ **Slide objects without animation** کے سیکشن میں **Picture frame** (چارٹ) اور **Rectangle** (حاشیہ) کے نام سے موجود ہیں۔ چارٹ اور اس کے حاشیئے کے **Effects** کا طریقۂ کار بھی بالکل عبارت ہی کی طرح ہے جس سے آپ اب واقف ہیں۔ فرق صرف اتنا ہے کہ **Entry animation and Sound** کے سیکشن میں سے چارٹ اور اس کے حاشیئے کی حرکت کے **Effects** کے لئے **Spiral** کو چنیے۔ بالکل اسی طرح تیسری سلائیڈ کو بھی مکمل کر لیجئے۔ اگرچہ چوتھی سلائیڈ کے لئے اسی طریقے کو استعمال کیجئے لیکن گھڑی کی حرکت کے **Effects** کے لئے **Swivel** کو چنیئے اور پھر اسی طرح پانچویں سلائیڈ کی بڑے سائز والی مرکزی تصویری حرکت کے **Effects** کے لئے **Zoom-in** کو اور اس میں باقی تمام تصاویر کے لئے **Zoom-out** کو چنتے ہوئے اسے مکمل کیجئے۔ آپ کی پریزینٹیشن اب مکمل ہوئی۔ اس کو فخر کے ساتھ چلایئے اور اس کے شو سے لطف اُٹھایئے مگر اسے محفوظ کرنا نہ بھولئے۔

In the second slide, the process is the same as the first, except there is now a picture (Chart) and a rectangle (border for the chart) in addition to two pieces of text. You are now familiar with the procedure for the two pieces of text. In the **Custom Animation** dialogue box, you will have the chart listed as **Picture frame** and its border as **Rectangle** in the **Timing** tab under the box **Slide objects without animation**. To animate the chart and its frame, the method remains exactly the same except select **Spiral** from the animation field of the **Entry animation and sound** section of the **Effects** tab. Make sure you do this correctly and then repeat the process for the next slide (3). Do more of the same in the fourth slide but chose **Swivel** as the animation style for the clock. And finally, repeat the process for the fifth slide in a similar way but with a little change in animation effects. Chose the **Zoom in** effect for the larger central photo and **Zoom out** effect for the rest of them from the animation field of the **Entry animation and sound** section of the **Effects** tab. The effects have been applied, now save the presentation. Then run it and sit back and relax and enjoy the view. I hope you like it. Well done!

PowerPoint 2000 **Slide Sorter view** - سلائیڈ سورٹر ویو **PowerPoint 97**

ہم نے گذشتہ چند صفحات پر مختلف سلائیڈ ویوز کا مختصر جائزہ لیا تھا۔ میری رائے میں تمام ویوز میں سے سلائیڈ سورٹر ویو سب سے اہم اور سب سے کار آمد ہے۔ آیئے اسے استعمال کریں۔

I would like go back to the Slide Sorter view, which in my opinion, is the most important of them all. Let check it out.

سلائیڈ سورٹر ویو بٹن آپ کی پریزینٹیشن کی تمام سلائیڈوں کو یا (پریزینٹیشن کے بڑا ہونے کی صورت میں) جتنی سکرین پر آسکتی ہوں کو چھوٹے سائزوں میں سکرین پر ترتیب دیتا ہے جیسا کہ نیچے دکھایا گیا ہے۔ اس طرح آپ اپنی پریزینٹیشن کے تصویری خلاصے کو ایک نظر دیکھ سکتے ہیں۔ آپ اگر ان کی ترتیب کو آگے پیچھے کرنا چاہیں تو ماؤس کی مدد سے کسی بھی سلائیڈ کو اٹھا کر کسی بھی دوسری جگہ لے جا سکتے ہیں علاوہ ازیں آپ کسی بھی سلائیڈ پر کلِک کرتے ہوئے اسے کاپی کر کے اس پریزینٹیشن یا کسی دوسری پریزینٹیشن میں لے جا سکتے ہیں۔ مگر نوٹ کیجئے کہ کسی دوسری پریزینٹیشن کے لئے کاپی کرنے سے پریزینٹیشن کا ڈیزائن کاپی نہیں ہوگا، جو کہ ماسٹر سلائیڈ میں محفوظ ہے البتہ آپ ماسٹر سلائیڈ میں جا کر ڈیزائن کی کاپی کر سکتے ہیں جو کہ ہم آگے چل کر کریں گے۔

:03 1

:03 2

:03 3

:03 4

:03 5

Slide sorter view puts all or, in the case of a large presentation, several slides (in a miniaturised version) on your screen at a time to give you a visual summery of your presentation. You can rearrange the order of slides by simply dragging them from one position to another. You can also copy or cut any slide and paste it anywhere in this presentation or another presentation. But note that the embedded design of the presentation will not be copied this way. You need to go into master slide to copy the design, which we will later on.

پریزینٹیشن کے آلات Presentation Tools 1

ہم نے پاور پوائنٹ کا آغاز ایک ایسی پریزینٹیشن کے ساتھ کیا تھا جو کہ ہم نے بغیر کسی ٹیمپلیٹ کے مکمل طور پر خود ہی تشکیل دی تھی۔اب ہم اُن بنیادی اجزاء کا جائزہ لیں گے، جو کہ خود کار آلات سے لیس ہیں۔جب آپ پاور پوائنٹ کا آغاز کرتے ہیں تو آپ کو یہ چننے کا اختیار ہوتا ہے کہ اسے کس موڈ میں چلایا جائے۔ان میں سے ایک موڈ **Template** بھی ہے (جسے پاور پوائنٹ میں **Template Design** کا نام دیا گیا ہے)۔اس کا مقصد آپ کی پریزینٹیشن کے ڈیزائن کو خود کار آلات کی مدد سے تیار کرنے میں آپ کی مدد کرنا ہے۔اس میں درجنوں ڈیزائن پہلے سے موجود ہیں، علاوہ ازیں ان ڈیزائن کو انفرادیت دینے کے لئے مختلف آلات کی مدد سے ان میں تبدیلیاں لائی جاسکتی ہیں۔ڈیزائن کے علاوہ ہم ایک اور اہم خود کار امدادی فنکشن **Autolayout** کا بھی جائزہ لیتے چلیں۔یہ دو علیحدہ فنکشنز ہیں لیکن ہم ان کا ایک وقت ہی جائزہ لیں گے لیکن ان کو صرف ایک ہی طریقہ کار کے مُجزمت جانئے۔ان کا اپنا اپنا انفرادی کردار بھی ہے۔

پاور پوائنٹ کا آغاز کیجیے اور **Template** کو چنتے ہوئے **New Presentation** ڈائیلاگ باکس میں آجایئے۔یہاں سے **Presentation Designs** کے ٹیب کو چنئے۔آپ کو یہاں درجنوں ڈیزائن نظر آئیں گے۔یہاں سے **High Voltage** نامی ڈیزائن کو چنئے (ڈبل کلِک کے ساتھ)۔یہ آپ کو **New Slide** کے ڈائیلاگ باکس میں لے جائے گا جہاں آپ کو مختلف **AutoLayout** سٹائل پیش کئے جائیں گے، ہم ان کا جائزہ بعد میں لیں گے۔ابھی آپ **Blank layout** (دائیں ہاتھ نچلے کونے میں) ہی کو چنئے (ڈبل کلِک) تاکہ آپ **High Voltage** کے ڈیزائن کو پوری سکرین پر دیکھ سکیں امید ہے کہ یہ ڈیزائن آپ کو پسند آئے گا۔اگر نہیں تو اس میں آپ کی پسند کے مطابق ہر قسم کی تبدیلیاں لائی جاسکتی ہیں۔غور فرمایئے کہ ہمیں مختلف سلائیڈ ڈیزائن یا مختلف **layouts** کے لئے اب یہاں سے واپس جانے یا دوبارہ پاور پوائنٹ کا آغاز کرنے کی ضرورت نہیں ہے بلکہ ہم یہ سب کچھ یہیں سے ہی سرانجام دے سکتے ہیں۔اپنی سلائیڈ پر ماؤس کی دائیں کلِک کی مدد سے کوئیک مینیو کو سامنے لایئے۔اس مینیو کی کمانڈ **Apply design** پر کلِک کیجئے تو آپ کو وہ تمام ڈیزائن دوبارہ چننے کے لئے پیش کیئے جائیں گے جن میں سے آپ نے **High Voltage** کو چُنا تھا۔اسی طرح کوئیک مینیو کی **Slide Layout** کمانڈ کی مدد سے آپ **layout** کا انتخاب بھی یہیں سے کرسکتے ہیں۔

Since we rocketed into outer space with our singing, dancing, multi-media presentation right away, it is time to get back to earth to check out some of the basic functions and some more automated elements of PowerPoint. When you start PowerPoint, you are given various other options in addition to the blank presentation option. One of these options is **Template** (or **Template Design** in PowerPoint 2000). Its primary function is to give you a selection of ready-made designs. Instead of creating a design like we did for the Pak presentation, you could chose one of many ready-made designs. You could either use them as they are, or indeed modify them to give them a 'Unique' touch. We will use one of these designs and even modify it a little. At the same time, we will also check out more readymade options given in the **Autolayout** selection (New Slide) box (Fig) which precedes every new slide. So we will cover these two separate functions together. Do not confuse one with the other.

Launch PowerPoint and chose the **Template** option. This will take you to the **New Presentation** dialogue box. Select its **Presentation Designs** tab. You will find many different designs listed here. Find **High Voltage** and double click on it to select it. This will take you to the **New Slide** dialogue box where you are given a choice of **Autolayout**. Previously, we have only used the **blank** layout so far. For this exercise, we shall check out the others too. For now, select the **Blank layout** just to take a look at the **High Voltage** design in full. If we want to select a different design or a different layout, we don't have to go back or restart PowerPoint - we can do it from here. Click the right button on your mouse and you will get a quick menu. If you select the **Apply design** command, you will be given a dialogue box with all the other design templates from which you had chosen **High Voltage**. Here, you could select an alternative design to replace the one on your screen. The same is true for the **Slide Layout**.

Presentation Designs

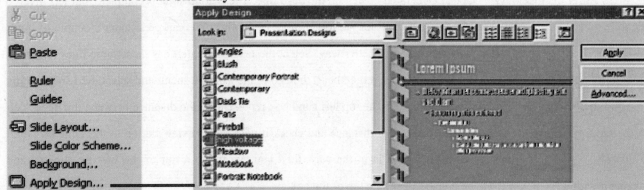

ماؤس کی دائیں کلک کی مدد سے چلنے والی کوئیک مینیو کی کمانڈ Apply design اور Slide Layout کمانڈ کے ساتھ کچھ تجربات کر لینے کے بعد دوبارہ High Voltage کے ڈیزائن کو سکرین پر لے آئیے۔ کوئیک مینیو کی مدد سے ایک دفعہ پھر Slide Layout کمانڈ کو چلائیے اور اس کے ڈائیلاگ باکس میں سے Title slide کو ڈبل کلک کرتے ہوئے چنیے۔ اس سلائیڈ میں دو بنے بنائے Text boxes ہیں۔ ان میں سے Click to add title والے باکس میں 'Electricity Production' ٹائپ کیجیے جو کہ ہماری پریزینٹیشن کا موضوع ہے اور پھر Click to add sub-title والے باکس میں '...A presentation by' لکھنے کے بعد اپنا نام لکھتے ہوئے پہلی سلائیڈ کو مکمل کیجیے۔ اس کو Power Production'. کا نام دیتے ہوئے محفوظ کر لیجیے۔ اب دوسری سلائیڈ کے لئے New slide کا استعمال کیجیے Slide Layout کے ڈائیلاگ باکس میں سے Bulleted List سے کو ڈبل کلک کرتے ہوئے چنیے۔ Click to add title والے باکس میں 'Main Sources' ٹائپ کیجیے اور Click to add text والے باکس میں 'Hydro Generated power' لکھنے کے بعد Enter کیجیے۔ یہاں دوسری سطر پر 'Fuel Generated power' ٹائپ کیجیے اور پھر اسی طرح Enter کرتے ہوئے تیسری سطر پر 'Nuclear Generated power' ٹائپ کیجیے۔ آپ نے نوٹ کیا ہو گا کہ ان تینوں سطروں کے درمیان فاصلہ بہت کم ہے۔ آئیے مزید کچھ سیکھتے ہوئے اس مسئلے کو بھی حل کرتے چلیں۔ ان سطروں والے text box کے حاشیے پر ایک دفعہ کلک کیجیے۔ حاشیہ اب چھوٹی چھوٹی ٹیڑھی لکیروں کی بجائے چھوٹے چھوٹے نقطوں میں تبدیل ہو جائے گا، جس کا مطلب ہے کہ اب یہ ایڈیٹنگ موڈ (Editing mode) میں ہے۔ اب Format کی مینیو میں سے Line spacing کی کمانڈ کو چنیے۔ اس کے ڈائیلاگ باکس کے سب سے اوپر بائیں جانب ایک باکس میں سطروں کے درمیان موجودہ فاصلہ درج ہے۔ اس باکس سے منسلک دو چھوٹی سی تیر نما تکوں کی مدد سے آپ اس فاصلے کو کم اور زیادہ کر سکتے ہیں۔ اس فاصلے میں اضافہ کرتے ہوئے اور Preview بٹن سے اس کا جائزہ لیتے ہوئے اس فاصلے کو حسب پسند تبدیل کر لیں (اگر ڈائیلاگ باکس کی وجہ سے آپ سطروں کو بخوبی دیکھ نہیں پا رہے تو اس باکس کے اوپر والے نیلے رنگ کے حاشیے میں ماؤس کے ساتھ اسے ہٹا کر سکرین کے کسی اور حصے میں لے جائیے۔ جب آپ مطمئن ہو جائیں تو دوسری سلائیڈ والے طریقۂ کار کو دہراتے ہوئے تیسری سلائیڈ کا آغاز کیجیے۔

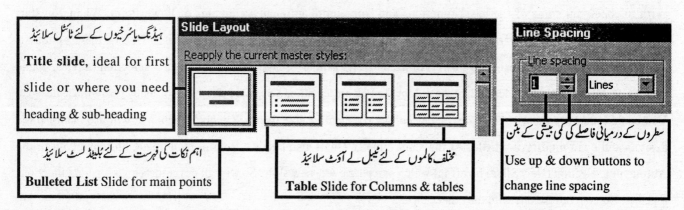

Title slide, ideal for first slide or where you need heading & sub-heading — ہیڈنگ یا سرخیوں کے لئے ٹائٹل سلائیڈ

Bulleted List Slide for main points — اہم نکات کی فہرست کے لئے بلیٹڈ لسٹ سلائیڈ

Table Slide for Columns & tables — مختلف کالموں کے لئے ٹیبل لے آؤٹ سلائیڈ

Use up & down buttons to change line spacing — سطروں کے درمیانی فاصلے کی کمی بیشی کے بٹن

After a little experimenting, revert back to the **High Voltage** design. Right click again to invoke the quick menu. Select the **Slide Layout** command and you have the **Slide Layout** selection box in front of you. This time, we will select the **Title slide** (see Fig. above). Double click on it and you will have this layout on the first slide. Just single click in the box that says **Click to add title** and simply type 'Electricity Production'. Then click in the box that says **Click to add sub-title** and type 'A presentation by...' followed by your name. The first slide is complete, save your work as 'Power Production'. Add a new slide by clicking on the **New slide** button. You will again get the **Slide Layout** dialogue box. This time, select the next layout design - **Bulleted List**. Click in the box that says **Click to add title** and type 'Main Sources'. Then click in the box that says **Click to add text** and type 'Hydro Generated power' Press enter and type 'Fuel Generated power' on the second line. Press **Enter** again and type 'Nuclear Generated power' on the third line. The second slide is complete, but lets divert a little to learn something else. You can see that the lines are too close to each other. We can press enter a couple of times between the lines to remedy this. However here is a better way. Select the text box which has these three lines (click the border until it changes from tiny slashes to tiny dots, remember?) then go to the **Format** menu and select the **Line spacing** command. In the resulting box, you have a figure in the top left hand box representing the distance between the lines. You can use the tiny arrows to increase prend decrease this distance and check it with the **Preview** button in the same box until the distance is to your liking. If the dialogue box is in the way, then you can move it out of the way by clicking and dragging it with your mouse from the blue border at the top of the box.

Presentation Tools 3 پریزینٹیشن کے آلات

تیسری سلائیڈ کے لئے **Table layout** کا انتخاب کیجئے۔ پہلے کی طرح **Click to add title** والے باکس میں 'Generating Methods' ٹائپ کیجئے اور **Double Click to add table** والے باکس میں ڈبل کلِک کیجئے۔ یہ باکس ورڈ کے تین کالموں میں تبدیل ہو جائے گا۔ پہلے کالم میں بجلی پیدا کرنے والے پہلے طریقے Hydro Generated کو شہ سُرخی کے طور پر درج کیجئے اس کو سلیکٹ کرتے ہوئے فانٹ سائز **24** اور **Bold** کے علاوہ **center- aligned** کو چنئے۔ اس شہ سُرخی کے نیچے اپنی معلوماتِ عامہ کا مظاہرہ کرتے ہوئے Hydro Generated بجلی کے متعلق چند الفاظ لکھئے (یا نیچے دی عبارت کو کاپی کر لیجئے) لیکن اس کے لئے فانٹ سائز **20** چنئے۔ اس کے بعد **TAB** کی کو ایک دفعہ دبانے سے آپ دوسرے کالم میں پہنچ جائیں گے۔ یہاں طریقۂ کار بالکل وہی ہے لیکن بجلی پیدا کرنے کا ذریعہ Fuel Generated ہوگا۔ اسی طرح Nuclear Generated power کے ساتھ تیسرے کالم کو بھی مکمل کرتے ہوئے اس سلائیڈ کو بھی مکمل کر لیں۔ اگر آپ گپ شپ کے موڈ میں ہیں تو اسی طرح سے ایک دو اور سلائیڈیں بھی بنالیں شائد ایک دن واپڈا میں نوکری کی درخواست دینی پڑ جائے۔ اپنی پریزینٹیشن کو چلا کر دیکھیں اور پھر اسے محفوظ کر لیں۔ مشق کے طور پر اب اس پریزینٹیشن کی سلائیڈوں کی منتقلی (transition) اور حرکتی اثرات (animated effects) کے ساتھ کچھ تجربات کر کے اپنی اس مہارت کو آزمائیے جو آپ نے گذشتہ صفحوں کے دوران حاصل کی۔

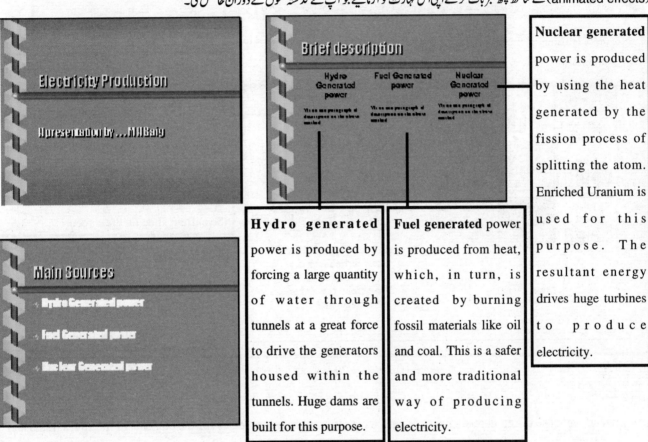

Nuclear generated power is produced by using the heat generated by the fission process of splitting the atom. Enriched Uranium is used for this purpose. The resultant energy drives huge turbines to produce electricity.

Hydro generated power is produced by forcing a large quantity of water through tunnels at a great force to drive the generators housed within the tunnels. Huge dams are built for this purpose.

Fuel generated power is produced from heat, which, in turn, is created by burning fossil materials like oil and coal. This is a safer and more traditional way of producing electricity.

Next, add a new slide by clicking on the **New slide** button. From the **Slide Layout** box, select the **Table layout** design - the one in the top right hand corner. As before, insert the slide title 'Generating Methods' in the **Click to add title** box. Double click in the box that says **Double Click to add table** and you will get a little dialogue box (Fig) to chose the number of columns and rows from. Select three columns (one for each method of generating power) and just one row and press **OK**. This will give you a word screen divided into three columns. Insert the first method, Hydro Generated power, as the heading for the first column, select it to increase its font size to **24** and make it **Bold** and **center aligned**. Press enter and write a few words on this topic (or use my suggested descriptions above) with font size **20**. Then either with the **TAB** button or mouse click, move to the second column to repeat the process for the second method, 'Fuel Generated power'. Then repeat the process for the third method in the third column in exactly the same way. If you feel confident enough you can use your imagination and add more slides with further information regarding this topic. And finally, carry out various experiments with transitional and special effects that you learnt to apply on the previous pages. BUT before you do this, save your work again.

اس سے پہلے کہ ہم آگے چلیں آپ کا تعارف Template کی ایک ایسی فنکشن سے بھی کرواتے چلیں جو کہ آپ کی پریزینٹیشن کو آپ کی مرضی کے مطابق ایک واحد اور مخصوص کیریکٹر دینے کے کام آتی ہے۔ فرض کیجئے کہ ایک کلاس کو بجلی پر ایک پراجیکٹ دیا جاتا ہے اور اُنھیں اس موضوع پر پریزینٹیشن تیار کرنے کو کہا جاتا ہے۔ ظاہر ہے کہ اس سلسلے میں High Voltage اکثریت کا انتخاب ہوگا۔ اس طرح کئی پریزینٹیشن ایک ہی جیسی لگیں گی، لیکن **Slide Color Scheme** کی صورت میں اس یکسانیت کو انفرادیت میں تبدیل کرنے کے لئے مکمل حل موجود ہے۔ اسے کسی بھی سلائیڈ پر دائیں ماؤس کی کلک کرتے ہوئے کوئیک مینیو میں سے چنئے۔ یہاں آپ بنے بنائے مختلف ڈیزائن پائیں گے ان پر ایک کلک کرنے اور **preview** بٹن کو دبانے سے آپ ان سب کو ایک نظر دیکھ سکتے ہیں۔ (اگر ڈائیلاگ باکس کی وجہ سے آپ سلائیڈ کو بخوبی دیکھ نہیں پا رہے تو اس باکس کے اوپر والے نیلے رنگ والی پٹی میں ماؤس کلک کرتے ہوئے اسے ہٹا کر سکرین کے کسی اور حصے میں لے جائیے)، جو ڈیزائن آپ کو سب سے زیادہ پسند ہو اسے چُن لیجئے۔ اب آپ یہ بھی کہہ سکتے ہیں کہ آپ کا پسندیدہ ڈیزائن کوئی اور بھی تو چُن سکتا ہے تو اس کا بھی حل موجود ہے۔ آپ **custom** ٹیب کے ذریعے اس سکیم میں بڑے پیمانے پر مزید تبدیلیاں لا سکتے ہیں۔

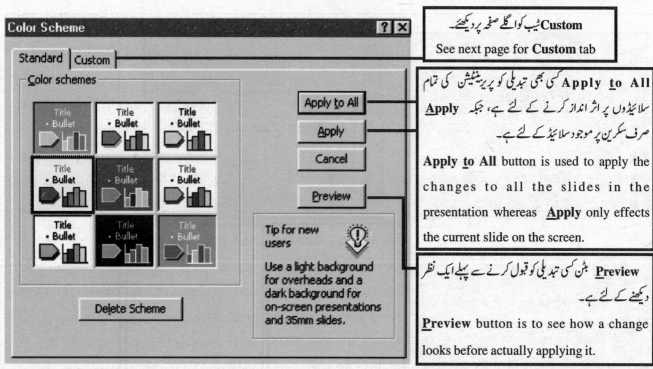

Custom ٹیب کو اگلے صفحہ پر دیکھئے۔

See next page for **Custom** tab

Apply to All کسی بھی تبدیلی کو پریزینٹیشن کی تمام سلائیڈوں پر اثر انداز کرنے کے لئے ہے، جبکہ **Apply** صرف سکرین پر موجود سلائیڈ کے لئے ہے۔

Apply to All button is used to apply the changes to all the slides in the presentation whereas **Apply** only effects the current slide on the screen.

Preview بٹن کسی تبدیلی کو قبول کرنے سے پہلے ایک نظر دیکھنے کے لئے ہے۔

Preview button is to see how a change looks before actually applying it.

جیسا کہ آپ دیکھ سکتے ہیں کہ یہاں مختلف رنگوں میں بنے بنائے ڈیزائن موجود ہیں جنہیں آپ اپنی سکرین پر موجود کسی بھی پریزینٹیشن کے لئے چُن سکتے ہیں۔ صرف یہ ہی نہیں بلکہ آپ ان ڈیزائنوں میں موجود کسی بھی رنگ کو ہزاروں رنگوں میں سے کسی ایک کے ساتھ تبدیل کر سکتے ہیں اور علاوہ ازیں ہر چنے گئے رنگ کے سیکڑوں شیڈز میں سے اپنی پسند کا شیڈ بھی چُن سکتے ہیں۔

As you can see these different ready made designs have different colour schemes for the contents of the slides. Each and every element can be further changed into any of the thousands of colours in hundreds of shades for each of those colours. (see next page)

Before we move on, I want to introduce to you a feature of Template that allows you to give your presentation a 'unique' touch. Suppose you were a student of a class doing a presentation on Electricity. The chances are that a large number of students will select High Voltage as the scheme for their presentation, creating a tone of monotony in the class. But High Voltage CAN be given a unique look with your preference of colours and animations. Invoke the quick menu by right clicking on any of the slides of your presentation. Choose the **Slide Color Scheme** option to get the **Color Scheme** dialogue box. Here you can see several colour schemes. Click on any of them and press the preview button in this same box. You will notice an instant transformation of the colour scheme of your slide underneath (If the dialogue box is in the way, then you can move it out of the way by clicking and dragging it with your mouse from the blue border at the top of the box). Try them all and settle for one. You may say someone else may have chosen this scheme. Well, press the **custom** tab in this dialogue box to make more changes.

کلر سکیم باکس کے **Custom** ٹیب کے بائیں طرف آٹھ خانے ہیں جن میں موجودہ سکیم کے پسِ منظر اور عبارت وغیرہ کے رنگ نظر آرہے ہیں۔ ان میں سے کسی بھی باکس پر ڈبل کلک کیجئے (یا پھر ایک کلِک کرنے کے بعد نیچے دیئے ہوئے **Change Color** بٹن پر کلِک کیجئے)۔ آپ کو ایک اور ڈائیلاگ باکس پیش کیا جائے گا جس میں آپ کو درجنوں رنگ چننے کو دیئے گئے ہیں۔ اگر یہاں بھی آپ کی پسند کا شیڈ نہیں ہے تو آپ اس نئے ڈائیلاگ باکس کے **Custom** ٹیب پر کلِک کیجئے۔ آپ کو رنگوں کا ایک پیلٹ پیش کیا جائے گا جس میں سے آپ ہزاروں کی تعداد میں بلکہ اس کے دائیں طرف والی سلائیڈر تکون کی مدد سے لاکھوں کی تعداد میں سے اپنی پسند کا شیڈ چن سکتے ہیں (اگر یہاں بھی آپ کو اپنی پسند کا رنگ نہ ملے تو آنکھوں کے کسی ماہر ڈاکٹر سے رجوع کیجئے!)۔ جب آپ اپنی مرضی کے رنگ کو چن لیں تو **OK** کو کلِک کرتے ہوئے واپس **Color Scheme** والے ڈائیلاگ باکس میں آجائیے۔ آپ اس کے **Color Scheme** ٹیب میں اپنی نئی کلر سکیم کو موجود پائیں گے۔ **Preview** کے بٹن کی مدد سے آپ دیکھ سکتے ہیں کہ یہ نئی سکیم آپ کی سلائیڈ میں کیسی لگ رہی ہے۔ اسی طرح سے آپ اپنی سلائیڈ کی کلر سکیم میں حسبِ پسند تبدیلیاں لا سکتے ہیں اور جب آپ مطمئن ہو جائیں تو **Add As Standard Scheme** بٹن پر کلِک کرتے ہوئے اسے محفوظ کر لیجئے۔ اگر آپ نے اس کلر سکیم کو اپنی سلائیڈ کی سکیم بناتے ہوئے اپنا لیا ہے تو اسے پریزینٹیشن کی تمام سلائیڈوں پر اثر انداز کرنے کے لئے **Apply All** کا بٹن دبائیے۔ آخر میں یہ مت بھولئے کہ اس کو آپ نے محفوظ کرنا ہے ورنہ آپ کی کلر سکیم ضائع ہو جائے گی۔

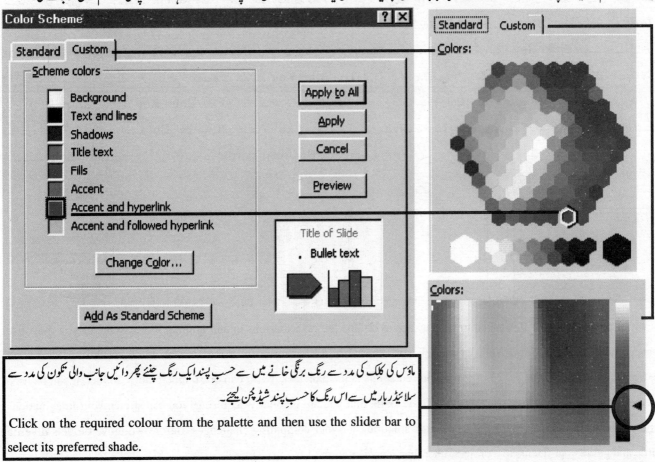

ماؤس کی کلِک کی مدد سے رنگ برنگی خانے میں سے حسبِ پسند ایک رنگ چنئے پھر دائیں جانب والی تکون کی مدد سے سلائیڈر بار میں سے اس رنگ کا حسبِ پسند شیڈ چن لیجئے۔

Click on the required colour from the palette and then use the slider bar to select its preferred shade.

In the **Custom** tab, you have eight squares on the left representing the colours (background, text etc.) used in this scheme. Click on any of these coloured boxes and click on the **Change Color** button underneath (or simply double click on the box you want to change the colour of). You will get another dialogue box, which offers over a hundred different colours to chose from. If you want more, click on the **Custom** tab of this second box. You can now select any of the thousands of colours by clicking anywhere in the multicolour square and moving the slider triangle to further select the right shade of the selected colour. Once you are happy with your selection, press **OK** to get back to the **Color Scheme** dialogue box. In the **Standard** tab of the **Color Scheme** box, you will find your color scheme listed there. Use the **Preview** button to see the effect of your new colour choice on your slide. You can chop and change (with the help of the **Preview** button) all the colours in your slide in a similar way. Once you are happy with your colour scheme, press the **Add As Standard Scheme** button. Your newly created colour scheme will be saved with your file if you decide to apply it. And if you do decide to apply it, you can apply it to the whole presentation by clicking the **Apply All** button - AND, don't forget to save or your changes will be lost and so will your new colour scheme.

Beyond Presentations (1) پریزینٹیشن سے آگے

اکثر لوگ یہ سمجھتے ہیں کہ پاور پوائنٹ صرف پریزینٹیشن تیار کرنے کے لئے ہے۔ شائد آپ میں سے اکثریت کو بھی اس سے پہلے یہی تاثر ملا ہو لیکن حقیقت میں پاور پوائنٹ ایک نہایت ہی کثیر المقاصد پروگرام ہے۔ اسے کسی حد تک ایک ڈیسک ٹاپ پبلشنگ پیکج کے طور پر بھی استعمال کیا جاسکتا ہے۔ مجھے یقین ہے کہ آپ نے اب تک اس کے استعمال سے جو تجربہ حاصل کیا ہے اس کو توسیع دیتے ہوئے آپ اس پروگرام کے ذریعے اپنی کمپیوٹنگ کی ضروریات کو پورا کرنے کے لئے کئی غیر معمولی کارہائے انجام دیں گے۔ آپ کی صلاحیتوں کی توجہ اس طرف دلانے کے لئے اس اگلی مشق میں ہم ایک پریزینٹیشن کی بجائے پاور پوائنٹ کو استعمال کرتے ہوئے آپ کے لئے بزنس کارڈ بنائیں گے۔

پاور پوائنٹ میں **File** مینیو میں سے **New** کمانڈ کے ساتھ ایک **Blank Presentation** کے ساتھ **blank** سلائیڈ کو چنتے ہوئے ایک نئی فائل کا آغاز کیجئے (اگر آپ آفس 2000 استعمال کر رہے ہیں تو **Slide view** چنئے)۔ **Zoom** بٹن کو **100%** تک بڑھالیجئے تاکہ آپ اپنے ابتدائی کارڈ کے اجزاء کو بآسانی دیکھ سکیں۔ ڈرائنگ بار کے **Rectangle** ٹول کو چنئے اور سلائیڈ پر کہیں بھی ساڑھے تین انچ لمبی اور دو انچ چوڑی ایک مستطیل بنائیے (جی ہاں آپ رولر کا استعمال کر سکتے ہیں!) ہمیں پس منظر میں رنگ نہیں چاہیئے اس لئے **Fill Color** بٹن کے ساتھ والی تکون پر کلِک کرتے ہوئے **No Fill** کمانڈ کو استعمال کرتے ہوئے اس کے اندرونی رنگ کو مٹادیں۔ اب باقی ماندہ حاشیئے کو ایک متواتر لکیر کی بجائے نقطوں میں تبدیل کرنے کے لئے ڈرائنگ بار کے **Dash Style** کے بٹن میں سے نقطے دار لکیر کا انتخاب کیجئے۔ اس کے بعد ڈرائنگ بار کے بٹن **Text Box** کی مدد سے اپنے کارڈ کے درمیان میں ایک **Text Box** کا آغاز کیجئے اور اس میں کارڈ کی عبارت کا آغاز اپنے نام سے کیجئے (ابھی عبارت کے سائز کی فکر مت کیجئے اسے ہم بعد میں درست کرلیں گے)۔ **Enter Key** کو دباتے ہوئے اگلی سطر پر اپنی کمپنی یا ادارے کا نام درج کیجئے۔ اس کے بعد تھوڑے فاصلے کے لئے **Enter Key** کو دو دفعہ دبائیے اور یہاں اپنے ادارے کا مکمل پتا دو یا تین سطروں میں لکھئے۔ اس کے بعد یہاں بھی فاصلہ چھوڑنے کی خاطر پھر **Enter Key** کو دو دفعہ دبانے کے بعد اپنا فون، فیکس اور ای میل درج کیجئے۔ اب واپس اپنے نام کی طرف آیئے اور اسے سلیکٹ کرنے کے بعد اس کے لئے فانٹ سائز **14** چنئے اور اسے **Bold** کرلیجئے۔ باقی ماندہ عبارت کو سلیکٹ کرنے کے بعد اس کے لئے فانٹ سائز **10** کو چنئے۔ ان میں سے صرف کمپنی نام کو دوبارہ سلیکٹ کرتے ہوئے اسے **Bold** کرلیجئے۔ پہلا مرحلہ مکمل ہوا، اسے اب **'Business cards'** کا نام دیتے ہوئے محفوظ کرلیں۔

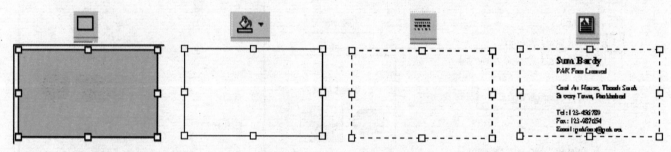

A lot of people think of PowerPoint as a package to do just the presentations in and nothing more. Some of you may also have established that view. Well, let me tell you otherwise. As I mentioned at the start of this book, PowerPoint is an extremely versatile package. Yes, creating presentations is its main task, but it can do so much more. In fact, it can be used as a desktop publishing package. With the basic skills that you are gradually acquiring, you can stretch your imaginations and utilise the tools in PowerPoint to develop solutions for your computing challenges. Before we move on, lets divert a little and guide your talents to a project other than a presentation.

Lets create a set of business cards for you. Open a new file in PowerPoint (**File - New - Blank Presentation - OK**). Select the **blank** slide layout from the **New Slide** dialogue box. Select **Slide View**. Zoom in at **100%** for now in order to create the first card. From the drawing bar select the **Rectangle** tool and draw a rectangle sized 3.5 inches across and 2 inches wide (yes you can use the ruler if you like!). We don't want the colour fill, so click the little triangle next to the **Fill Color** button (remember the bucket?) and select the **No Fill** command. In order to be able to cut the card neatly, turn the border of the triangle into dots by selecting a dotted line from **Dash Style** button on the drawing bar. Next, select a **Text Box** from the drawing bar and click in the triangle. Write your name here and don't worry about the font size at the moment. Press **Enter** and type the name of your company, organisation or club. Press enter twice now and type in the address on the next two or three rows. Finally press Enter twice again and write down telephone and fax numbers followed by the email address. Now, select your name in the text box and chose font size **14** (and **Bold** as well) for it. Select the rest of the text in the box and chose font size **10**. Select the company name and choose **Bold** for it). Now save your file, name it **'Business cards'**.

Beyond Presentations (2) پریزینٹیشن سے آگے

اب ہم نے اس سادہ سے کارڈ کو سجانا ہے۔ اس کے لئے ہمارا انتخاب اُن گرافکس تک محدود ہے جو کہ آپ سب کے کمپیوٹروں میں موجود ہوں۔ آیئے ایک بنی بنائی پریزینٹیشن میں سے اپنے کارڈ کے لئے ایک تصویر نکال کر لائیں۔ **File** کی کمانڈ **New** کو چلانے کے بعد **Presentations** کے ٹیب پر کلِک کیجئے۔ یہاں دی ہوئی بنی بنائی پریزینٹیشنز میں سے **Project Status** کا انتخاب کرتے ہوئے اسے کھولئے (آفس 2000 میں اس کا نام **Reporting Progress or Status** ہے)۔ اس کے بائیں طرف والا سنہری گرافک ہم نے اپنے کارڈ کے لئے کاپی کرنا ہے۔ **View** مینیو میں **Master** کمانڈ پر کرسر کو لے جانے سے ایک چھوٹی مینیو سامنے آئے گی اس میں سے **Slide Master** پر کلِک کیجئے۔ اب کرسر کو اس سنہری پٹی پر لے جا کر ماؤس کی دائیں بٹن کو کلِک کیجئے۔ سامنے آنے والی مینیو میں سے **Copy** کی کمانڈ کو چنتے ہوئے اس کی ایک کاپی بنالیجیے۔ اب اس پریزینٹیشن کو بند کرتے ہوئے واپس اپنے کارڈ والی پریزینٹیشن میں آجایئے۔ یہاں اب کہیں بھی ماؤس کے دائیں بٹن کو کلِک کیجئے۔ سامنے آنے والی مینیو میں سے **Paste** کی کمانڈ کو چنتے ہوئے اس کی ایک کاپی یہاں چسپاں کردیں۔ آپ دیکھیں گے یہ پٹی اب سنہرے رنگ سے سبز میں تبدیل ہو چکی ہے۔ اس کی وجہ یہ ہے کہ ہماری موجودہ پریزینٹیشن کے رنگوں کی سکیم مختلف ہے۔ ہم اسے بآسانی دوبارہ سنہرے یا کسی اور رنگ میں تبدیل کرسکتے ہیں لیکن چونکہ ہمیں اس کا رنگ سبز ہی ہونا درکار ہے اس لئے ہم اسے ایسا ہی رہنے دیں گے۔ البتہ اس کا حجم کچھ ضرورت سے زیادہ ہی بڑا ہے۔ اس کے ہینڈلوں کی مدد سے اس کے سائز کو اتنا کم کرلیں کہ یہ آپ کے کارڈ کی چوڑائی سے زیادہ نہ ہو۔ عبارت اور اس پٹی کو نیچے دی ہوئی تصویر (1) کے مطابق ترتیب دے لیں۔ TIP: پاور پوائنٹ میں عبارت کے خانوں (Text boxes) اور تصاویر کو ایک جگہ سے دوسری جگہ منتقل کرتے ہوئے **Alt** کی کے استعمال کو آپ نہایت ہی مفید پائیں گے۔ اب ہمیں سفید رنگ کے **PAK** کے الفاظ سبز پٹی میں ڈالنا ہیں۔ اس کے لئے کارڈ سے ہٹ کر سلائیڈ کے کسی بھی خالی حصے میں ایک اور **Text box** بنایئے اور اس میں کیپیٹل **P** ٹائپ کیجئے، پھر **Enter** کی کو دبا کر دوسری سطر پر کیپیٹل **A** ٹائپ کیجئے اور ایک دفعہ پھر **Enter** کی کو دبا کر تیسری سطر پر کیپیٹل **K** ٹائپ کیجئے۔ پھر ان تین حروف کو سلیکٹ کرتے ہوئے ان کے لئے سفید رنگ اور فانٹ سائز **24** چنئے۔ نوٹ کیجئے: کیونکہ ہم نے الفاظ کا رنگ سفید چنا ہے اس لئے یہ ابھی نظر نہیں آئیں گے جب تک کہ آپ اس **Text Box** کو اُٹھا کر اپنے کارڈ کی سبز پٹی میں لے جا کر سجا نہیں دیتے (تصویر 2)۔

1

Sum Bardy
PAK Fans Limited.
Cool Air House, Thandi Sarak
Breezy Town, Pankhabad.
Tel: 123-456789
Fax: 123-987654
Email: pakfans@pak.net

2

Sum Bardy
PAK Fans Limited.
Cool Air House, Thandi Sarak
Breezy Town, Pankhabad.
Tel: 123-456789
Fax: 123-987654
Email: pakfans@pak.net

Now, we need to introduce some graphical decoration into your card. We are going to nick one from one of the ready made designs. Follow me - Go to **File** - **New** - and click on the **Presentations** tab. Find a presentation called **Project Status** (in Office 2000, its called **Reporting Progress or Status**) and double click on it to open it. We are going to get that golden edge border on the left. From the **View** menu, select **Master** and then from the resulting submenu, select **Slide Master**. Click the right mouse button on the golden edge and, from the resulting quick menu, click on the **Copy** command to make a copy of it and close this presentation. Once you are back to your card, right click again and select the **Paste** command to paste your edge. You will find it has turned green. This is due to the fact that it has defaulted to PowerPoint's current colour palette. However, this is fine, as we needed it to be green any way. The size obviously needs to be scaled down. Use the handles to reduce its size so that it is no bigger than the height of the card and then place it on the right hand side of the card as in Fig.1. **TIP**: Use the **Alt** key and you will find the moving process is much smoother (this goes for all objects in PowerPoint including text boxes). Next, get another **Text Box** and click anywhere on the slide but away from your card. Type a capital **P** and press **Enter**. Then type a capital **A** and press Enter and finally, type a capital **K**. Now select the text in the box from P to K and change its colour to **White** (you should know how to do this - through the **Font Color** icon on the drawing bar). The font size should be **24**. **Note** that you will not be able to see the white text for the obvious reason that the background is white also. Now pick the text box and place it over the green border of the card (Fig.2).

Beyond Presentations (3) پریزینٹیشن سے آگے

ہم اپنے کارڈ میں ایک پنکھے کی کلِپ آرٹ شامل کر رہے ہیں۔ اگر آپ کی بھی ایسی کلِپ آرٹ تک رسائی ہو تو ایسا کیجئے۔ وگرنہ شائد آپ خود ایسی کلِپ آرٹ پاور پوائنٹ ہی میں تیار کرنا پسند کریں (تفصیلات اگلے صفحہ پر)۔ اب ہم **Copy** اور **Paste** کی کمانڈز کے ساتھ اپنے کارڈ کی مزید کاپیاں بنا کر اُنھیں **Draw** مینیو کے آلات کو استعمال کرتے ہوئے ایک صفحہ پر بارہ کی تعداد میں اس طرح ترتیب دیں گے کہ اُن کو پرنٹ کرنے کے بعد سلیقے سے کاٹا جا سکے۔ آپ نے ورڈ کے چیپٹر کے دوران ڈرائنگ بار کی مشقیں کی ہوئی ہیں اس لئے اس مشق میں آپ کو دقت نہیں ہونی چاہیے۔ یہ یقین کرتے ہوئے کہ آپ کے کارڈ کا کوئی بھی جزو سلیکٹ شدہ نہیں ہے **Edit** کی کمانڈ **Select All** کو چلاتے ہوئے اس کارڈ کے تمام کے تمام اجزاء کو بیک وقت سلیکٹ کر لیں۔ اس کے بعد **Draw** مینیو میں سے **Group** کمانڈ کو چنئے۔ کارڈ کے تمام اجزاء ایک گروپ میں تبدیل ہو جائیں گے۔ اپنی سلائیڈ کا زوم 50% کر لیں تاکہ آپ ساری کی ساری سلائیڈ کو دیکھ سکیں۔ **Alt** کی کی مدد سے اپنے کارڈ کو سلائیڈ کے اوپر والے بائیں کونے میں لے جائیے (1)۔ اب اسکی ایک کاپی بنا کر اس کے دائیں جانب لگا دیں۔ اسی طرح ایک اور کاپی کو دوسری کاپی کے دائیں جانب چسپاں کر دیں (2)۔ اس کے بعد **Edit** مینیو کی **Select All** کمانڈ کی مدد سے تینوں کارڈ سلیکٹ کر لیں۔ اب ہم ان تینوں کو ایک قطار میں سیدھا اور ایک جیسے درمیانی فاصلے کے ساتھ ترتیب دیں گے۔ اس کے لئے **Draw** مینیو میں **Align or Distribute** پر اپنا کرسر لے جائیے۔ چند لمحوں بعد آپ کے سامنے ایک اور مینیو آئے گی۔ اس میں سے **Align Middle** کی کمانڈ کو چنئے۔ پھر اسی طرح کارڈوں کے درمیانی فاصلے کے لئے **Distribute Horizontally** کی کمانڈ کو چنئے۔ اس کے بعد **Draw** مینیو میں سے **Group** کی کمانڈ کو ایک دفعہ پھر استعمال کرتے ہوئے ان تینوں کارڈں کو یکجا کر لیں، تاکہ یہ تین کارڈز ایک پٹی کی شکل اختیار کر لیں (2)۔ پھر اس پٹی کی چار کاپیاں بناتے ہوئے اُنھیں سیدھی قطاروں میں صفحہ پر ترتیب دیجئے (3)۔ اس کے لئے ماؤس کے ساتھ **Alt** کی اور کرسر **Keys** کا استعمال مددگار ثابت ہوگا۔ آپ کے کارڈز اب پرنٹنگ کے لئے تیار ہیں۔

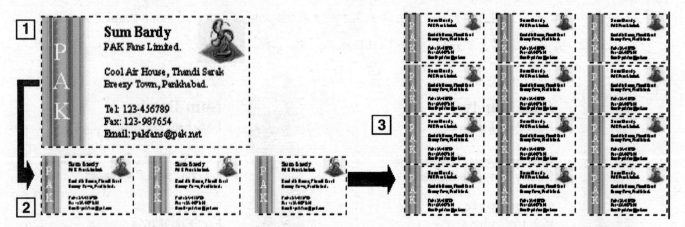

I am going to add a little clipart of a fan to my card. If you have one, feel free to add it to yours. If not, perhaps you can make one right here in PowerPoint using the Drawing bar tools (see next page). We are now going to use the **Copy** and **Paste** commands along with the tools in the **Draw** menu to neatly put 12 of these cards on a single slide. If you remember our exercises with the Drawing bar tools in M S Word, you will not have much difficulty doing this. Once you are happy with your card, making sure none of its elements are selected, go to the **Edit** menu and click on the **Select All** command. All elements of the card are instantly selected. Click on the **Draw** menu on the Drawing bar and select the **Group** command from it to combine all parts of your card into one group. Change the view of your slide to about 50% so that you can see it all. Move your card to the top left corner (with the help of the **Alt** key). Copy and Paste it. Move the pasted second copy to the right of the first one (don't worry about the alignment yet). Paste the third copy and place it to the right of the second copy. Go to **Edit** command again and click on the **Select All** command. All three cards are now selected. Click on the **Draw** menu button, move your cursor to the **Align or Distribute** command and you will get a sub menu. Choose the **Align Middle** option from this sub menu to align the cards. Immediately after, use the **Distribute Horizontally** command of this menu to distribute cards evenly across the page. With the cards still selected, use the **Group** command again to combine these three cards into one group (Fig.2) turning it into a strip of three cards. After this, copy and paste this strip four times to make four rows of three on your slide to give you 12 cards per page. Use the **Alt** key to manually spread them evenly or use the Alignment commands for this purpose. All you need now is a printing facility and paper with the thickness of a business card to print. Cards can now be cut individually, using the dotted border as a guide.

Beyond Presentations (4) پریزینٹیشن سے آگے

آپ کو اپنے کارڈ کے لئے ایک پنکھے کی کلپ آرٹ شائد ملی تھی یا نہیں آپ یہ کلپ آرٹ خود بھی بنا سکتے ہیں۔ ویسے تو کلپ آرٹ کی تخلیق کے لئے مخصوص سافٹ ویئر درکار ہے، لیکن اس مشق کا مقصد آپ کو یہ احساس دلانا ہے کہ آپ اپنی پریزینٹیشن کو سنوارنے کے لئے پاور پوائنٹ کے اندر ہی سے بہت کچھ حاصل کر سکتے ہیں لیکن اس کے لئے میں نے آپ کی راہنمائی نہ کرنے کا فیصلہ کیا ہے۔ یہ آپ کے لئے ایک مشق اور چیلنج ہے کہ نیچے دیئے ہوئے اشاروں کی مدد سے اپنے کارڈ کے لئے ایک پنکھا تیار کریں۔ آپ یہ تمام آلات کتاب کے مختلف حصوں میں استعمال کر چکے ہیں۔

You may or may not have found a suitable clipart for your card. Whatever the case, you are now going to make one right here in PowerPoint. This will give you an insight into how much you can do within PowerPoint to enhance your presentations and projects. And guess what? I am not going to guide you this time, **YOU** are going to do it!

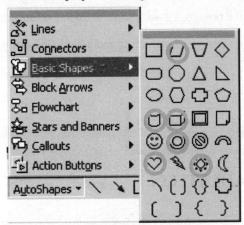

Use the clues on this page and remember, **you have used these tools and commands elsewhere in the book**. You also need to remember the techniques you have learnt to resize objects and how to move them around more smoothly and accurately.

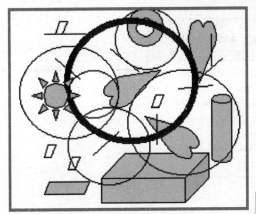

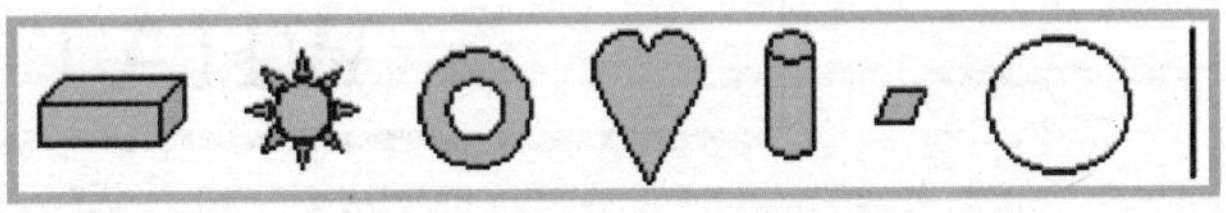

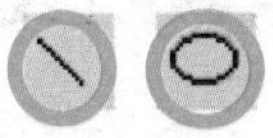

Important Reminders

جب آپ پنکھا بنا لیں تو اس کو چھوٹا اور بڑا کرنے کے لئے ایک تو ہمیشہ اس کے کونے والے ہینڈل کو استعمال کیجئے اور دوسرا یہ کہ پنکھے کے اجزاء میں تناسب رکھنے کے لئے اس کو چھوٹا یا بڑا کرتے وقت **Shift** کی کا استعمال ضرور کیجئے ورنہ آپ کے پنکھے کی شکل بگڑ جائے گی اور یاد رکھیئے کہ **Alt** کی سکرین پر اشیاء کو ترتیب دینے میں نہایت مددگار ثابت ہوتی ہے۔

When increasing and decreasing the size of the fan, use the corner handle **and** use the **Shift** key to keep the proportion of its contents right or else your fan will go out of shape. Use the **Alt** key when moving objects about.

یاد رہے کہ۔۔۔۔۔۔

Group کمانڈ کی مدد سے سلیکٹ شدہ اشیا کو ایک گروپ میں جوڑا جا سکتا ہے جبکہ **Ungroup** ایسے گروپ کو دوبارہ توڑ کر انفرادی اشیا کو علیحدہ کر دیتا ہے۔

Group command combines all selected items into one object, whereas **Ungroup** does the reverse.

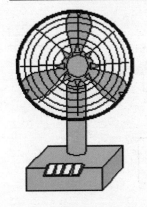

PAK
Sum Bardy
PAK Fans Limited.
Cool Air House, Thandi Sarak
Breezy Town, Pankhabad.
Tel: 123-456789
Fax: 123-987654
Email: pakfans@pak.net

Beyond Presentations (5) پریزینٹیشن سے آگے

نیچے دیا ہوا ڈائیاگرام پاور پوائنٹ کی ہفت رنگی کی ایک اور مثال ہے۔ یہ سادہ ساڈائیاگرام الیکٹرومیگنیٹک سپیکٹرم کے اجزاء کی تفصیل اور خاص طور پر اس میں الٹراوائلٹ شعاعوں کے مخصوص مقام کی نشاندہی کرتا ہے۔ آپ نچلی تصویر میں اس کے بکھرے ہوئے حصوں سے اندازہ لگا سکتے ہیں کہ میں نے اسے پاور پوائنٹ کی ڈرائنگ بار کے اُنہیں آلات سے تیار کیا تھا جن کو آپ نے ابھی استعمال کیا ہے۔ میری سابقہ کمپنی نے اس سلائیڈ کو دُنیا بھر میں اپنی الٹراوائلٹ مصنوعات کی مارکیٹنگ اور پروموشن کے لئے پریزینٹیشن میں استعمال کیا ہے۔

Here is another example of the versatility of PowerPoint. This is very similar to what you have just done on the previous page. It is a simple diagram which explains the layout of an Electromagnetic spectrum and the location and nature of UltraVoilet rays within it. As you can see, from the exploded version at the bottom, I used simple elements of the drawing bar menu to create it. The slide has been used the world over in my former emloyer's marketing and advertising campaigns promoting UV and its benefits.

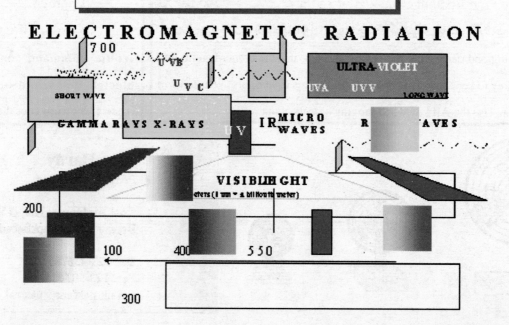

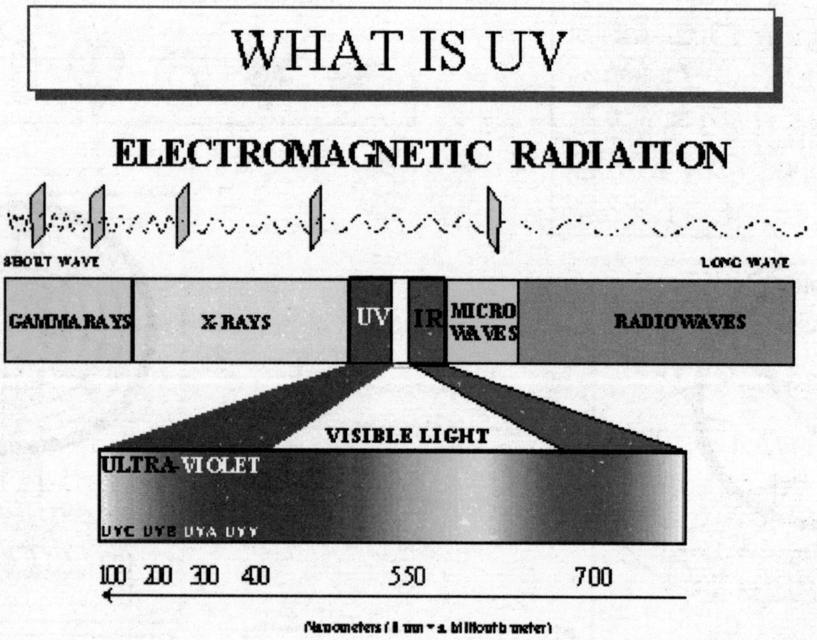

Some Useful Keyboard Shortcuts for **PowerPoint**-پاور پوائنٹ کے لئے کچھ مفید کی بورڈ شارٹ کٹس

Here are some of the most useful short cuts in Powerpoint-ذیل میں پاور پوائنٹ کی چند مفید ترین شارٹ کٹس کی ایک فہرست دی جا رہی ہیں

عمل	Short cut-شارٹ کٹ	Action
فانٹ (عبارت) کے سائز کو بڑھانے کے لئے	CTRL+Shift+>	Increase Font Size
فانٹ (عبارت) کے سائز کو کم کرنے کے لئے	CTRL+Shift+<	Decrease Font Size
عبارت کو بولڈ (موٹا) کرنے کے لئے (ٹاگل)	CTRL+B	Bold
عبارت کو انڈر لائن کرنے کے لئے (ٹاگل)	CTRL+U	Underline
عبارت کو اٹالیک کرنے کے لئے (ٹاگل)	CTRL+I	Italic
سپیلنگ اور گرامر چیکر	F7	Spelling Checker
سلیکٹ شدہ عبارت یا شے کو کاٹنے کے لئے	CTRL+X	Cut
سلیکٹ شدہ عبارت یا شے کاپی کرنے کے لئے	CTRL+C	Copy
کاپی شدہ مواد کو پیسٹ (چسپاں) کرنے کے لئے	CTRL+V	Paste
کئے گئے عمل کو منسوخ کرنے کے لئے	CTRL+Z	Undo
اس سے پہلے والی شے تک جانے کے لئے	TAB	To Previous Object
اگلی شے تک جانے کے لئے	Shift+TAB	To Next Object
تمام اشیاء کو سلیکٹ کرنے کے لئے	CTRL+A or F2	Select All Objects
ایک شے کی کاپی بنانے کے لئے	CTRL+D	Create a Duplicate Object
ایک لفظ کو سلیکٹ کرنے کے لئے	Double-Click	Select Word
پورے پیراگراف کو سلیکٹ کرنے کے لئے	Triple-Click	Select Paragraph
ایک نئی پریزنٹیشن کا آغاز کرنے کے لئے	CTRL+N	New Presentation
ایک پریزنٹیشن کو کھولنے والے باکس کے لئے	CTRL+O, CTRL+F12	Open a Presentation
Save As کی کمانڈ کو چلانے کے لئے	F12	Save As
پرنٹ کے ڈائیلاگ باکس کے لئے	CTRL+P	Print
کسی لفظ کی تلاش کے لئے	CTRL+F	Find
متلاشی لفظ کو جس لفظ سے تبدیل کرنا ہو اس کے لئے	CTRL+H	Replace
نئی سلائیڈ کے لئے	CTRL+M	New Slide (menu)
پاور پوائنٹ کو بند کرنے کے لئے	CTRL+Q or ALT F4	Exit/Quit
ایک نئی سلائیڈ ڈالنے کے لئے	CTRL+Enter	New Slide
سلیکٹ شدہ اشیاء کو یکجا (Group) کرنے کے لئے	CTRL+Shift+G	Group
یکجا اشیاء کو علیحدہ (Ungroup) کرنے کے لئے	CTRL+Shift+H	Ungroup
علیحدہ کی گئی اشیاء کو دوبارہ یکجا (Regroup) کرنے کے لئے	CTRL+Shift+J	Regroup
سلیکٹ شدہ شے کو کہیں اور لے جانے کے لئے	Arrow Key	Nudge object one grid unit
سلیکٹ شدہ شے کو زیادہ باریکی کے ساتھ کہیں اور لے جانے کے لئے	CTRL+Arrow Key	Nudge object one pixel
سکرین پر پوائنٹر (کرسر) کو ہٹانے اور واپس لانے کے لئے (ٹاگل)	A or =	Show/Hide Pointer
شو کے خاتمے کے لئے	ESC, CTRL+Break	End Show
امدادی کمانڈ (آن لائن مدد حاصل کرنے کے لئے)	F1	Help/Assistant command

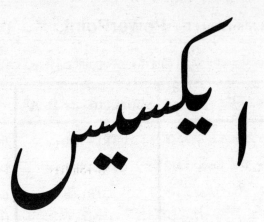

ایکسیس

ایکسیس ڈیٹابیس کے لئے ایک اسپیشلسٹ پیکج ہے، اگرچہ عام لوگوں کے لئے بلکہ چھوٹی کمپنیوں تک کے لئے ایکسیل ہی ڈیٹابیس کی ضروریات کے لئے کافی تصور کی جاتی ہے، لیکن کسی بڑی تنظیم، کمپنی یا گورنمنٹ کے کسی ادارے کے لئے اگر ایک جامع اور وسیع ڈیٹابیس کی تشکیل کرنا درکار ہو تو اس کے لئے ایکسیس جیسے طاقتور پروگرام کی ضرورت ہوتی ہے۔ ایکسیل کی ڈیٹابیس بنانے کی اہلیت کی بنا پر ایکسیس کو مائیکروسافٹ آفس کے روایتی ورشن میں شامل نہیں کیا جاتا بلکہ اسے صرف پروفیشنل ورشن میں شمار کیا جاتا ہے اس لئے پہلے چیک کر لیجیے کہ کیا یہ آپ کے کمپیوٹر میں موجود بھی ہے یا نہیں۔ ایکسیس ڈیٹابیس کے نہایت ہی طاقتور آلات سے لیس ہے۔ ایکسیل میں ڈیٹابیس کی فنکشن کو شامل کرنے کے بعد ایکسیس کی اس کتاب میں شمولیت اس کتاب کے مقاصد سے باہر تھی لیکن اس کتاب کو ایک مکمل کورس کی شکل میں پیش کرنے کے لئے اس میں ایکسیس سے تعارف کے لئے اس چیپٹر کو شامل کیا جا رہا ہے۔ بے شک ایکسیس ایک بھاری نوعیت کا پیکج ہے، لیکن اسے سیکھنے کی خاطر اس میں اپنی سی ڈی کے مجموعے یا ایڈریس بک کو ترتیب دینے کی کوشش کیجیے۔ ایکسیس پر لکھی گئی کتابیں ایک ہزار صفحات کے لگ بھگ کی جسامت میں بھی آچکی ہیں لیکن اس چیپٹر میں کم سے کم الفاظ میں آپ کو اس کے بنیادی اصولوں سے متعارف کروایا جا رہا ہے۔ اگر اس کے بعد آپ ایکسیس کو مزید سیکھنا چاہیں تو یاد رکھیئے کہ اس کی اندرونی مدد یعنی ہیلپ آپ کے لئے نہایت ہی کارآمد ثابت ہو گی۔

Microsoft Access is a specialist application dedicated to the sole purpose of creating and maintaining databases. As you have learnt by now, Microsoft Excel is more than capable of handling large databases in its spreadsheet form. In fact many people, and even companies, use the versatile Excel for this very purpose in addition to its spreadsheet duties. This is the reason why Access is not a regular member of the standard Microsoft Office family - it only comes with the professional version - **You need to check if you have it on your system**. And this is the reason that I debated in my mind the issue of its inclusion in this book right to the eleventh hour. Although the scope of this book did not necessitate its inclusion, I have decided to include a basic introduction to it to make this book as complete as possible. Having said that, make no mistakes, Access is the heavy weight champion of the database world. Excel will probably easily accommodate most of you for your database requirements, but the power and specialist features of Access to build and maintain a database, are unmatched. When it comes to building a large but efficient database for an organisation, a corporate or a government body, Access is the answer. Access is a complex application and a thousand plus page books on it are not uncommon but don't let this deter you from building a database of your CD collection or even a telephone book in it. Not everyone needs to master all aspects of it. All you need to be able to do is to know its basic operations to start with. And if your line of work requires building and maintaining databases in Access, then you can build on the foundation this chapter will help you to establish. And don't forget the built-in help within Access, it can be a very useful tool if you really want to dig deeper.

ACCESS

Access -1- ایکسیس

ٹیبلز: جیسا کہ آپ اب تک جان چکے ہوں گے کہ ڈیٹا بیس معلومات کے ایک ایسے مجموعے کو کہتے ہیں جو کہ ایک فہرست یعنی ٹیبل کی شکل میں ترتیب دیا گیا ہو۔ جیسا کہ ایک اولمپک میں جیتے گئے میڈلز کی فہرست یا ایک شہر کے لوگوں کے نام پتے اور فون وغیرہ کی ایک لسٹ۔ ایکسیس کے ڈیٹا بیس میں ایک سے زیادہ ٹیبل کا استعمال اس کی کارکردگی اور اہلیت میں زبردست اضافے کا باعث بنتا ہے۔ ایکسیس نہ صرف لاکھوں کی تعداد میں اندراج وشمار کو یکجا کر سکتا ہے بلکہ ڈیٹا کے اس ذخیرے میں سے مطلوبہ معلومات کو آسانی اور کم سے کم وقت میں چھان کر پیش کر سکتا ہے۔

Tables

A database, as you know by now, is simply a collection of records in a table. An Olympic medal table is a database, so is the compilation of records residents of a city. Access databases are compilations of data in one or more tables. Not only can it take-in masses of information in such tables, it also performs various sophisticated actions to make best use of this huge collection of information. Its primary task is to quickly and efficiently extract the information the user wants. After all, what is the point of collating a million records if we can not access the information required within a reasonable period of time and in the form we want it?

ٹیبل کے کالم اور ریکارڈ: ڈیٹا بیس ٹیبل حقیقت میں ایک دوسمتی فہرست ہے جو کہ کالم اور ریکارڈ پر مشتمل ہوتی ہے۔ اوپر سے نیچے والی سطریں ریکارڈ کہلاتی ہیں جبکہ بائیں سے دائیں طرف والے خانے کالم کہلاتے ہیں۔ ایک سادہ ڈیٹا بیس ایک ٹیبل پر بھی مشتمل ہو سکتا ہے، جبکہ ایک مرکب ڈیٹا بیس میں کئی ٹیبل ہوتے ہیں اور مطلوبہ معلومات ایک یا ایک سے زیادہ ٹیبل کے کالموں اور ریکارڈ سے حاصل کی جا سکتی ہے۔

Columns and Records in a Table

A simple table has a two-dimensional structure - columns and records. The vertical divisions are called columns (also known as fields) and the horizontal divisions are known as records. A simple database can have one table and a more complex one can have several tables. The information can be drawn out of these columns and records of one or several tables depending on what information the user requires.

ڈیٹا کی اقسام: ڈیٹا بیس کے ٹیبل میں کالموں میں مختلف اقسام کا ڈیٹا تشکیل دیا جا سکتا ہے جیسا کہ ہندسے، الفاظ اور تاریخ وغیرہ لیکن ایک کالم میں صرف ایک ہی طرز کا ڈیٹا استعمال ہو سکتا ہے جیسا کہ ایک ٹیلیفون ڈائریکٹری میں نام کے کالم میں عبارتی الفاظ اور ٹیلیفون نمبروں کے کالم میں الفاظ کی بجائے ہندسوں کا استعمال ہوگا۔

Data Type

Columns, or fields, in a table can have various data types - Text, Number, Date, and Memo depending on the contents of a table. For example, a telephone directory database would have Name (Text), city (Text) and Phone (Number) columns etc.

پرائمری کی فیلڈ: ایک ٹیبل میں ایسے کالم کو کہتے ہیں، جس میں ایک ریکارڈ کے متعلق کوئی مخصوص معلومات درج ہوں جیسا کہ ایک ٹیلیفون ڈائریکٹری میں کئی ریکارڈ کے نام کے کالم میں ایک جیسے نام ہو سکتے ہیں اور اسی طرح پتے کے کالم میں بھی ایسا ممکن ہے یعنی ایک ہی نام کے کئی لوگوں کا ایک ہی علاقے میں مقیم ہونا کوئی انوکھی بات نہیں لیکن ٹیلیفون کالم میں ہر ایک ریکارڈ کا ایک مخصوص نمبر درج ہوگا اگرچہ ہمارے سادہ سے ڈیٹا بیس کے لئے پرائمری کی کا تعین کرنا ضروری نہیں ہے لیکن پھر بھی ایکسیس اس کے تعین نہ کئے جانے کی صورت میں خود بخود ایک پرائمری کی فیلڈ کا اضافہ کر دے گا۔ ایسے پرائمری فیلڈ میں گنتی کی عددی ترتیب میں ہر ریکارڈ کو مخصوص نمبر (جیسا کہ ایک، دو، تین.....) دیا جاتا ہے۔

Primary Key Field

This is a field, which holds a unique piece of information (No Duplicates). For example, in the above mentioned telephone directory database, you can have several duplicate entries in the Name and City columns but each record would have a unique entry in the Phone Number column. If you think about it, it's quite logical too. However, this is not compulsory here, as we are going to build a simple, single table database. This would be a crucial feature in a more comprehensive multi-table database. In a case where a Primary Key Field is not chosen or nominated, Access will automatically add a Primary Key Field. This would be an additional column with numbers starting from one upwards with each record getting a unique number.

Access -2- ایکسیس

اس کتاب کی روایات کو برقرار رکھتے ہوئے ہم ایکسیس میں بھی سیکھنے کے عملی طریقے کو اپنائیں گے اور ایک بنیادی ڈیٹابیس کو تعمیر کریں گے، تو پھر کیجئے ایکسیس کا آغاز۔ ایکسیس کے لوڈ ہو جانے کے بعد پیش کی جانے والی پہلی سکرین پر آپ کو تین راستوں میں سے ایک کو چننے کا اختیار دیا جائے گا۔ ان میں سے پہلے دو راستوں میں سے ایک ڈیٹابیس وزرڈ ہے جو کہ ایک خود کار طریقے سے آپ کو ڈیٹابیس کے بنے بنائے ڈھانچوں کی مدد سے ایک ڈیٹابیس ڈیزائن کرنے میں مدد دیتا ہے (تاہم اس طریقے سے آپ کو ڈیزائن میں تھوڑا بہت سمجھوتا کرنا پڑتا ہے) جبکہ بلینک ڈیٹابیس ایک مکمل طور پر نئے اور آپ کے ڈیزائن کے عین مطابق ڈیٹابیس تشکیل دینے کے لئے ہے۔ اس مشق کا زیادہ سے زیادہ فائدہ اُٹھانے کے لئے ہم بھی اسی طرز کا ڈیٹابیس بنائیں گے۔ اس کے لئے بلینک ڈیٹابیس کو چنتے ہوئے **OK** کو کلِک کیجئے، کیونکہ ایکسیس آپ کا کام مسلسل محفوظ کرتا رہتا ہے آپ کو آغاز ہی سے ڈیٹابیس کا نام تجویز کرنے کو کہا جائے گا۔ ہم دُنیا کے سب سے بڑے شہروں کا ایک ڈیٹابیس تعمیر کریں گے۔ ڈیفالٹ کے نام db1 کی جگہ World Cities کا نام ٹائپ کرنے کے بعد OK پر کلِک کیجئے۔ یہ آپ کو ڈیٹابیس کی اُس اہم ترین سکرین پر لے جائے گا، جسے ڈیٹابیس کا کنٹرول روم کہا جاسکتا ہے۔ اس میں ڈیٹابیس کے کثرت سے استعمال ہونے والے اجزاء ٹیبلز، کویریز، فارمز اور رپورٹس موجود ہیں جن کا ہم استعمال کریں گے۔ یہاں ان کے علاوہ میکروز اور موجولز بھی ہیں جو کہ پروگرامر اور پروفیشنل لوگوں کے استعمال کے لئے ہیں۔ جیسا کہ آپ دیکھ چکے ہیں کہ حقیقت میں آفس 97 اور آفس 2000 کے بنیادی اجزاء میں کوئی خاطر خواہ فرق نہیں ہے، لیکن ایکسیس 2000 کی اس ابتدائی سکرین کو مکمل طور پر تبدیل کر دیا گیا ہے، تاہم جیسا کہ آپ نیچے دی ہوئی تصاویر سے اندازہ لگا سکتے ہیں کہ ان میں موجود ٹیب اور بٹن ایک ہی مقصد کے لئے ہیں۔

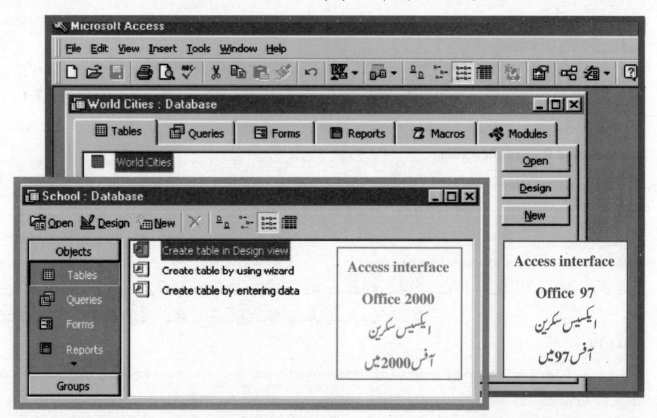

Keeping in line with the tradition of this book, we will learn through practice by building a database in Access. Launch Access from the start menu. You will be presented with a dialogue box similar to the one in PowerPoint. The three options are simple and self-explanatory. The last of these is only to open a previously created and saved database. Out of the two, the **Database Wizard** can offer us a variety of ready-made database structures to adopt for our needs with some compromise over its contents, whereas the **Blank Database** option lets you create a database totally created from scratch with your design. We are going to create our very own database for its tutorial value. Therefore, select the **Blank Database** option and press **OK**. Since Access saves your work as you work along, You will be asked to give your Database a name at this stage. Change the default name **db1** into **World Cities** and click on the **Create** button. This will take you to a screen with tabs named **Tables, Queries, Forms, Reports, Macros** and **Modules**. In **Office 2000**, this screen is different in layout but these elements (called **Objects** in Access) are the same. This window can be regarded as the control room of your database. The first four objects (Tables, Queries, Forms and Reports) are the most commonly used elements of Access. We will use them during the course of this chapter but will leave out Macros and Modules as they are for professional users.

Access -3- ایکسیس

ٹیبلو کا ٹیب ڈیفالٹ کے طور پر پہلے ہی سلیکٹ ہوا ہونا چاہیے۔ **New** کے بٹن پر کلِک کرنے پر آپ کو **New Table** کا ڈائیلاگ باکس پیش کیا جائے گا۔ یہاں سے آسان اور خودکار طریقے **Table Wizard** کی بجائے ہم ایکسیس کو سیکھنے اور سمجھنے کی خاطر زیادہ مفید **Design View** کو چنیں گے۔ ایسا کرنے کے بعد **OK** کلِک کیجیے۔ یہ آپ کو اس سکرین پر لے جائے گا جہاں آپ اپنے ڈیٹابیس کی بنیاد ڈالیں گے۔ یہاں ہمیں اپنے ڈیٹابیس کے فیلڈز ہیڈنگز (کالموں کے نام) تجویز کرنے ہیں۔ **Field Name** کے پہلے خانے کے پہلے کالم میں (جہاں کرسر پہلے سے موجود ہے) **City** ٹائپ کرنے کے بعد **Enter** کی پریس کیجیے۔ آپ دیکھیں گے کہ اس کے سامنے والے کالم یعنی **Data Type** میں لفظ **Text** ایک ڈراپ ڈاؤن مینیو کے ساتھ سامنے آئے گا یہ ڈیفالٹ سیٹنگ ہے جبکہ ڈیٹا کی دوسری اقسام اس ڈراپ ڈاؤن مینیو میں موجود ہیں۔ اب اس سے نچلے والے خانے میں **Country** ٹائپ کیجیے۔ اس کے لئے بھی ڈیٹا ٹائپ **Text** ہی مناسب ہے۔ اسی طرح اب تیسرے خانے میں **Continent** ٹائپ کیجیے۔ چوتھے خانے میں **Population** ٹائپ کیجیے لیکن کیونکہ آبادی کا اندراج ہندسوں میں ہوگا اس لئے اس کالم کے لئے ڈیٹا ٹائپ کے لئے ڈراپ ڈاؤن مینیو میں سے **Text** کی بجائے **Number** چنیئے۔ پانچویں اور آخری کالم کے لئے کالم کا نام **Capital City** ٹائپ کیجیے اور ڈیٹا ٹائپ کے لئے ڈراپ ڈاؤن مینیو میں سے **Yes/No** کا انتخاب کیجیے۔ یہ ہمیں شہروں کے سامنے ٹِک باکس کالم دے گا تاکہ اُن شہروں کے ناموں کے سامنے ٹِک لگائی جاسکے جو کہ دارلخلافہ بھی ہیں۔
اب اس ٹیبل ڈیزائن کو محفوظ کرنے کے لئے **Save** کے بٹن پر کلِک کیجیے۔ ایکسیس آپ کو مطلع کرے گا کہ آپ نے پرائمری کی فیلڈ کا چناؤ نہیں کیا۔ جیسا کہ پہلے بیان کیا جاچکا ہے کہ پرائمری کی فیلڈ ایک ٹیبل میں اس کالم کو کہا جاتا ہے جس میں ہر ریکارڈ کا ایک منفرد ڈیٹا ہوتا ہے جو کہ ٹیبل میں دوسرے ریکارڈ سے مختلف ہو۔ اس کو نامزد کرنے سے مستقبل میں ڈیٹابیس میں سے معلومات کو بآسانی حاصل کرنے میں مدد ملتی ہے۔ مگر ہمارے ایک ٹیبل والے بنیادی ڈیٹابیس کے لئے یہ عمل ضروری نہیں ہے اس لئے ہم ایکسیس کو اس ڈائیلاگ کے بٹن کو کلِک کرتے ہوئے خود بخود ایک پرائمری کی فیلڈ کا اضافہ کرنے دیں گے جو کہ گنتی کی شکل میں ہر ریکارڈ کو ایک منفرد نمبر الاٹ کرے گا۔ اس کے ساتھ ہی آپ کا ڈیزائن کردہ ٹیبل محفوظ ہو کر ٹیبل ٹیب میں نمودار ہوگا۔ اگر آپ کو پرائمری کی فیلڈ کے استعمال کو مکمل طور پر نہیں سمجھ سکے تو اس ابتدائی مرحلے میں یہ کوئی تشویش کی بات نہیں ہے۔ مجھے یقین ہے کہ ایکسیس کے مزید استعمال سے آپ آہستہ آہستہ ان اجزاء کو بھی سمجھنے میں کامیاب ہو جائیں گے۔ تو اس کے بارے میں مزید فکر مت کیجیے اپنے ڈیٹابیس کی مشق کو جاری رکھیے۔

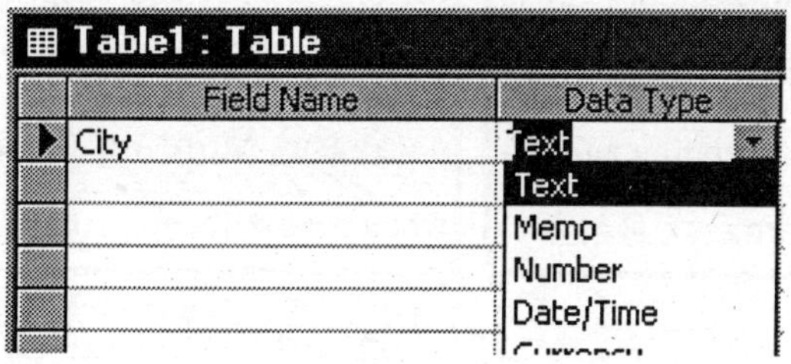

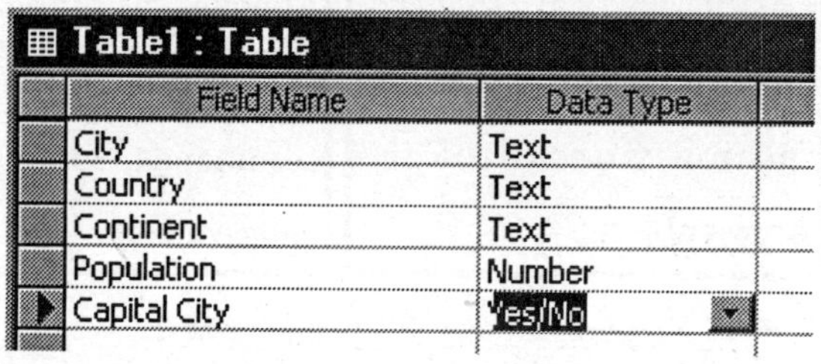

Table1 : Table
Field Name
Data Type
City
Text
Text
Memo
Number
Date/Time

Table1 : Table
Field Name
Data Type
City
Text
Country
Text
Continent
Text
Population
Number
Capital City
Yes/No

We are going to build a database on the world's largest cities. With the **Tables** tab of the World Cities database already selected, click on the **New** button. You will be presented with the **New Table** dialogue box. Here, instead of taking the easy way out and opt for the automated **Table Wizard**, we will be a little more adventurous and use the **Design View** option. Select it and click **OK**. In the resulting screen, you will be given the screen to lay the foundation of the design of your table. We need to define fields (or column headings) here. Type **City** as the first field name in the **Field Name** column and press Enter. You will see that the word **Text** appears in the neighbouring **Data Type** column as the type of this field with a drop down list of other types for you to choose from. Since the name of the city is going to be in Text form, we do not need to change it. Click in the next field (under City) and type **Country** followed by pressing the enter key. This is also going to be Text data type. Similarly, click in the third field in the Field Name column and type **Continent** here. In the fourth field, type **Population** and press Enter. This time, we need to use the drop down menu in the Data Type field and select Number as the data type for population is going to be a number. Moving on, choose **Capital City** as the heading for the fifth and final field. This being a prompt, choose **Yes/No** as the Data Type for it from the drop down menu. If you click on the **Save** button now, you will get a prompt to give your table a name. Type in **World Cities** as the name for your table and press **OK**. You will get the dialogue box warning you that a **Primary Key Field** has not been set. As mentioned earlier, this will be the field that contains a unique piece of information for each record. But since this is not compulsory in our single table database, we will let Access choose the primary key for our table automatically. Therefore, click on the **Yes** button, and Access will add an additional field with **Autonumbers** - as the unique ID for each record in the table. Your table will now appear under the Tables tab. If you are not comfortable with the Primary Key concept, then don't worry about it at this stage.

Access -4- ایکسیس

اپنے ڈیزائن کردہ ٹیبل میں اب ڈیٹا ڈالنے کے لئے اسے ڈبل کلک کرتے ہوئے کھولئے۔ نوٹ کیجئے کہ ایک ڈیٹاشیٹ کی شکل میں اس کے سکرین پر آتے ہی ایکسیس کی ٹول بار میں کئی نئے بٹن جن کا ٹیبل میں ڈیٹا سے تعلق ہے یکدم نمودار ہوں گے۔ یہ بٹن اسی طرح مختلف سکرینوں کے ساتھ تبدیل ہوتے رہیں گے۔ ان میں سے چند اہم ترین بٹنوں کی تفصیل یہاں دی جارہی ہے۔

Double-click on the newly created table to open it so that we can start entering data in it. It will open in datasheet view. Notice the quick change in the tool bar as new and relevant buttons (see below) appear in it. These buttons will change again depending on what Object you are dealing with and also what view (Design or DataSheet) you are in. A brief introduction to some of these buttons you are going to use is being outlined below.

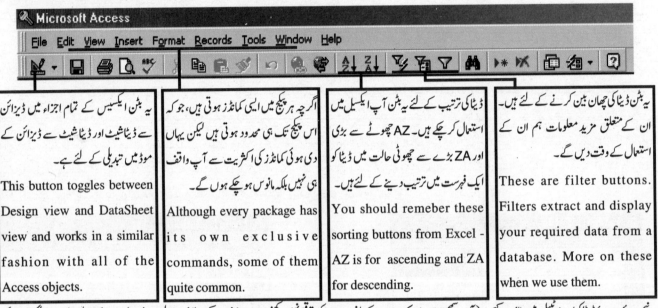

یہ بٹن ایکسیس کے تمام اجزاء میں ڈیزائن سے ڈیٹاشیٹ اور ڈیٹاشیٹ سے ڈیزائن کے موڈ میں تبدیلی کے لئے ہے۔

This button toggles between Design view and DataSheet view and works in a similar fashion with all of the Access objects.

اگرچہ ہر پیکج میں ایسی کمانڈز ہوتی ہیں، جو کہ اس پیکج تک ہی محدود ہوتی ہیں لیکن یہاں دی ہوئی کمانڈز کی اکثریت سے آپ واقف ہی نہیں بلکہ مانوس ہو چکے ہوں گے۔

Although every package has its own exclusive commands, some of them quite common.

ڈیٹا کی ترتیب کے لئے یہ بٹن آپ ایکسیل میں استعمال کر چکے ہیں۔ AZ چھوٹے سے بڑی اور ZA بڑے سے چھوٹی حالت میں ڈیٹا کو ایک فہرست میں ترتیب دینے کے لئے ہیں۔

You should remeber these sorting buttons from Excel - AZ is for ascending and ZA for descending.

یہ بٹن ڈیٹا کی چھان بین کرنے کے لئے ہیں۔ ان کے متعلق مزید معلومات ہم ان کے استعمال کے وقت دیں گے۔

These are filter buttons. Filters extract and display your required data from a database. More on these when we use them.

نیچے دیئے ہوئے ڈیٹا کو اپنے ٹیبل میں ٹائپ کیجیے۔ (آپ سمجھتے ہیں ناں کہ زحمت کے بغیر رحمت کی توقع نہیں رکھنی چاہئے!) نوٹ کیجئے: آخری کالم میں اُن شہروں کے لیے جو کہ دارالحکومت بھی ہیں ڈبے میں کلِک کرتے ہوئے ٹِک کا نشان لگائیے جبکہ پہلے کالم میں نمبروں کو ٹائپ کرنے کی ضرورت نہیں ہے۔ آپ جیسے جیسے شہروں کا نام ٹائپ کریں گے یہ خود بخود شامل ہوتے جائیں گے۔

Start typing in the Data given below (sorry, but you know - no pain no gain). If the city is also a capital, then click the square in the field Capital City. Note; you do not have to enter ID numbers, they will be inserted automatically.

ID	City	Country	Continent	Population	Capital City
1	Tokyo	Japan	Asia	33129000	☑
2	Chongquing	China	Asia	30596000	☐
3	Seoul	South Korea	Asia	21273000	☑
4	New York	United States	North America	20124400	☐
5	Osaka	Japan	Asia	16918000	☐
6	Mexico City	Mexico	South America	16674200	☑
7	São Paulo	Brazil	South America	16583200	☐
8	Los Angeles	United States	North America	15781000	☐
9	Bombay	India	Asia	15725000	☐
10	Moscow	Russia	Europe	15141800	☑
11	Shanghai	China	Asia	14640000	☐
12	Cairo	Egypt	Middle East	14525000	☑
13	Bejing	China	Asia	12460000	☑
14	Calcutta	India	Asia	12118000	☐
15	Buenos Aires	Argentina	South America	11931000	☑
16	London	U K	Europe	11840700	☑
17	Jakarta	Indonesia	Asia	11500000	☑
18	Lagos	Nigeria	Africa	10878000	☑
19	Paris	France	Europe	10561600	☑
20	Teheran	Iran	Asia	10344000	☑
(AutoNumber)				0	☐

ایکسیس -5- Access

جب آپ ٹیبل کو مکمل کر چکیں تو اس میں موجود ڈیٹا کی ترتیب اور اس میں سے معلومات کو حاصل کرنے کے مختلف طریقے آزمائے جاسکتے ہیں۔ آیئے ان میں سے چند ایک کو ایک نظر دیکھیں جیسا کہ آپ نے نوٹ کیا ہو گا کہ ٹیبل کی موجودہ ترتیب آبادی کے لحاظ سے دی گئی ہے۔ ایکسیس نے آٹو نمبر کی مدد سے پہلے سے آخری ریکارڈ تک کو ایک سے بیس تک کے نمبر الاٹ کر دیئے ہیں۔ اب اگر آپ اس ٹیبل میں شہروں کی اس فہرست کو حروفِ تہجی کی ترتیب میں بدلنا چاہیں یعنی ان کو A سے Z کی ترتیب دینا چاہیں تو کرسر کو City والے کالم میں کہیں بھی لے جاکر کلِک کرنے کے بعد ٹول بار کے بٹن **Sort Ascending** بٹن پر کلِک کیجیے۔ آپ کی فہرست یکدم اس ترتیب میں منتقل ہو جائے گی۔ اب اسی ترکیب کو **Country** اور **Continent** کے کالموں کے لئے بھی استعمال کر کے دیکھئے۔ اگر آپ کو ایسے ٹیبل میں سے صرف ایک مخصوص معلومات کو نکالنا یعنی فلٹر کرنا درکار ہو تو **Filter by Selection** کے عمل سے ایسا بآسانی کیا جاسکتا ہے۔ فرض کیجئے کہ آپ کو اس ٹیبل میں سے صرف ان شہروں کی فہرست درکار ہو جو ایشیا میں واقع ہوں تو **Continent** کے کالم میں سے لفظ ایشیا کو ڈھونڈ کر اسے سلیکٹ (ہائی لائٹ) کریں اور پھر ٹول بار میں سے **Filter by Selection** کے بٹن پر کلِک کریں۔ آپ کے ٹیبل کی فہرست اب صرف ایشیا کے شہروں پر مشتمل ہو گی۔

ضروری نوٹ: اس طرح سے فلٹر کے استعمال کے بعد اپنے ٹیبل کو **Remove Filter** کے بٹن کو استعمال کرتے ہوئے اسے اس کی مکمل حالت میں بحال کرنا مت بھولئے۔

اب اپنے ٹیبل کو ایسا کرتے ہوئے واپس مکمل حالت میں لے آیئے۔ اسی طرح فرض کیجئے کہ ہمیں صرف ان شہروں کی فہرست درکار ہو، جن کی آبادی 15 ملین ہو۔ اس کے لئے **City** کے کالم میں سے کسی ایک ایسے شہر کی تلاش کیجئے، جس کی آبادی 15 ملین ہو۔ اب آبادی کے اس نمبر کے پہلے دو ہندسوں (15) کو سلیکٹ کیجئے اور پھر **Filter by Selection** کے بٹن پر کلِک کرنے سے اُن شہروں کی فہرست آپ کے سامنے آجائے گی جن کی آبادی 15 ملین ہے۔ یہاں اس بات کا ضرور خیال رکھیئے کہ ہمارے ٹیبل میں صرف 20 ریکارڈز ہیں جن میں سے مطلوبہ معلومات کو بغیر کمپیوٹر کی مدد کے بھی تلاش کیا جاسکتا ہے لیکن اگر ان ریکارڈز کی تعداد 200 یا پھر 2000 ہوتی تو ان مشقوں میں استعمال ہونے والی کمانڈز کے مفید ہونے کا اندازہ لگایا جاسکتا ہے۔

کویریز: اگرچہ ہم نے ابھی اپنے ٹیبل میں موجود ڈیٹا میں سے مطلوبہ معلومات کو بغیر کسی مشکل کے اپنی ضرورت کے مطابق حاصل کیا لیکن اس مقصد کے لئے ایکسیس میں ایک اور بھی طاقتور طریقۂ کار موجود ہے اسے کویری کہتے ہیں یعنی کہ ایک سوال۔ اس کے ذریعے ہم ایکسیس سے ایک سوال پوچھتے ہیں جس کا ایکسیس کویری کے نتائج کی صورت میں ہمیں جواب مہیا کرتا ہے۔ فرض کیجئے کہ ہمارے ٹیبل میں واقعی کئی ہزار ریکارڈز موجود ہوتے اور ہمیں ایشیا کے اُن دارالحکومت شہروں کی فہرست درکار ہو جن کی آبادی بارہ ملین سے زیادہ ہو۔ نوٹ کیجئے کہ ایک ہی سوال میں تین شرائط موجود ہیں ایک یہ کہ شہر ایشیا میں ہوں دوسرا یہ کہ وہ دارالحکومت ہوں اور پھر تیسرا یہ کہ اُن کی آبادی بارہ ملین سے زیادہ ہو۔ تو اس کام کے لئے ہمیں کویری کو استعمال کرنا ہے۔

When you have completed the table, you can try some of its powerful data sorting features. Let's try a few. As you must have noticed, the table is arranged in order of population size. AutoNumber would appropriately have allocated 1 to 20 numbers as their ID when you typed these records in. If you wanted to sort the cities in alphabetical order, simply click anywhere in the **City** Column and click the **Sort Ascending** button in the tool bar. Try this with the **Country** and the **Continent** columns. Then restore the table by doing the same in the ID column.

You can also filter the required data out of a table by a method called **Filter by Selection**. Suppose you wanted a population analysis of the countries in Asia only. Select the word **Asia** anywhere in the **Continent** column and click on the **Filter by Selection** button. Your table will now display only the Asian cities. **IMPORTANT**: After every filtering action you must remove the filter by clicking on the **Remove Filter** button to restore your table. Do this now to restore your table to its original contents. Here is another clever feature of filtering by selection. In another example, suppose you wanted to list only those cities which had a population of 15 million. Look up any city with a population of 15 million and just select the first two digits (15) of its population figure and click on the **Filter by Selection** button - your result is instantly displayed. Do bear in mind that our table only has 20 records. Imagine how much more useful these functions would be if we had 200 or even 2000 records.

Queries

Although we efficiently sorted and filtered the data in our table, Access wields much more powerful tools in this respect in the shape of queries. A query is a question. We ask Access a question and it answers it with the results of a query. Suppose this table did have 2000 records and we needed to extract from it all the capital cities in Asia with a population of 12 million or more. Note the three conditions in one task. Firstly, we have to extract all the Asian cities out of the table. Secondly, we have to choose those with population of 12 million or more. And thirdly, we discard those which are not a capital city. This is a job for a query.

ایکسیس ۔6۔ Access

اپنے ٹیبل کو بند کیجئے اور کویری کے ٹیب پر کلِک کیجئے اور پھر **New** کے بٹن پر کلِک کرتے ہوئے نئی کویری کا آغاز کیجئے۔ اگلے ڈائیلاگ باکس میں آپ کو یہ چُننا ہے کہ آپ کو کس قسم کی کویری چاہیئے۔ اگر آپ نے مستقبل میں ایکسیس کا مزید مطالعہ کرنے کا فیصلہ کیا تو یہاں دی ہوئی کویریز کی مختلف اقسام کے متعلق آپ مزید سیکھیں گے۔ ہمیں یہاں ڈیزائن کویری کا چناؤ درکار ہے جو ہمیں اپنی مرضی کے عین مطابق ڈیٹابیس میں سے ڈیٹا کو نکالنے میں مدد دے گی۔ یہ پہلے ہی سے (بائی ڈیفالٹ) سلیکٹ ہوئی ہونی چاہیئے، آپ صرف **OK** کو کلِک کردیں۔ اگلی سکرین میں آپ نے جس ٹیبل میں سے ڈیٹا نکالنے کے لئے کویری بنائی جارہی ہے اس کو چُننا ہے۔ یاد رکھیئے کہ ایک ڈیٹابیس میں کئی ٹیبل بھی ہوسکتے ہیں اور ایک کویری کئی ٹیبلز میں سے ڈیٹا نکال سکتی ہے۔ کیونکہ ہمارے ڈیٹابیس میں صرف ایک ہی ٹیبل ہے جو کہ **World Cities** کے نام سے یہاں موجود ہے۔ اسے سلیکٹ کیجئے اور **Add** کے بٹن کو کلِک کرتے ہوئے اسے اپنی کویری میں شامل کیجئے۔ اس کے بعد اسی باکس کے **Close** بٹن کو کلِک کرتے ہوئے اسے بند کردیجئے۔ اب کویری کی سکرین آپ کے سامنے ہے جس کے اوپر والے حصے میں آپ کا ٹیبل موجود ہے اور نچلے حصے میں آپ نے کویری کو ڈیزائن کرنا ہے۔ آپ کا کرسر **Field** والے خانے میں آپ کا منتظر ہے۔ اس کے سامنے والی ڈراپ ڈاؤن مینیو پر کلِک کیجئے اور اس میں سے **City** کو چُنیئے۔ آپ دیکھیں گے کہ ایسا کرتے ہی ٹیبل والے باکس میں ہمارے ٹیبل کا نام خود بخود آجائے گا، علاوہ ازیں **Show** والے خانے میں ایک ٹک نمودار ہوگی۔ اس کا مطلب یہ ہے کہ یہ کالم آپ کی کویری کے نتائج میں دکھایا جائے گا (یعنی اگر آپ چاہیں تو اس باکس میں کلِک کرتے ہوئے اس ٹک کو ہٹا کر اپنی کویری کے نتائج میں سے چند اُن کالموں کو چُھپا سکتے ہیں جن کا دکھایا جانا ضروری نہ ہو)۔ یہاں **Sort** والے خانے کے استعمال کی بھی ضرورت نہیں ہے، لیکن اس سکرین کا اہم ترین جزو **Criteria** والا خانہ ہے جسے ہم ابھی استعمال کریں گے۔ اب اسی طریقے کو استعمال کرتے ہوئے اگلے چار کالم بھی اسی طرح مکمل کرلیں۔ اب ہم **Criteria** کے فیلڈ میں اپنی ضرورت کے مطابق ان شرائط کو تشکیل دے سکتے ہیں، جن کی مدد سے ہمیں اپنا مطلوبہ ڈیٹا ٹیبل میں سے نکالنا ہے۔ کیونکہ ہمیں اس مشق کے لئے صرف ایشیئن ملکوں کے شہروں کو چُننا ہے اس لئے سب سے پہلے **Continent** کے کالم میں **Criteria** کے خانے میں کلِک کیجئے اور یہاں **Asia=** ٹائپ کیجئے۔ اس کے بعد **Population** کے کالم میں کلِک کیجئے اور یہاں **12000000=<** ٹائپ کیجئے۔ اس کا مطلب ہے کہ وُہ شہر جن کی آبادی 12 ملین یا اس سے زیادہ ہو اور پھر **Criteria** کالم کے **Capital city** والے خانے میں **Yes** ٹائپ کیجئے۔ اس طرح صرف وُہ شہر چُنے جائیں گے جو کہ دارالحکومت ہوں۔ اب اپنے نتائج دیکھنے کے لئے ٹول بار میں سے **Run** بٹن پر کلِک کیجئے یا پھر **Query** کی مینیو میں سے کمانڈ **Run** کو چُنیئے۔ آپ کی مطلوبہ معلومات کویری کے نتائج کی شکل میں آپ کے سامنے آجائے گی۔ اس کویری کو ایک مناسب نام دیتے ہوئے محفوظ کرلیجئے۔

Field:	City	Country	Continent	Population	Capital City
Table:	World Cities	World Cities	World Cities	World Cities	World Cities
Sort:					
Show:	☑	☑	☑	☑	☑
Criteria:			"Asia"	>=12000000	Yes
or:					

رن بٹن

Run Button

Close your table and Click on the **Queries** tab and then click on the **New** button. This gives us the dialogue box listing various ways to create a query. You will learn more about these different types of queries if you decided to take your Access studies further. We will select the design view query, which is selected by default (already selected), so just press **OK**. Next comes the box where you chose the table on which the query is going to be based (there is only one table here but do remember a database can have multiple tables and a query can be based on more than one table). Select the **World Cities** table and Click on the **Add** button and then click on **Close**. This will take you to the design area where you can see a box with the column headings of your table in the upper half and the query setting options in the lower part. Your cursor should be flashing in the **Field** box. Drop down the menu and select **City**. The table field will be filled automatically and a tick will be inserted in the **Show** box (you clear the box if you do not want certain fields of a table to show in the result) but this is not relevant here. The **Sort** field is also not relevant here. However, the **Criteria** field is the most important one in a query but we do not need to set any criteria for **City** in this instance. Complete all five columns in a similar fashion. Now we go back and set the required criteria - conditions for filtering data. Firstly, we need countries from Asian continent only - click in the **Criteria** box of the **Continent** column and type **=Asia**. Then, click in the criteria field of the **Population** column and type **>=12000000** (those of you who turned down a career in mathematics, this means greater than or equal to twelve million!) And finally type **Yes** in the **criteria** field of the **Capital city** column (**'yes'** would pick up all those boxes you ticked-in to indicate that the city is a capital). Now press the **Run** button (the maroon exclamation mark) from the tool bar to display your result. You can save this query for future use by giving it an appropriate name.

Access -7- ایکسیس

فارمز

اس سے اگلا جزو فارمز ہیں، جن کا مرکزی کام ایک ڈیٹابیس میں ڈیٹا اِن پُٹ یعنی ٹیبل میں ریکارڈز ڈالنے یا موجودہ ریکاڈز میں اضافہ کرنے میں مدد دینا ہے۔ ہمارے ٹیبل میں کل پانچ کالم ہیں جو کہ سکرین پر باآسانی نظر آرہے ہیں۔ سوچیۓ کہ ایک سُپر سٹور میں فروخت ہونے والی تمام اشیاء کا ڈیٹابیس کتنا بڑا ہو سکتا ہے اور اس کے کالموں کی تعداد بھی کئی گنا زیادہ ہو گی جیسا کہ پروڈکٹ کا نام، کیٹیگری، سپلائر، بنانے والی کمپنی کا نام، قیمتِ خرید، قیمتِ فروخت، سٹاک لیول، بارکوڈ اور شیلف نمبر وغیرہ۔ اتنے سارے کالم تو ایک سکرین پر سما نہیں پائیں گے اور پھر ایسے ڈیٹابیس کو تقریباً ہر روز تبدیل کرنے کی ضرورت بھی ہوتی ہے۔ اس لئے ریکارڈز کے اضافے اور ان میں تبدیلی کے لئے ڈیٹاشیٹ ویو کا استعمال تسلی بخش طریقہ نہیں ہے۔ ہم اپنے ڈیٹابیس کے لئے ایک فارم ڈیزائن کریں گے اور باوجود اس کے کہ ہمارے چھوٹے سے ڈیٹا ٹیبل میں صرف پانچ کالم ہیں مجھے یقین ہے کہ اس مشق سے آپ کو فارم کی خصوصیات کا بخوبی اندازہ ہو جائے گا۔

Forms کے ٹیب پر کلِک کیجئے اور پھر **New** کے بٹن پر کلِک کرتے ہوئے نئے فارم کا آغاز کیجئے۔ اگلے ڈائیلاگ باکس میں آپ کو یہ چُننا ہے کہ آپ کو کس قسم کا فارم چاہیے۔ اس دفعہ بجائے فارم کو خود ڈیزائن کرنے کے ہم **Form Wizard** کی خدمات حاصل کریں گے۔ اسے سلیکٹ کیجئے اور اس سے پہلے کہ آپ **OK** کو کلِک کریں۔ اس سکرین کے نچلے حصے میں ایک ڈراپ ڈاؤن مینیو میں سے آپ نے جس ٹیبل کے لئے یہ فارم بنایا جارہا ہے اس کو چُننا ہے۔ ہمارے ڈیٹابیس میں صرف ایک ہی ٹیبل ہے جو کہ **World Cities** کے نام سے یہاں موجود ہے اس کو چُنئے اور پھر **Tables/Queries** کے بٹن پر کلک کیجئے۔ اگلی سکرین میں آپ دیکھیں گے کہ آپ کے ٹیبل کا نام **Form Wizard** والے خانے میں موجود ہے اور اس کے تمام کالموں کے نام نیچے دی ہوئی دو ونڈوز میں سے بائیں ونڈو میں درج ہیں۔ ہم یہاں یہ فیصلہ کرسکتے ہیں کہ ہم نے اپنے فارم میں ان تمام کالموں کو شامل کرنا ہے یا صرف چند ایک کو کیونکہ ہمیں مکمل فارم چاہیۓ اس لئے ہمیں اس کے تمام کالموں کو چُننا ہے۔ ان دونوں ونڈوز کے درمیان جو بٹن ہیں وہ اسی مقصد کے لئے ہیں ایک تیر والے نشان سے صرف سلیکٹ شُدہ کالم کو دائیں ونڈو میں لایا جاتا ہے (جو کہ چُن لئے جانے کی علامت ہے) جبکہ دو تیروں والے نشان پر کلِک کرنے سے بائیں ونڈو میں دیئے ہوئے تمام کالموں کو دائیں ونڈو میں منتقل کیا جاتا ہے۔ ایسا کرنے کے بعد **Next** کو کلِک کیجئے۔ اگلی سکرین پر آپ کو **layout** کی طرز چُننی ہو گی۔ اس کے لئے **Columnar** (یہ غالباً پہلے ہی سے چُنا ہوا ہے) کو چُنتے ہوئے **Next** کو کلِک کیجئے۔ اگلی سکرین پر آپ کو سٹائل چُننا ہو گا۔ اس کے لئے **Stone** (آپ یہاں دیئے ہوئے باقی ماندہ ڈیزائنوں کو بعد میں استعمال کرسکتے ہیں) کو چُنتے ہوئے **Next** کو کلِک کیجئے۔ اگلی سکرین میں اپنے اس فارم کو ایک مناسب نام دے کر **Next** کے بٹن پر کلِک کرتے ہوئے اس عمل کو مکمل کیجئے۔ آپ کا فارم استعمال کے لئے تیار ہے۔ اسے **World Cities Form** یا اسی طرز کا مناسب نام دیتے ہوئے محفوظ کر لیجئے۔

Forms

The next object is Forms. The primary task for Forms is to make the process of data entry more convenient and efficient. When databases are established, most of them keep on growing as more information is added to them. Our example was a small table - think of a table that contains information on all the retail products in a superstore. Such a database would also likely to have a lot more columns too, Name of the product, supplier, manufacturer, cost price, sale price, category, minimum stock level, barcode, shelf location etc. To maintain such a database a constant updating would be required. The data entry clerk would go dizzy scanning and scrolling the records and columns if the traditonal datasheet view is used for this purpose. A form will be the ideal way to carry out this task. Let's create a form for our table World Cities. Even with its limited number of columns, I am sure you will see the point.

Click the **Forms** tab and then click **New**. This time, we will chose the **Form Wizard** for ease and convenience. So select it, and before you click on OK, click on the drop-down menu button at the bottom of this dialogue box and choose **World Cities** as the table for the form. The next screen shows you your table in the **Tables/Queries** section, and all of its fields in the window on the left. Some times you only need a few fields from each table to create a query or form and therefore the button with a single arrow moves only the selected field names from the left window to the window on the right, which would be the contents of your form. In this case we need all of the fields, so we click on the double arrow button to shift them all at once into the window on the right. Press **Next** and you are given a choice of designs for the **layout** of the form. Select **Columnar** (it should already be selected - you can try others later if you like) and click on **Next**. Here, various styles are given for its outlook, choose **Stone** and click on **Next**. Finally give your Form a name (**World Cities Form**, perhaps) and leave the rest of the settings in the box as they are and click on the Finish button. Your form is ready to be used.

Access -8- ایکسیس

یہ رہا آپ کا فارم اور اس کے نیو یگیشنل بٹن جن کی تفصیل نیچے دی جا رہی ہے۔ اسے استعمال کرنے کے بعد آپ یقیناً یہ تسلیم کریں گے کہ ڈیٹا بیس میں مزید معلومات کو جمع کرنے اور ان تک رسائی اور چھان بین کرنے کے لئے یہ طریقہ ڈیٹا شیٹ کے روایتی انداز سے بہت بہتر ہے۔ فارم کو ایک نظر دیکھنے سے ہی یہ بات واضح طور پر عیاں ہو جاتی ہے کہ اس کے تمام کالموں کو ایک ہی سکرین میں سمایا جا سکتا ہے۔ یہ ہمارے پانچ کالموں والے ٹیبل کے لئے اتنی اہمیت کی حامل نہیں ہے لیکن ایک ایسے ٹیبل کے لئے جس کے درجنوں کالم ہوں ڈیٹا اینٹری (یعنی مزید ریکارڈ کا اس میں اضافہ کرنے کے لئے) یہ ایک نہایت ہی مفید طریقہ ہے۔ علاوہ ازیں اس فارم کے ڈیزائن کو **Design** موڈ میں ہم مزید اپنی مرضی کے مطابق تبدیل کر سکتے ہیں۔ میری رائے میں اس باب کے خاتمے پر اپنے فارم کے ڈیزائن کو تبدیل کرنے کا تجربہ ضرور کیجئے۔ اس صفحہ کے نچلے حصے میں اسی فارم کی ایک طرز دی گئی ہے، جسے فارم کو ڈیزائن موڈ میں لے جا کر اس میں چند تبدیلیوں کی مدد سے حاصل کیا گیا۔

فارم کے اجزاء اور اس کے نیوی گیشنل بٹن

Components of a Form and its Navigational Buttons

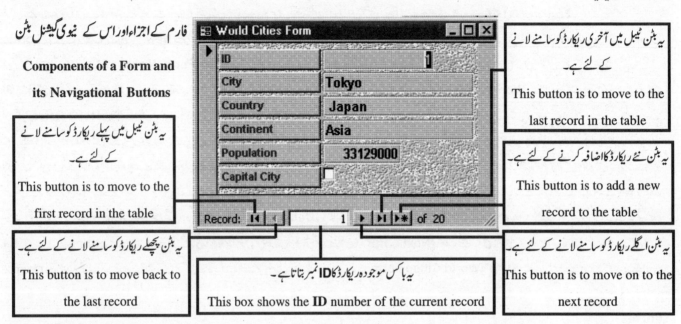

یہ بٹن ٹیبل میں آخری ریکارڈ کو سامنے لانے کے لئے ہے۔
This button is to move to the last record in the table

یہ بٹن ٹیبل میں پہلے ریکارڈ کو سامنے لانے کے لئے ہے۔
This button is to move to the first record in the table

یہ بٹن نئے ریکارڈ کا اضافہ کرنے کے لئے ہے۔
This button is to add a new record to the table

یہ بٹن پچھلے ریکارڈ کو سامنے لانے کے لئے ہے۔
This button is to move back to the last record

یہ باکس موجودہ ریکارڈ کا **ID** نمبر بتاتا ہے۔
This box shows the **ID** number of the current record

یہ بٹن اگلے ریکارڈ کو سامنے لانے کے لئے ہے۔
This button is to move on to the next record

Above is the finished Form along with some description of its navigational buttons. I am sure once you have tried these a little, you would appreciate how much easier it is to navigate through a table in this fashion as opposed to scrolling and scanning the rows and columns of a table in its datasheet format. One significant advantage is visibly obvious that you can fit all the fields of your table within the visible area of the screen, which may not be an advantage with this small five column table, but certainly will be handy in a table with dozens of column headings. The Layout of the form can also be further influenced by going into **Design Mode** and moving things around (Colour, Fonts, Positioning of Column headings and much more) to your preferences. In fact, I recommend that you come back to try out this feature at the end of this chapter. Below is an example, which shows our form with a few changes in its original layout. All of this will make data-entry into the table a lot easier and less boring compared with direct input into the tables in their datasheet view.

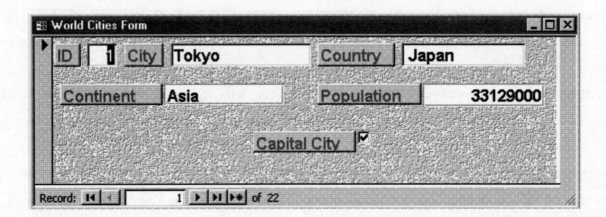

ایکسیس-9- Access

آیئے اس فارم کو اس میں ایک نئے ریکارڈ کا اضافہ کرتے ہوئے استعمال کریں۔ اس فارم کے نچلے حصے میں دیئے ہوئے **New Record** والے بٹن پر کلِک کیجئے۔ آپ دیکھیں گے کہ فارم کے **ID** والے خانے میں لفظ **Autonumber** نمودار ہوگا جو کہ اگلے ریکارڈ کو ایک مخصوص نمبر دینے کے لئے تیار ہے۔ **Enter** کو پریس کرتے ہوئے کرسر کو **City** والے خانے میں لے جایئے اور یہاں **Karachi** ٹائپ کیجئے۔ اسی طرح **Country** اور **Continent** کے خانوں میں **Pakistan** اور **Asia** کے الفاظ درج کیجئے۔ **Population** کے سیکشن میں **10119000** کا ہندسہ ڈالیے جو کہ کراچی کی آبادی ہے کیونکہ کراچی پاکستان کا دارالحکومت نہیں ہے اس لئے دارالحکومت کے خانے کو خالی رہنے دیجئے۔ یہ ریکارڈ اب آپ کے ٹیبل کا حصہ بن گیا ہے۔ اب اگر آپ اپنے ٹیبل کو ٹیبل والے ٹیب میں سے چنتے ہوئے کھولیں گے تو آپ اس نئے ریکارڈ کو بھی اس میں موجود پائیں گے۔

فارم صرف ڈیٹا ڈالنے کے مقصد کے لئے ہی نہیں ہوتے بلکہ ان کے اور بھی بہت سے فوائد ہیں۔ آپ نے جو ڈیٹا شیٹ ویو میں فلٹر اور ترتیبی طریقوں سے مطلوبہ معلومات کو چھاننے اور تلاش کرنے کی تکنیک سیکھی تھی اسے یہاں بھی استعمال کیا جاسکتا ہے۔ مثال کے طور پر اگر آپ صرف چین کے شہروں کی فہرست کو دیکھنا چاہیں تو اسی فارم کو استعمال کرتے ہوئے ایسا باآسانی ہو سکتا ہے۔ اس کے لئے فارم کے نیویگیشنل بٹنوں کی مدد سے چین کے کسی بھی شہر کے ریکارڈ کو سامنے لایئے اور **Country** کے خانے میں جہاں **China** لکھا ہوا ہے وہاں کلِک کرنے کے بعد ٹول مینیو میں سے **Filter By Selection** کے بٹن کو استعمال کیجئے۔ اب آپ کے ٹیبل میں صرف تین ریکارڈ نظر آئیں گے جو کے سب چین کے شہروں کے ہیں۔ اس کے ساتھ ہی آپ فارم کے نچلے حصے میں دائیں جانب لفظ **Filtered** ایک بریکٹ میں لکھا نظر آئے گا۔ یہ فلٹر کے نافذ ہونے کی علامت ہے اور ظاہر ہے کہ مزید کسی نئی تفتیش سے پہلے مکمل ٹیبل کو واپس لانے کے لئے اس کا ہٹانا ضروری ہے، جو کہ **Remove Filter** بٹن کو دبانے سے عمل میں آئے گا۔ یہاں تجربے کے طور پر آپ اس فارم میں دائیں ماؤس کی کلِک کا استعمال اور **Search** (دوربین کے نشان والا) بٹن وغیرہ کا استعمال کیجئے۔ یہاں **Find** کمانڈ کے ڈائیلاگ باکس کے اہم ترین حصوں کی مختصر تفصیلات درج ہیں آپ کو تجربات کی مدد سے اسے سیکھنا ہوگا۔

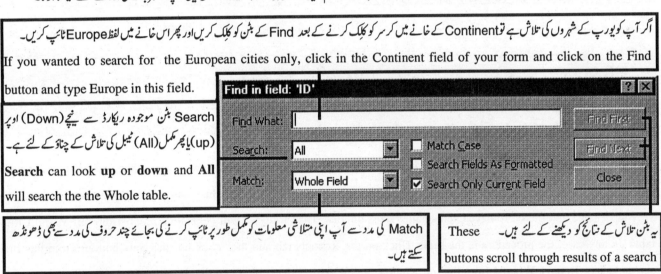

اگر آپ کو یورپ کے شہروں کی تلاش ہے تو Continent کے خانے میں کرسر کو کلِک کرنے کے بعد Find کے بٹن کو کلِک کریں اور پھر اس خانے میں لفظ Europe ٹائپ کریں۔

If you wanted to search for the European cities only, click in the Continent field of your form and click on the Find button and type Europe in this field.

Find in field: 'ID'
Find What:
Search:
All
Match:
Whole Field
Match Case
Search Fields As Formatted
Search Only Current Field
Find First
Find Next
Close

Search بٹن موجودہ ریکارڈ سے نیچے (Down) اوپر (up) یا پھر مکمل (All) ٹیبل کی تلاش کے چناؤ کے لئے ہے۔

Search can look **up** or **down** and **All** will search the the Whole table.

Match کی مدد سے آپ اپنی متلاشی معلومات کو مکمل طور پر ٹائپ کرنے کی بجائے چند حروف کی مدد سے بھی ڈھونڈھ سکتے ہیں۔

یہ بٹن تلاش کے نتائج کو دیکھنے کے لئے ہیں۔ These buttons scroll through results of a search

Let's add a record to test our newly created form. Click on the **New Record** button at the bottom of your form and you will see word **Autonumber** appear in the **ID** section. Press **Enter** and you will move down to the **City** field. Type **Karachi** here. You will notice that Access has allocated the next ID number in its sequence. Press **Enter** and move down to the **Country** field to type **Pakistan** here. Similarly type **Asia** in the **Content** field and put down 10119000 as the population figure in the **Population** field. Leave the Capital City box clear, as Karachi is not Pakistan's capital city. Close your form and click on the Tables tab and open the World Cities table in it. You will find that your entry for Karachi has been recorded in the main table. Furthermore, Forms are not only for Data entry and navigational purposes alone; they have other useful functions too. Remember our sorting and filtering of the data in datasheet view? You could do the same here. For example if you wanted a list of only the Chinese cities in the table, you scroll through to any record of a city in China. Click in the field that says **China** and use the **Filter By Selection** command. Scroll through the records now, using navigational buttons and you will find that your form now only lists records of Chinese cities. Next to the navigational buttons is the word **Filtered** in brackets indicating that a filter has been applied. Naturally, you need to take this filter off by using the **Remove Filter** button before you proceed to something else. Try a few things on your own (such as the use of right mouse click and the **Search** (binoculars) button etc. The main features of the **Find** Dialogue box are briefly described above - learn it by experimenting.

ایکسیس-10- Access

رپورٹس: جب آپ ٹیبلز، کویریز اور فارمز کی مدد سے اپنا ڈیٹا بیس تعمیر کر چکیں تو آپ کو اس کے سکرین پر روزمرہ کے استعمال کے علاوہ گاہے بگاہے اس میں سے مختلف معلومات کو ایک کاغذی شکل میں پرنٹ کرنے کی ضرورت بھی پڑے گی۔ ویسے تو آپ اپنے ٹیبلز اور کویریز کو ان کی موجودہ حالت میں ہی پرنٹ کر سکتے ہیں لیکن اس کام کو بہتر طریقے سے انجام دینے کے لئے ایکسیس میں رپورٹس کی خدمات حاصل کی جاتی ہیں۔ رپورٹس اکثر ایک کویری کی شکل میں ڈیٹا بیس سے نکالی ہوئی مطلوبہ معلومات پر مشتمل ہوتی ہیں، کیونکہ ہمارے ڈیٹا بیس کا سائز اتنا بڑا نہیں ہے کہ اس میں سے ایک کویری کو حاصل کیا جائے اس لئے ہم اپنے ٹیبل میں سے ایک کویری کی شکل میں رپورٹ نکالنے کی بجائے اپنے ٹیبل ہی کو ایک رپورٹ کے طور پرنٹ کریں گے۔ تو اس کے لئے **Reports** والے ٹیب میں سے **New** پر کلِک کرتے ہوئے ایک نئی رپورٹ کا آغاز کیجئے۔ اگلی سکرین میں سے **Report Wizard** کو اور اس کے نچلے حصے میں ایک ڈراپ ڈاؤن مینیو میں سے اپنے ٹیبل **World Cities** کو چنئے اور **OK** کے بٹن پر کلِک کیجئے۔ اس سے اگلی سکرین سے اب آپ واقفیت رکھتے ہیں۔ یہاں سے آپ نے اپنی رپورٹ کے لئے اُن کالموں کو چننا ہے جن کو آپ رپورٹ میں دیکھنا چاہتے ہیں جبکہ **Tables/Queries** والے خانے میں آپ کا اکلوتا ٹیبل پہلے ہی سے موجود ہے۔ ایک ایسی رپورٹ کے لئے جس میں صرف شہروں کا نام، جن ممالک میں یہ شہر واقع ہوں اُن کا نام اور ہر شہر کی آبادی کی رپورٹ کے لئے صرف **City**، **Country** اور **Population** کے کالموں کو سلیکٹ کرتے ہوئے ان کو ایک تیر والے بٹن کی مدد سے چن لیں، یعنی دائیں طرف والی ونڈو میں لے آئیں اور پھر **Next** کے بٹن پر کلِک کریں۔ اگلی سکرین گروپنگ لیولز کے لئے ہے جس کی ہمیں ضرورت نہیں ہے۔ **Next** کو کلِک کرتے ہوئے اگلی سکرین پر چلے جائیں۔ یہاں ہم اپنی رپورٹ کے کالموں کی ترتیب کا چناؤ کر سکتے ہیں۔ یہاں آپ آبادی کے کالم کو اس طرح ترتیب دے سکتے ہیں کہ سب سے زیادہ آبادی والا شہر رپورٹ کی فہرست میں سرِ فہرست ہو اور سب سے کم آبادی والا شہر فہرست کے آخر میں۔ اس کے لئے پہلے نمبر والی ڈراپ ڈاؤن مینیو میں سے **Population** کو چنئے۔ اس کے دائیں طرف اُوپر سے نیچے اور نیچے سے اوپر کی ترتیب دینے والا ٹاگل بٹن پہلے ہی سے AZ (یعنی A سے Z) کی سیٹنگ کے ساتھ موجود ہے۔ ایک دفعہ پھر **Next** کے بٹن کو کلِک کرتے ہوئے اگلی سکرین پر چلے جائیے جہاں آپ کو **layout** کا ڈیزائن چننا ہے۔ ایسا کیجئے اور پھر **Next** پر کلِک کرتے ہوئے اس سے اگلی سکرین پر چلے جائیے اسی طرح یہاں اپنی پسند کے سٹائل کو چنئے اور **Next** پر کلِک کیجئے۔ اس آخری سکرین میں اپنی رپورٹ کو ایک مناسب نام دیجئے اور **Finish** کے بٹن کو کلِک کرتے ہوئے اسے مکمل کیجئے۔ ایسا کرتے ہی آپ کی رپورٹ سکرین پر اُسی طرح نظر آئے گی جس طرح اسے کاغذ پر پرنٹ ہونا ہے، لیکن نوٹ کیجئے کہ ایسا تب ہی ممکن ہو گا جبکہ آپ کے کمپیوٹر کے ساتھ ایک پرنٹر لگا ہوا ہو۔ پرنٹر کی غیر موجودگی میں آپ اپنی رپورٹ کا پری ویو نہیں دیکھ سکیں گے۔ یہ تھا ایکسیس سے آپ کا تعارف۔ اگر آپ مزید سیکھنا چاہتے ہیں تو گذشتہ چند صفحات پر دی ہوئی بنیادی ہدایات اور Help مینیو کی مدد سے ایکسیس کے مختلف اجزاء کے بارے میں مزید تحقیقات کیجئے۔ اس سلسلے میں ایکسیس کا ایک اچھی کتاب کی صورت میں مزید مطالعہ اور مائیکروسافٹ کا ایکسیس میں ایک تسلیم شدہ کورس مفید ثابت ہو گا۔

Reports: Reports are simply the output of what you create in Access in a presentable way rather than just printing out rows and columns of data in a jumbled and boring way. This data will almost always be the result of a query but we do not have a very large table and therefore have even smaller sized queries. Therefore, we will generate a report from our World Cities table. In any case, the procedure is the same. Click on the **Reports** tab and then click on the **New** button. From this first screen, select **Report Wizard** from the top window and **World Cities** table from the drop-down menu at the bottom and click on **OK**. You should be familiar with the next window now. You will be given a choice here to include or exclude fields in your report while the **Tables/Queries** field should have our only table already selected. This time, we will only select the **City**, **Country** and **Population** fields one by one and, using the single arrow, add them to the window on the right and then move on by clicking on the **Next** button. The next screen, grouping level dialogue box, does not apply here, so move on by clicking on the next button. The next screen is to sort the order of various columns of your report. We just need them to appear in the order of population, so just drop down the menu for the first field and select population. The little box on the side is already set to AZ meaning ascending, which is fine. Move on by clicking on Next and you will be asked to choose the **Layout** - the choice is yours. When you are done, click on **Next** again and you get the box to choose a **Style** - take your pick. Click on **Next** and a familiar screen greets you to name your report. Do this and click on **Finish** to complete your report. Your report will appear on screen, exactly as it would appear in its printed form. **Warning: You may not be able to see this preview if there is no printer currently attached to your PC or the attached printer is not properly configured**. And this was your introduction to Access. If you find it interesting, go back and explore it further using this basic knowledge. If you really want to take up Access big time, then I recommend that you buy a book solely dedicated to

 Access or, better still, take up a Microsoft approved training course in Access.

انٹرنیٹ

انٹرنیٹ دُنیا بھر کے مواصلاتی نظاموں کی مدد سے پھیلا ہوا کروڑوں کمپیوٹروں کے ایک ایسے نیٹ ورک کا نام ہے، جس تک رسائی ہر خاص و عام کے لئے نہ صرف ممکن بلکہ نہایت ہی آسان ہے، اگرچہ انٹرنیٹ چالیس سال سے قائم ہے اس کی مقبولیت گذشتہ صدی کی آخری دہائی میں ایک طوفان کی طرح پھیلی ہے۔ اب انٹرنیٹ اس مختصر سے عرصے میں ہماری زندگیوں کا ایک اہم ترین حصہ بن کر رہ گیا ہے۔ یہ ہمارے لئے باہر کی دُنیا کی طرف کُھلنے والی کھڑکی کی حیثیت اختیار کر چکا ہے اور ہمارے رابطے کے طریقوں میں انقلابی تبدیلیاں لا رہا ہے۔
نہ صرف یہ بلکہ انٹرنیٹ معلومات اور تعلیم کے حصول میں علم کا ایک سمندر ہے۔ انسانی تاریخ میں اس قدر انفارمیشن کبھی امیر و کبیر فرقے کو بھی دستیاب نہ تھی۔ کامرس و تجارت میں بھی اس نے حیرت انگیز تبدیلیاں پیدا کی ہیں۔ دنیا میں کوئی ایسی کمپنی جو انٹرنیٹ پر اپنی ویب سائٹ نہ رکھتی ہو زیادہ اہمیت کی حامل نہیں سمجھی جاتی۔ ہر قسم کی کمپنیوں اور تنظیموں کے متعلق ہر قسم کی معلومات اب چند لمحوں میں دستیاب ہے۔ فرانس کے مشہور پیشین گو نوسٹراڈیمس نے کبھی کہا تھا کہ ایک دن آئے گا لوگ اپنے گھروں میں ایک ڈبے کو اپنی توجہ کا مرکز بنا لیں گے۔ ایک عرصہ سے اُس کی اِس پیشین گوئی کو ٹیلیویژن سے منسوب کیا جاتا رہا ہے لیکن میرے خیال میں اس کی پیشین گوئی کا اشارہ پی سی کی طرف تھا۔

The Internet is simply a world-wide network of millions of computers inter-linked through telecommunication networks. It may have exploded into our lives in the early nineties, but as we mentioned in the early part of this book, it has been around for over 40 years. But it was during the last decade that it really came of age. And now, it really has opened a window to the outside world for its users - literally! Today, it has become an integral part of our lives. It is rapidly changing the way we communicate.

The multi faceted Internet has brought us a wealth of knowledge and information too, which was previously not within the access of even the rich and the privileged. Think of a topic and you can accumulate more information on it from the Internet than a specialist book can offer. In addition to academic knowledge, there is an unprecedented amount of commercial and general information available on the net. Almost every organisation in the world has its own website with contact and core information about its operations. Nostradamus predicted that one day the center of man's attention would be a box, which would exist in every household. For many years, this has been thought to be the television set. I think he meant the PC!

THE INTERNET

The Internet - 1- انٹرنیٹ

انٹرنیٹ تک رسائی کیسے ہوتی ہے؟ انٹرنیٹ تک رسائی کے لئے آپ کو ایک پی سی جس میں ایک موڈم لگا ہوا اور ایک ٹیلیفون لائن کی ضرورت ہے۔ موڈم ٹیلیفون لائن کے ذریعے انٹرنیٹ کے ساتھ رابطہ کرتا ہے اور جس طرح آپ کی ٹیلیفون کال کے لئے ٹیلیفون ایکسچینج کی ضرورت ہوتی ہے اسی طرح آپ کو انٹرنیٹ تک رسائی کے لئے انٹرنیٹ کی سروس مہیا کرنے والوں یعنی ISP (Internet Service Provider) کی ضرورت ہوتی ہے۔ آئی ایس پی اپنے سرور (Server) کمپیوٹر کے ذریعے سینکڑوں پی سی کو انٹرنیٹ تک رسائی دلا سکتے ہیں۔

انٹرنیٹ کی جدید ترین طرز World Wide Web ہے۔ ویب سرورز ایک دوسرے تک تصویری شکل میں ڈیٹا کا تبادلہ ایک مخصوص طریقے سے کرتے ہیں اس کو HTTP یعنی Hyper Text Transfer Protocol کہتے ہیں ۔اس طریقۂ کار کے لئے معلومات کو کمپیوٹنگ کی زبان HTML یعنی HyperText Markup Language میں لکھا جاتا ہے۔ انٹرنیٹ پر دیکھے جانے والے صفحات اسی زبان میں تشکیل دیئے جاتے ہیں۔ یہی صفحات مل کر ایک ویب سائٹ بنتے ہیں۔ ان میں عبارت اور تصاویر کے علاوہ آواز اور فلموں کو بھی شامل کیا جا سکتا ہے۔ Java زبان کی مدد سے اس کو مزید نکھارنے کے آلات بھی دستیاب ہیں۔ ویب سائٹ ایک معلوماتی مرکز ہوتا ہے جس تک رسائی عام و خاص میں سے کوئی بھی حاصل کر سکتا ہے ماسوائے ان سائٹس کے جن کے لئے ممبرشپ درکار ہو۔ ہر ویب سائٹ کا ایک مخصوص پتا ہوتا ہے، جس طرح کہ ایک ٹیلیفون نمبر۔ اس پتے (address) کو URL یعنی Uniform Resource Locator کہتے ہیں جیسا کہ میری ویب سائٹ کا پتا www.mabaig.co.uk ہے۔ ویب سائٹس کو ISP یا web hosting کمپنیوں سے حاصل کیا جاتا ہے جن کے سرورز پر یہ رسائی کے لئے ہر وقت موجود ہوتی ہیں۔

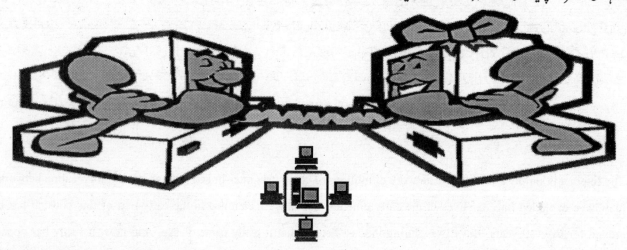

How does one access the Internet?

Anyone with a PC, fitted with a small circuit board called a modem, and a telephone line can go on to the Internet. Strictly speaking, you need one more thing, a service provider. After having arranged for the PC and the modem connection to the telephone line, what number are you going to dial? That's where the Internet Service Provider (ISP) comes in. An ISP is like your local telephone exchange. Your local telephone exchange can relay thousands (OK, hundreds then!) of calls at a time to anywhere in the world by using telephone networks all over the world. Your ISP works in a similar way and their alternative to a telephone exchange is a Server. A server is a computer with extensive resources, which can serve many callers at the same time.

World Wide Web (WWW) is the graphical interface of the Internet. It is accessed by special browsing software such as the Internet Explorer (IE) and Netscape Navigator. Those of you using the Internet Explorer, should have version **5** or higher. If not then get it - its free on the Internet! Web servers use a graphical method of transferring information from one computer to another called **HTTP** (HyperText Transfer Protocol). This information is written in a special language called **HTML** (HyperText Markup Language). These are the pages, which bring you all the information in text, graphics, sound and animations on the Internet. This information is created and posted on the Internet by organisations, companies and individuals on their original Websites - a website is a storage area for a combination of information pages hosted on an ISP's computers. There are also some specialist web hosting companies for this purpose. Websites are accessed by their unique **address**, known as **URL** (Uniform Resource Locator). The address (or the URL) of my website, for example, is www.mabaig.co.uk.

The Internet - 2 - انٹرنیٹ

آپ غالباً پہلے سے ہی انٹرنیٹ استعمال کر رہے ہیں لیکن ہمیں آپ میں سے اُن کے لئے جو ابھی اس سے مانوس نہیں ہیں اس کے بنیادی اصولوں کو ایک نظر دیکھنا ہے۔ امید کی جاتی ہے کہ آپ کے موڈم کا سیٹ اپ مکمل اور آپ کی انٹرنیٹ کی سروس استعمال کے لئے تیار ہو گی۔ اگر نہیں تو اپنے لوکل انٹرنیٹ سروس مُہیا کرنے والوں سے رابطہ کر کے اسے حاصل کیجئے۔ انٹرنیٹ ایکسپلورر کا آغاز اس کے ڈیسک ٹاپ پر موجود نشان پر ڈبل کلِک کرتے ہوئے یا پھر سٹارٹ، پروگرامز، انٹرنیٹ ایکسپلورر کے روٹ کو اختیار کرتے ہوئے کیا جاتا ہے۔ اس کے ساتھ ہی آپ کو انٹرنیٹ سے کنکشن کا ڈائیلاگ باکس پیش کیا جائے گا، جس کے Connect کے بٹن پر کلِک کرنے سے آپ کا موڈم (ایک کرخت آواز کے ساتھ!) انٹرنیٹ سے رابطہ قائم کرے گا۔ چند لمحوں بعد انٹرنیٹ ایکسپلورر کی پہلی سکرین آپ کے سامنے آجائے گا جسے Home Page کہتے ہیں۔ یہاں سے آپ دنیا کے کسی بھی ملک میں واقع کسی بھی ویب سائٹ تک رسائی حاصل کر سکتے ہیں۔ اگر آپ کے پاس مطلوبہ ویب سائٹ کا پتہ ہو تو اسے Address کے خانے میں ٹائپ کیجئے۔ مثال کے طور پر میری ذاتی ویب سائٹ کا پتہ **www.mabaig.co.uk** ہے جسے ٹائپ کرنے اور Enter کی کو دبانے کے چند لمحوں بعد آپ کے کمپیوٹر پر میری ویب سائٹ کی پہلی سکرین لوڈ ہونا شروع ہو جائے گی۔ لیکن اگر آپ کو ایک مخصوص ویب سائٹس کے بجائے کسی معلومات کی تلاش ہو اور متعلقہ ویب سائٹ کا پتہ معلوم نہ ہو تو آپ اس کی تلاش کے لئے متلاشی انجن یعنی Search Engine کی مدد حاصل کر سکتے ہیں۔ اس مقصد کے لئے کئی سرچ انجن دستیاب ہیں جن میں یاہو (www.yahoo.com)، اولٹاویسٹا (www.altavista.com)، اور گوگل (www.google.com) شامل ہیں۔ یاد رکھیئے اس مقصد کے لئے انٹرنیٹ کا اپنا سرچ انجن اس کے **Search** بٹن کی صورت میں بھی موجود ہے (تفصیل اگلے صفحات پر)۔ سرچ انجن انٹرنیٹ کا ایک اہم حصہ ہیں۔ انسانی تاریخ میں بڑی تعداد میں لوگوں کو آسانی سے اتنی معلومات تک رسائی کی مثال نہیں ملتی بلکہ انٹرنیٹ کی یہی خوبی اب ایک مسئلہ بن کر سامنے آئی ہے یعنی کہ اس قدر معلومات کو اکٹھا کر دیا گیا ہے کہ علم کے اس سمندر میں سے مطلوبہ معلومات کو تلاش کرنا ایک آسان کام نہیں رہا۔ مثال کے طور پر اگر آپ گارڈننگ کے بارے میں معلومات چاہتے ہیں تو کسی بھی سرچ انجن میں Garden کی تلاش کے نتائج میں آپ کو اگر ہزاروں نہیں تو سینکڑوں کی تعداد میں ایسی ویب سائٹ کے رابطے (Links) دیئے جائیں گے جن میں لفظ Garden موجود ہو۔ اب اتنی ساری سائٹس میں سے مطلوبہ معلومات نکالنا آسان کام نہیں ہے لیکن جیسے جیسے آپ کو تجربہ حاصل ہو گا آپ سرچ انجنوں کی مدد سے مطلوبہ معلومات کو بآسانی تلاش کر سکیں گے۔

You might already be familiar with the Internet access method but persevere with me for those who are not familiar with it yet. I am confident that there is something for everyone in this chapter. I am assuming that your Internet connection has been set up by your local service provider and it is ready to connect. If this is not the case, then you obviously need to arrange for this. You launch the Internet Explorer by double clicking on the Internet Explorer Icon from your desktop or by Start - Programs - Internet Explorer. Then, you either get the Dial-up Connection dialogue box or your modem starts dialling the number provided by your service provider without this dialogue box. A few seconds later you will hear the rather unpleasant crackling noise of the modem connecting to the Internet. This will give you the opening screen called a Home Page. From here you can go straight to any given website in the world provided you have its precise address. You enter the address in the field just below the menus with the title Address. For example, to get to my sight, which is located in the UK, you type in **www.mabaig.co.uk** and press Enter. Moments later, you will be looking at the opening screen of my website. But what if you do not have the precise address or any address at all of your intended destination? In most cases, you can still find what you are looking for by using SEARCH ENGINES. These are websites which specialise in searching for you what you are looking for. Some of the better known search engines are Yahoo (www.yahoo.com), Alta Vista (www.altavista.com) Google (www.google.com) and so on. Don't forget, Internet Explorer has its own search engine called **Search**! (more on this later). Search engines are a vital part of the Internet. As I indicated earlier, never in history before we have had so much information available to so many of us and with such an easy access. In fact, this very advantage of the Internet is rapidly turning into one of its handicaps - that there is too much information out there. So much so, that it is often almost impossible to sieve through tons of information to find what you really are looking for. For example, say you wanted information on gardening and entered the word Garden in the search criteria of any search engine, you would get a list of links to hundreds of sites, which contain the word garden in them. Now, how many are you going to visit? But don't despair, the only thing worse than too much information is not to have any at all. With experience, you can develop techniques to search for things in more efficient ways.

انٹرنیٹ ایکسپلورر - Internet Explorer

انٹرنیٹ ایکسپلورر انٹرنیٹ تک رسائی کے لئے سب سے زیادہ استعمال ہونے والا سافٹ ویئر ہے۔ ایسے سافٹ ویئر کو براؤزر بھی کہتے ہیں۔ انٹرنیٹ ایکسپلورر اور نیٹ سکیپ نیویگیٹر دو کثرت سے استعمال ہونے والے پروگرام ہیں، جن میں سے انٹرنیٹ ایکسپلورر کو اب برتری حاصل ہو چکی ہے۔ اس کی ایک بڑی وجہ یہ ہے کہ مائیکروسافٹ نے اسے ونڈوز کا حصہ بنادیا ہے اور اس کی کنٹروورسیل (Controversial) سے آپ شائد آگاہ بھی ہوں۔ اس کا تازہ ترین ورشن انٹرنیٹ پر مُفت میں دستیاب ہے، لیکن اگر آپ نیویگیٹر استعمال کر رہے ہیں تو پھر بھی ان دونوں کی زیادہ تر فنکشن ایک جیسی ہی ہیں، کیونکہ آپ میں سے اکثریت یقیناً انٹرنیٹ ایکسپلورر کو استعمال کر رہی ہوگی اس لئے ہم اسی پر توجہ دیں گے۔ اس پر مزید معلومات آگے چل کر دی جائیں گی۔

To access the Internet you need special software such as **Internet Explorer** and **Netscape Navigator** (known as browsers). Despite dominating the market once, Navigator has now been eclipsed by Internet Explorer. This has been due mainly to the controversial bundling of Microsoft Internet Explorer with most versions of Microsoft Windows. It is also freely available in its latest version on the Internet. As can be expected, they are similar in many aspects and anyone who can use one of these can use the other. However, I expect very large number of you to have Internet Explorer (IE) as your default browser. Therefore, we will concentrate on IE - more on this later.

یہاں مطلوبہ ویب سائٹ کا پتہ (Address) ٹائپ کرنے کے بعد Enter کرنے سے آپ کا براؤزر آپ کو اس ویب سائٹ تک لے جائے گا۔

Here you type the address of the website you want to go to and press enter. Your browser will take you there.

انٹرنیٹ کے بامقصد اور مؤثر استعمال کے لئے انٹرنیٹ ایکسپلورر کے ان بٹنوں کو سمجھنا ضروری ہے۔ ان کی تفصیل اگلے صفحات پر دی جارہی ہے۔

To make best use of Internet browsing, you need to understand these features of the Internet Explorer, which are will be explained on the following pages.

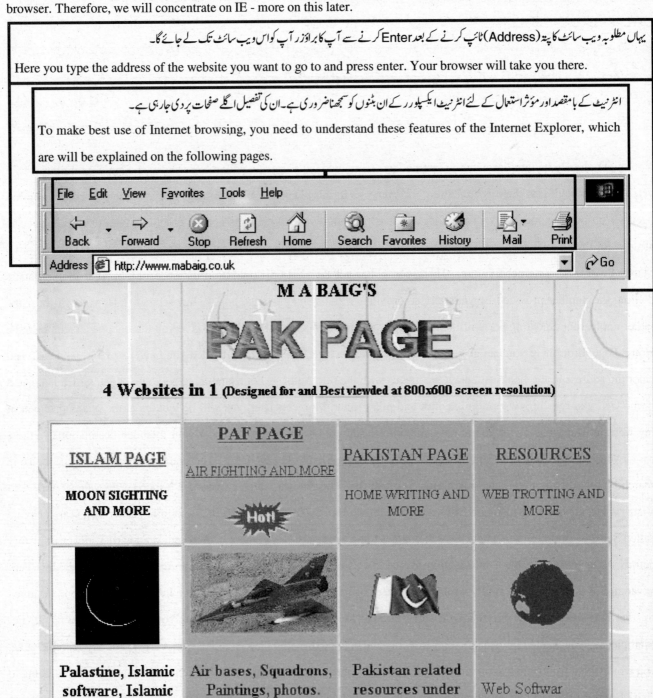

یہ بٹن آپ کے انٹرنیٹ کے دورے کے دوران جن صفحات کو آپ دیکھ چکے ہوں اُن کی طرف لوٹنے کے لئے اور پھر دوبارہ واپس آنے کے لئے ہیں۔یعنی ایک ایک صفحہ پیچھے اور آگے جانے کے لئے۔

These buttons are for navigating through those Internet pages which you have just visited - to go back and forth. These button will not be available, (greyed out) when you have just logged on and have not visited any pages yet - obviously!

آپ انٹرنیٹ ایکسپلورر کے لئے ایک پسندیدہ ویب سائٹ کا چناؤ کرسکتے ہیں (اگلے صفحات پر دیکھئے) پھر جب آپ Home بٹن کو دبائیں گے یہ ویب سائٹ لوڈ ہو جائے گی۔

If you visit a page often, you can set it as a 'Home page' so that every time you log on, it is accessed automatically (more on this later). During your Internet session you can press this button to get back to your nominated page.

اگر آپ کو کسی قسم کی بھی معلومات کی ضرورت ہو تو Search بٹن آپ کی مدد کرسکتا ہے۔اس کو دبانے سے سکرین کے بائیں طرف ایک خانہ نمودار ہوگا۔اس میں مطلوبہ معلومات سے متعلقہ الفاظ ٹائپ کیجئے۔چند لمحوں بعد آپ کو اُن تمام سائٹس کی فہرست پیش کی جائے گی جن میں درج شدہ الفاظ موجود ہوں گے۔(مزید معلومات آگے چل کر)

Search is an important button for net surfing. It helps you search for what you are looking for. When you press it, you get a search field on the left side of the screen where you enter a few words relevent to your search to get access to the sites containing those words. (This is being covered on the next pages).

یہ ای میل اور پرنٹر کے بٹن ہیں۔ای میل کے بارے میں تفصیلات آگے چل کر دی جائیں گی، جبکہ Print بٹن سکرین پر موجود صفحے کو پرنٹ کرنے کے لئے ہے۔

These buttons are self-explanatory. Email will be covered later and the Print button is simply to print the current page on screen!

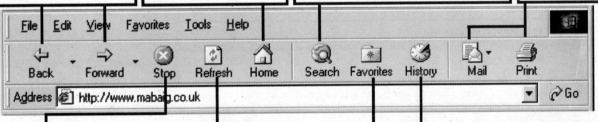

اگر ایک سائٹ کو لوڈ کرنے میں دیر لگ رہی ہو یا آپ نے ایک سائٹ کو لوڈ کیا ہے اور ارادہ تبدیل ہو جانے کی صورت میں Stop بٹن کو دبانے سے یہ عمل منسوخ ہو جائے گا۔

The Stop button is to abort loading a page which may be taking too long to load or you have changed mind about it or have clicked your mouse in error.

اگر آپ کسی ایک صفحہ پر کثرت سے جاتے ہوں تو یہ ممکن ہے کہ انٹرنیٹ ایکسپلورر اپنی یادداشت میں سے اس کا پرانا ورشن لوڈ کردے۔Refresh بٹن جس صفحے کو لوڈ کیا ہو اس کے تازہ ترین ورشن کو حاصل کرنے کے لئے ہے۔

The Refresh button updates the page you have on screen or trying to access. When you access a page, a copy of it stays on your system (more on this later). When you revisit again the Explorer may display an older version of the page from memory. Pressing the refresh button makes sure the latest version of the page is displayed.

اگر آپ کو کوئی ویب سائٹ بہت اچھی لگے تو اس کا ایڈریس لکھنے کی بجائے Favorites کے بٹن کو دبائیے اور پھر Add کو کلک کیجئے تو یہ آپ کی پسندیدہ سائٹ کی فہرست میں شامل ہو جائے گی۔(مزید معلومات کے لئے اگلے صفحات کو دیکھئے)۔

When you come across an exceptional website, you can 'tag' (save its address) by pressing the Favorites button and choosing the Add option. (This is being covered more comprehensively on the next pages).

History بٹن آپ کے فون بل کو محدود رکھنے میں کارآمد ثابت ہوسکتا ہے۔یہ بٹن اُن تمام صفحات کا ریکارڈ رکھتا ہے، جن کو آپ نے حال ہی میں لوڈ کیا ہو۔اس لئے بجائے عبارتی مضامین کو انٹرنیٹ پر پڑھنے کے اُن کو انٹرنیٹ سے ٹیلیفون کا رابطہ منقطع کرنے کے بعد پڑھئے (مزید معلومات کے لئے اگلے صفحات کو دیکھئے)۔

History button can drastically reduce your on-line time. It enables you to view off-line the pages you have recently visited. This means you do not have to read those long paragraphs of text. Instead access these pages and load them while on-line. Then come offline and browse them at your leisure. (This is covered more comprehensively on the next few pages).

Internet Explorer - انٹرنیٹ ایکسپلورر

Search تلاش

آپ Search بٹن سے متعارف ہو چکے ہیں، اس کی اہمیت کا اندازہ اسے ایک دفعہ استعمال کرنے کے بعد ہو جائے گا۔ اسے کو استعمال کرنے کے لئے آپ کا انٹرنیٹ سے کنیکٹ ہونا ضروری ہے۔ ایسا کیجئے اور کنکشن ملتے ہی جیسے ہی انٹرنیٹ ایکسپلورر سکرین پر آجائے تو Search کے بٹن پر کلِک کیجئے۔ آپ کی سکرین دو حصوں میں بٹ جائے گی۔ بائیں طرف والے قدرے چھوٹے حصے میں تلاش کا ایک خانہ نمودار ہوگا۔ اس میں مطلوبہ معلومات سے متعلقہ الفاظ ٹائپ کیجئے اور Go Key کو دبایئے۔ چند لمحوں بعد آپ کو اُن تمام صفحات کی فہرست پیش کی جائے گی، جن میں آپ کے مطلوبہ الفاظ موجود ہوں گے۔ مثال کے طور پر اگر آپ پاکستان کے بارے میں معلومات جاننا چاہیں تو اس Search کے خانے میں لفظ Pakistan ٹائپ کیجئے اور Enter کی کو دبایئے یا پھر Go بٹن پر کلِک کیجئے۔ چند لمحوں کی تلاش کے بعد Search باکس کے نیچے اُن ویب سائٹس کی فہرست آپ کو پیش کی جائے گی جن میں لفظ Pakistan پایا گیا ہو۔ یہ فہرست سینکڑوں ویب سائٹس اور درجنوں صفحات پر مشتمل ہو سکتی ہے۔

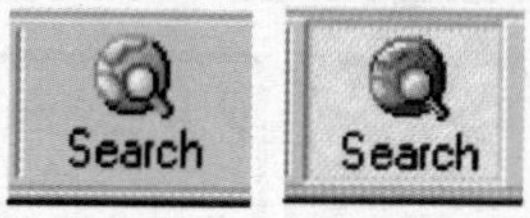

Search is an important button for net surfing. Let's check it out. Go on-line and press the **Search** button. Your IE screen gets divided into two parts. In the smaller section on the left, you get a search field to help you with your search. It may look different depending on your version of the Internet Explorer but works in the same way. Type in your required word in the search field and press Enter or click on the **Go** button. For example, say you wanted information on Pakistan. Type 'Pakistan' in the search field and either press the Enter key or click on the Go button. After a while you will be presented with a list of links to sites containing the word 'Pakistan' in them.

تلاش کے نتائج کی مکمل فہرست کو دس دس کی تعداد میں پیش کیا جاتا ہے اور اس کے نیچے دیا ہوا Next بٹن آپ کو تلاش کے باقی ماندہ نتائج کی طرف لے جائے گا۔

Search results are displayed in groups of about ten items at a time. Pressing the Next button at the bottom of this list will take you to the next ten and so on

کبھی ایسا بھی ہوتا ہے کہ صرف ایک لفظ سے آپ کی تلاش کامیاب نہیں رہتی۔ تو ایسے میں آپ ایک سے زیادہ الفاظ استعمال کر سکتے ہیں جیسا کہ 'Pakistan Cricket' بلکہ بولین (And) اور حسابی (+) نشانات بھی استعمال کر سکتے ہیں۔ جیسا کہ (Pakistan+Cricket) اور (Pakistan and Cricket)۔ بلکہ ایک سرچ انجن (www.ask.com) میں تو آپ سوال بھی پوچھ سکتے ہیں۔

Search Criteria

Sometimes, a single word may not be sufficient to find what you are looking for. You can use a phrase or extra words like 'Pakistan Cricket'. You can also use mathematical and Boolean symbols such as '+' and '**and**' in your search criteria. Examples: (Pakistan+cricket) and (Pakistan and Cricket). In one of the search engines (www.ask.com) you can even ask a full question.

Internet Explorer ۔ 3 ۔ انٹرنیٹ ایکسپلورر

History تاریخ

History بٹن اُن تمام صفحات کا ریکارڈ رکھتا ہے، جن کو آپ نے حال ہی میں لوڈ کیا ہو۔ اگر آپ انٹرنیٹ پر کئی گھنٹے گھومتے رہتے ہیں تو شائد آپ کو یہ احساس نہ ہو کہ ہسٹری بٹن آپ کے لئے کتنا مفید ثابت ہوسکتا ہے۔ اس میں کوئی شک نہیں کہ انٹرنیٹ ایک دلچسپ چیز ہے، لیکن اس پر گھنٹوں کے حساب سے وقت صرف کرنے کے کچھ منفی اثرات بھی ہیں۔ جن میں ایک چونکا دینے والا ٹیلی فون بل یا انٹرنیٹ بل بھی شامل ہے، علاوہ ازیں آپ کا فون گھنٹوں انگیج رہنے سے آپ باہر کی دُنیا سے کٹ کر رہ جاتے ہیں۔ انٹرنیٹ پر سب سے زیادہ وقت اس کے صفحات کو پڑھنے پر صرف ہوتا ہے۔ تو کیا یہ بہتر نہ ہو کہ آپ اُن تمام صفحات کو انٹرنیٹ پر پڑھنے کی بجائے اُن کو انٹرنیٹ سے رابطہ منقطع کرنے کے بعد پڑھیں؟ **History** بٹن یہی کام انجام دیتا ہے۔ اس طرح آپ انٹرنیٹ پر گھنٹوں کی بجائے چند منٹ میں اپنے پسندیدہ صفحوں کا طوفانی دورہ کرنے کے بعد انٹرنیٹ سے رابطہ منقطع کر کے ہسٹری بٹن کی مدد سے اُن صفحات کا جب چاہیں اپنے وقت میں بغیر ٹیلیفون کے انگیج ہوتے ہوئے مطالعہ کر سکتے ہیں، لیکن یاد رکھیئے کہ اس کے لئے یہ ضروری ہے کہ آپ جن صفحات کی رسائی کریں اُن کو مکمل طور پر لوڈ ہونے کا موقع دیں۔ جب آپ انٹرنیٹ سے رابطہ ختم کرلیں تو **History** بٹن پر کلِک کیجئے۔ آپ کی سکرین دو حصوں میں بٹ جائے گی۔ بائیں طرف والے قدرے چھوٹے حصے میں آپ کی انٹرنیٹ کی سیر کی تاریخ کا خلاصہ درج ہے۔ آپ اس تاریخ میں سے اپنی مطلوبہ سائٹ پر کلِک کرتے ہوئے اُن کی مفت میں سیر کر سکتے ہیں اور اگر آپ کا انٹرنیٹ کنکشن والا ڈائیلاگ باکس سامنے آئے تو **Off-line** بٹن پر کلِک کرتے ہوئے اسے ہٹا دیجئے۔

The **History** button keeps a record of the pages you have visited on the Internet recently. It enables you to view these pages off-line. If you spend hours on the Internet, you may not have realised how useful this button can be. Not only will this keep your phone and Internet bills down, it will also prevent your telephone from being forever engaged. Next time you go to the Internet, visit the desired pages one after another, **making sure** they fully load to enable History to take a copy of them. Then come off-line and click on the **History** button. Your screen will get divided into two parts. On the left will be a log of your Internet browsing of the recent past. Click on the required entries and you can browse them at leisure - as if you were on-line. While browsing off-line like this, you may get a prompt from IE to go online. You can get rid of this box with the **Offline** button or choosing **Work Ofline** from the **File** menu.

یہ کتنے دنوں یا ہفتوں کی تاریخ ہے اس بات پر منحصر ہے کہ آپ کے کمپیوٹر میں معلومات کو محفوظ کرنے کے لئے کتنی جگہ دستیاب ہے (اس پر مزید معلومات آگے چل کر انٹرنیٹ ایکسپلورر ۔ 6 والے صفحے پر دی جارہی ہیں۔

This history will be logged by days and weeks and remain there depending on your prefered settings and available space on your computer -(more on this coming up later)

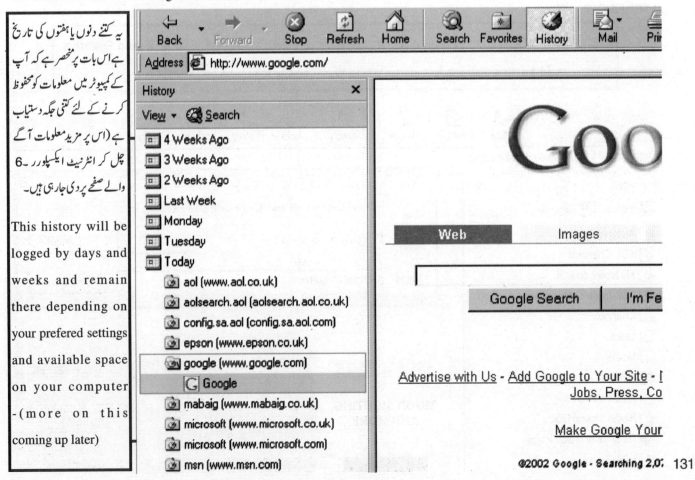

Internet Explorer - 4 - انٹرنیٹ ایکسپلورر

Favorit پسندیدہ

Favorites
Favorites

اگلے چند صفحات پر آپ کو یہ بتایا جائے گا کہ آپ کس طرح اپنی پسندیدہ ویب سائٹ کو انٹرنیٹ ایکسپلورر کا Home Page بنا سکتے ہیں، تاکہ جب بھی آپ انٹرنیٹ پر جائیں تو آپ کی پسندیدہ ویب سائٹ خود بخود لوڈ ہو جائے لیکن اگر آپ کی پسندیدہ ویب سائٹ کی تعداد درجنوں میں ہو تو **Favorit** کا بٹن آپ کی مدد کر سکتا ہے۔ جب آپ انٹرنیٹ کا دورہ کر رہے ہوں اور آپ کو کوئی ویب سائٹ بہت اچھی لگے اور آپ اس کا پتا نوٹ کرنا چاہیں تو اس کا ایڈریس لکھنے کی بجائے **Favorit** کے بٹن کو دبایئے۔ سرچ اور ہسٹری کی طرح آپ کی سکرین دو حصوں میں بٹ جائے گی۔ بائیں طرف والے قدرے چھوٹے حصّے میں آپ کی انٹرنیٹ پر پسندیدہ ویب سائٹس کی فہرست درج ہوتی ہے۔ اب Add کو کلک کرنے پر ایک ڈائیلاگ باکس سامنے آئے گا جس میں آپ اس سائٹ کا ایک ایسا نام درج کریں، جو آپ کو بآسانی یاد دلا دے کہ یہ سائٹ کس چیز کے متعلق ہے اور اس کے بعد **OK** کو کلِک کریں۔ سکرین پر موجود سائٹ آپ کی پسندیدہ سائٹس کی فہرست میں آپ کے دیئے ہوئے نام کے ساتھ شامل ہو جائے گی۔ آپ جب بھی چاہیں اس فہرست میں سے اپنی مطلوبہ سائٹ پر کلِک کرتے ہوئے اُن تک رسائی حاصل کر سکتے ہیں۔

Later in this chapter, you will be shown how to set your favourite website as Internet Explorer's default Home Page - so that it automatically takes you there every time you log on to the Internet. But this button goes further than that. You can use it to make a list of your favourite sites and with a couple of mouse clicks, you can get back to those sites whenever you want without having to type in there full address. It works in a similar fashion as the search button - in the sense that you click it and your screen will be divided into two parts. The smaller left hand side is where you can keep a list of links to your favourit sites. You press the same button whether you want to add a new favourite site to this list or you want to access one from this list. When you come across a site you really like and would like to return to it, click on the Favorites button, and then from the Favorites window on the left, click on the Add button. This will give you the **Add Favorit** dialogue box. Here you give it a name to remind you what this site is about and click **OK**. It will be added to your list. You can then close the favorites window by clicking on the Favorites button again. You can access this site in the future by reversing the process.

Add Favorite کا ڈائیلاگ باکس جس میں آپ اس سائٹ کو ایک مخصوص نام دے سکتے ہیں، تاکہ آپ کو بآسانی یاد رہے کہ یہ سائٹ کس کے متعلق ہے۔

Add Favorit dialogue box allows you to name the site to remind you what it is about.

Favorites
Favorites
Add Favorite

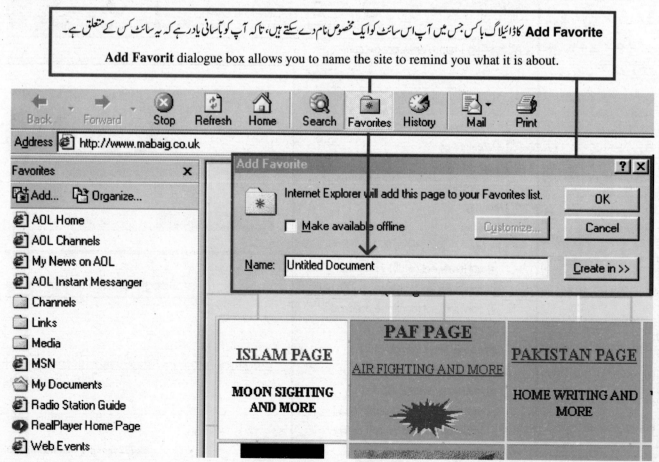

Customise the Explorer Toolbar to your liking   ایکسپلورر کی ٹول بار کو اپنی مرضی کے مطابق ڈھالیے

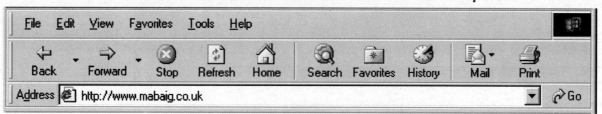

You can customise IE's toolbar to your liking. Right-click anywhere on the toolbar to get the menu pictured on the right, then click **Customize**. A dialog box (below) appears showing all the buttons available on the left and those already being used on the right.

Two buttons in the middle are to **Add** or **Remove** the selected item on either side. Just select the button you want to add or remove, click the appropriate button in the middle and click on Close. Let's add the Full screen button (a really useful button to view long pages) to your bar and remove the **Printer** button. Click on the printer button from the window on the right and then click on **Remove**. Similarly, click on the **Full Screen** button from the window on the left and click on **Add** and then click on **Close** to close the dialogue box. You can always go back and click on **Reset** to get your original settings back.

آپ اگر چاہیں تو انٹرنیٹ ایکسپلورر کی ٹول بار کے بٹنوں کو اپنی مرضی کے مطابق تبدیل کرسکتے ہیں۔ ٹول بار کے بٹنوں والے حصے میں کہیں بھی ماؤس کو دائیں کلِک کیجئے اور سامنے آنے والی مینیو میں سے **Customize** کمانڈ پر کلِک کیجئے۔ یہ آپ کو (نیچے دیئے ہوئے) ڈائیلاگ باکس میں لے جائے گی۔

اس باکس کی دائیں ونڈو میں وہ بٹن ہیں جو کہ پہلے سے ٹول بار میں موجود ہیں اور بائیں طرف والی ونڈو میں وہ بٹن ہیں جو اگر آپ چاہیں تو ٹول بار میں شامل کرسکتے ہیں، جبکہ درمیان میں **Add** اور **Remove** کا مقصد ٹول بار میں بٹنوں کو شامل کرنا اور نکالنا ہے لیکن یاد رکھیے کہ جگہ کی کمی کی وجہ سے ہم ٹول بار میں زیادہ بٹن نہیں لے جاسکتے۔ آیئے اس میں **Full Screen** کے کار آمد بٹن کو جس کا استعمال ہم کتاب میں پہلے کر چکے ہیں شامل کریں اور **Printer** کے بٹن کو نکال لیں۔ پہلے بائیں ونڈو میں **Full Screen** کے بٹن کو کلِک کرنے کے بعد **Add** والے بٹن پر کلِک کیجئے اور اسے دائیں ونڈو میں شامل کرتے ہوئے ٹول بار کا حصہ بنالیں پھر اسی کے متضاد طریقے کو استعمال کرتے ہوئے **Remove** بٹن کی مدد سے **Printer** کے بٹن کو دائیں ونڈو سے نکال لیں۔ یاد رکھئے آپ **Reset** کے بٹن کی مدد سے ان تبدیلیوں کو کینسل کرسکتے ہیں۔

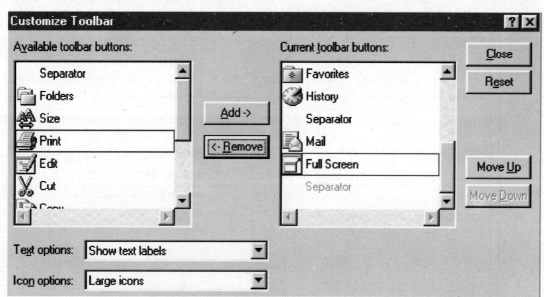

Tool bar after the above changes   اوپر والی تبدیلیوں کے بعد تبدیل شدہ ٹول بار

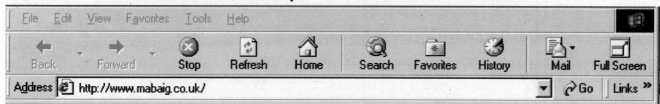

Customise the Internet Explorer to your Preferences انٹرنیٹ ایکسپلورر کی کواپنی مرضی کے مطابق اپنائیے

آپ انٹرنیٹ ایکسپلورر کی سیٹنگ کو مزید تبدیل کرکے اسے اپنی مرضی کے مطابق ترتیب دے سکتے ہیں۔ ان میں اہم ترین سیٹنگ کی تفصیل یہاں دی جارہی ہے۔

Here are some further settings of Internet Explorer that you can change to adopt it to the best of your needs.

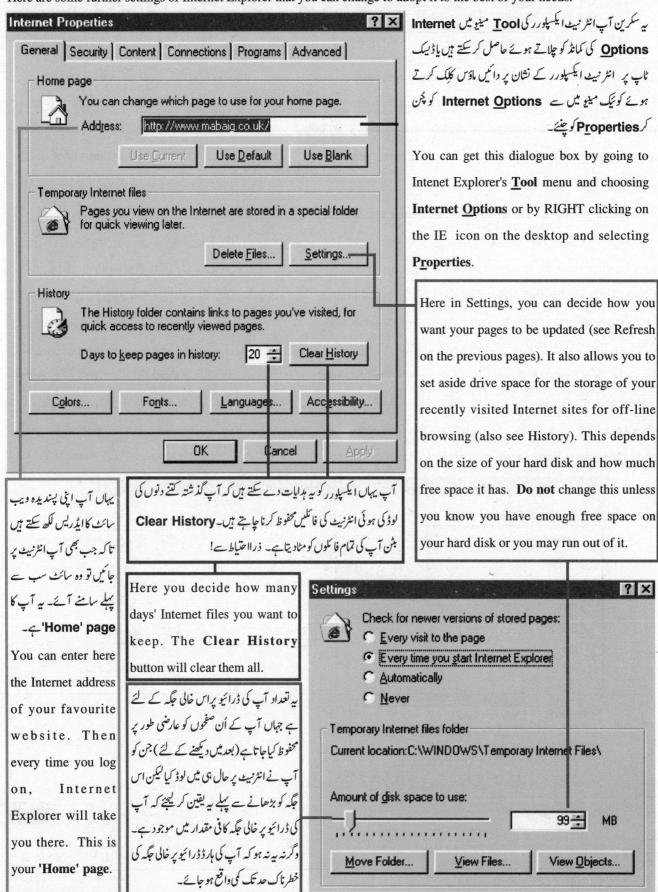

یہ سکرین آپ انٹرنیٹ ایکسپلورر کی **Tool** مینیو میں **Internet Options** کی کمانڈ کو چلاتے ہوئے حاصل کرسکتے ہیں یا ڈیسک ٹاپ پر انٹرنیٹ ایکسپلورر کے نشان پر دائیں ماؤس کلک کرتے ہوئے کوئیک مینیو میں سے **Internet Options** کو چن کر **Properties** کو چنئے۔

You can get this dialogue box by going to Intenet Explorer's **Tool** menu and choosing **Internet Options** or by RIGHT clicking on the IE icon on the desktop and selecting **Properties**.

Here in Settings, you can decide how you want your pages to be updated (see Refresh on the previous pages). It also allows you to set aside drive space for the storage of your recently visited Internet sites for off-line browsing (also see History). This depends on the size of your hard disk and how much free space it has. **Do not** change this unless you know you have enough free space on your hard disk or you may run out of it.

آپ یہاں ایکسپلورر کو یہ ہدایات دے سکتے ہیں کہ آپ گذشتہ کتنے دنوں کی لوڈکی ہوئی انٹرنیٹ کی فائلیں محفوظ کرنا چاہتے ہیں۔ **Clear History** بٹن آپ کی تمام فائلوں کو مٹادیتا ہے۔ ذرا احتیاط سے!

Here you decide how many days' Internet files you want to keep. The **Clear History** button will clear them all.

یہاں آپ اپنی پسندیدہ ویب سائٹ کا ایڈریس لکھ سکتے ہیں تاکہ جب بھی آپ انٹرنیٹ پر جائیں تو وہ سائٹ سب سے پہلے سامنے آئے۔ یہ آپ کا **'Home' page** ہے۔

You can enter here the Internet address of your favourite website. Then every time you log on, Internet Explorer will take you there. This is your **'Home' page**.

یہ تعداد آپ کی ڈرائیو پر اس خالی جگہ کے لئے ہے جہاں آپ کے اُن صفحوں کو عارضی طور پر محفوظ کیا جاتا ہے (بعد میں دیکھنے کے لئے) جن کو آپ نے انٹرنیٹ پر حال ہی میں لوڈ کیا لیکن اس جگہ کو بڑھانے سے پہلے یہ یقین کر لیجئے کہ آپ کی ڈرائیو پر خالی جگہ کافی مقدار میں موجود ہے۔ وگرنہ یہ نہ ہو کہ آپ کی ہارڈ ڈرائیو پر خالی جگہ کی خطرناک حد تک کمی واقع ہو جائے۔

Internet Explorer - 7 - انٹرنیٹ ایکسپلورر

Internet Tips, Tricks and Techniq انٹرنیٹ کی تراکیب اور تکنیک

انٹرنیٹ کی سُست رفتاری کو کم کیجئے

کیونکہ انٹرنیٹ ڈیٹا کی منتقلی ٹیلیفون کے ذریعے کرتا ہے اس لئے اس کی رفتار قدرے سُست ہوتی ہے لیکن اس رفتار کو کسی حد تک بڑھایا جاسکتا ہے۔اس سلسلے میں سب سے پہلے تو یہ تعین کیجئے کہ آپ کے پی سی میں موڈم کی رفتار کیا ہے۔ موجودہ اسٹینڈرڈ 56K سپیڈ کے موڈم ہیں۔اگر آپ کا موڈم 36.6k رفتار کا ہے تو یہ کسی حد تک قابل قبول ہے مگر مجبوری کی حد تک۔البتہ اگر آپ کے موڈم کی رفتار 28.8k یا 14.4 ہے تو آپ کو دوا سے زیادہ دعا کی ضرورت ہے!! تاہم آج کل موڈم کی قیمتوں میں اس قدر کمی ہو گئی ہے کہ یہ کمپیوٹر کے سب سے کم خرچ اجزاء میں سے ہے۔
موڈم اپ گریڈ کے علاوہ آپ سیٹنگ کے ساتھ بھی اس عمل کو تیز کر سکتے ہیں۔اس میں کوئی شک نہیں ہے کہ انٹرنیٹ کی تصاویر، اینیمیشن اور آوازیں اس کی دلکشی اور دلچسپی کا اہم حصہ ہیں لیکن فرض کیجئے کہ آپ کسی ریسرچ یا پروجیکٹ کے سلسلے میں انٹرنیٹ پر معلومات کی تلاش میں ہوں اور آپ کو وقتی طور پر ان تصاویر اور دیگر اثرات سے کوئی سروکار نہ ہو تو آپ ان کو معطل (**disable**) کر سکتے ہیں۔ایسا کرنے سے آپ کی انٹرنیٹ کی رفتار میں خاطر خواہ اضافہ ہو سکتا ہے۔ایسا کرنے کے لئے انٹرنیٹ ایکسپلورر کی **Tools** مینیو میں سے **Internet Options** کا انتخاب کیجئے اور سامنے آنے والے باکس کی **Advanced** ٹیب پر کلِک کیجئے۔سکرول بار کو استعمال کرتے ہوئے یہاں دی ہوئی فہرست کے نچلے حصے میں سے **Multimedia** کو سامنے لائیے۔یہاں دیئے ہوئے اثرات **Play Animations**، **Play Sounds**، **Play Video** اور **Show Pictures** کے دائروں میں کلِک کرتے ہوئے ان کو آف کر دیں پھر **Apply** بٹن پر کلِک کیجئے اور اس ڈائیلاگ باکس کو بند کر دیجئے۔اب انٹرنیٹ کا ایک دورہ کیجئے اور خود اندازہ لگائیے کہ اس عمل سے رفتار پر کتنا اثر پڑا ہے۔جب تک کہ آپ کو کسی تصویر کے دیکھنے یا اُسے حاصل کرنے کی ضرورت نہ ہو اسی تکنیک کو اپنائیے۔یاد رہے کہ تصاویر اور دیگر اثرات کو **Multimedia** میں دوبارہ بحال کرتے ہوئے آپ جب چاہیں ان کو واپس لا سکتے ہیں۔ایسا کرنے کے لئے دوبارہ **Tools** مینیو میں سے **Internet Options** کا انتخاب کیجئے اور پھر **Advanced** ٹیب میں پہلے **Restore Defaults** پر اور اس کے بعد **Apply** پر کلِک کیجئے۔آپ کی نارمل سیٹنگ واپس آجائیں گی۔اس طرح آپ اس عمل کو جب چاہیں معطل اور جب چاہیں بحال کر سکتے ہیں۔

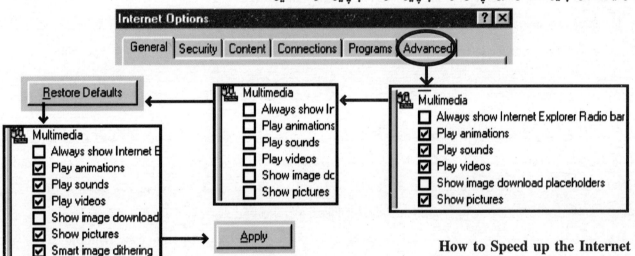

How to Speed up the Internet

Browsing the Internet is inherently slow. The telephone was not invented for the Internet; it just got lumbered with the responsibility. However, there are ways to speed things up. The obvious one is to use the fastest modem available. If you have a 36.6k modem, you should consider an upgrade. The current standard is 56K and upgrading is not complicated at all, as almost all present day modems are Plug and Play devices. If you have a 28.8k or 14.4, then I am afraid its more of a plug-and pray situation! There is more you can do to make things move faster. If you are looking for information (text only) and are not bothered about the photos and animations on the Internet, and are willing to swap them for speed, you can turn them off. Go to **Tools - Internet Options** and click the **Advanced** tab. Scroll down to the **Multimedia** section, deselect (untick) the **Play Animations** option along with the **Play Sounds, Play Video**, and **Show Pictures** options. Press the **Apply** button, close this dialogue box, and then take a trip to the Internet to see the difference in speed. Unless you are looking for photos, you can drastically reduce your online time, your telephone bill and the stress factor (by cutting down the waiting time). To restore these settings, just recheck the boxes or simply click on the **Restore Defaults** button in the same box. Finally click on **Apply** and come out - your settings are restored. For research and projects, you will really find this to be a very useful trick.

انٹرنیٹ ایکسپلورر - Internet Explorer - 7a

انٹرنیٹ کی تراکیب اور تکنیک Internet Tips, Tricks and Technique

انٹرنیٹ کی تیز رفتاری کے لئے مزید تراکیب

☆ انٹرنیٹ پر جانے سے پہلے تمام غیر ضروری پروگراموں کو بند کر دیجئے ورنہ یہ بھی آپ کے انٹرنیٹ کے صفحات کو لوڈ کرنے میں تاخیر کا باعث بن سکتے ہیں۔

☆ اگر آپ وال پیپر (ڈیسک ٹاپ کا پسِ منظر) کے لئے دلکش پوسٹر یا تصویر یا پھر سکرین سیور استعمال کر رہے ہیں تو یہ بھی انٹرنیٹ کی رفتار پر منفی طور پر اثرانداز ہو سکتے ہیں۔

☆ موڈم کی تار (ٹیلیفون ساکٹ سے کمپیوٹر تک) کی لمبائی کو کم سے کم تر رکھنے کی کوشش کیجئے۔

☆ انٹرنیٹ ایکسپلورر۔6 والے سیکشن میں ہدایات کے مطابق عارضی انٹرنیٹ فائلوں کو محفوظ کرنے کے لئے جگہ میں اگر ممکن ہو تو اضافہ کیجئے۔

☆ اگر ممکن ہو تو انٹرنیٹ کا دورہ اُس وقت کرنے سے گریز کیجئے جب آپ کے علاقے میں اکثریت کے انٹرنیٹ پر جانے کا وقت ہو اگر ممکن ہو تو رات کو دیر سے یا صبح سے پہلے ایسا کر کے دیکھئے۔

Further tips to speed up the Internet

* Shut down all other applications before going on to the Internet or else they may slow down your browsing.
* If you are using fancy wallpaper or screen saver then be aware that these can also hinder your Internet speed.
* Keep the length of the cable from socket to the PC at a minimum possible.
* Increase the temporary file storage space but check 'How To' and 'Internet Explorer 6' sections of this book first.
* Try to avoid going on the Internet at peak time for your area. Try late night or very early morning if possible.

ایک سے زائد صفحات کو ایک سے زائد ونڈوز میں بیک وقت کھولئے

آپ انٹرنیٹ کے ایک سے زائد صفحات کو ایک ہی وقت علیحدہ علیحدہ ونڈوز میں لوڈ کر سکتے ہیں۔ اس کے لئے **File-New- Window** کا انتخاب کیجئے (آپ ایسا کی بورڈ کی شارٹ کٹ **Control+N** کے ساتھ بھی کر سکتے ہیں) اور چند لمحوں بعد ایک نئی ونڈو کھل کر سامنے آجائے گی، جس میں آپ اپنے مطلوبہ صفحے کا پتہ درج کرتے ہوئے اس کو لوڈ کر سکتے ہیں۔ یہ آپ کو انٹرنیٹ کے کنکشن کا کم سے کم وقت میں زیادہ سے زیادہ فائدہ اٹھانے میں مدد دے گا۔ مثال کے طور پر اگر آپ UNO پر معلومات کے لئے **Search** کے بٹن کو استعمال کرتے ہوئے UNO کے متعلق ویب سائٹ کی تلاش کرتے ہیں اور اس کے نتائج میں آپ کو کئی صفحات کے رابطوں (links) کی فہرست پیش کی جاتی ہے تو آپ ان رابطوں پر دائیں ماؤس کی کلِک کیجئے اور سامنے آنے والی مینیو میں سے **Open in New Window** کو چنئے۔ ایکسپلورر ایک نئی ونڈو میں اس رابطے سے منسلک ویب سائٹ کو لوڈ کرنا شروع کر دے گا۔ بجائے اس کے لوڈ ہونے کا انتظار کرنے کے واپس اس صفحے پر آجائیں جس پر آپ کی تلاش کے نتائج کی فہرست لگی ہوئی ہے اور اس فہرست کے اگلے رابطے کو بھی اسی طرح لوڈ کرنا شروع کر دیں۔ ہر کھلنے والے صفحے کا بٹن ٹاسک بار پر لگتا جائے گا۔ اب آپ ان بٹنوں پر کلِک کرتے ہوئے ان صفحات کو جیسے جیسے وہ لوڈ ہوتے جائیں گے دیکھ سکتے ہیں۔ آپ ایسا **Alt-Tab** کی شارٹ کٹ سے بھی کر سکتے ہیں۔ یہی طریقہ استعمال کرتے ہوئے آپ Favorits کے بٹن میں سے اپنی مختلف پسندیدہ ویب سائٹ کو بھی اسی طرح لوڈ کر سکتے ہیں۔

Open several pages at a time in seperate Windows

You can open several Internet pages separately in different windows. This will maximise the use of bandwidth of the connection available to you. To do this simply carry out the **File - New - Window** command or use the short cut **Control+N** and enter the address of the page you want. You can do it even better when facing a list of links. For example, if you were looking for some information on UNO and you used the **Search** button to find links to the relevant sites; you would be given a list of such links as a result of your search. Instead of checking them one after another, you can right click on any on them and select the **Open in New Window** command. Then, while this page is being loaded, you can get back to the search screen window and select the next link to be opened in a separate window and so on. You can scroll through these windows by either clicking their minimised buttons on the task bar or simply going through keyboard **Alt-Tab** routine.

Internet Explorer - 8 - انٹرنیٹ ایکسپلورر

Internet Tips, Tricks and Technique   انٹرنیٹ کی تراکیب اور تکنیک

انٹرنیٹ کے لئے شارٹ کٹس

کی بورڈ کی کچھ شارٹ کٹس انٹرنیٹ کے لئے کافی مددگار ثابت ہوسکتی ہیں۔ مثال کے طور پر اگر آپ ایک ایسا پتا ٹائپ کرنا چاہتے ہیں جو **www** سے شروع ہوتا ہو اور **com.** پر ختم ہوتا ہو جیسا کہ **www.msn.com** تو اس کے صرف درمیانی حصے یعنی **msn** کو ٹائپ کرنے کے بعد **Ctrl+Enter** (**Control** کی کو دبا کر رکھتے ہوئے **Enter** کی کو دبائیے) کی شارٹ کٹ کے استعمال سے پورا پتہ درج ہو جائے گا۔ اس سیکشن کے آخر میں انٹرنیٹ ایکسپلورر کی مفید ترین شارٹ کٹس کی فہرست دی جا رہی ہے۔

Browse With ShortCuts

Some of the Keyboard shortcuts may not be as useful as the mouse itself but most of them can be used to save time and effort in a very effective manner. Check this out. If you have an address to type which starts with **www** and ends in **.com** (for example: **www.msn.com**) just type in **msn** and press **Ctrl+Enter** (press down **Control** key and press **Enter** once) the full address will be inserted! There is a full listing of my favourite keyboard shortcuts for Internet Explorer at the end of this chapter.

انٹرنیٹ کے منفی اثرات سے آپ کے کنبے کا تحفظ

انٹرنیٹ کے جہاں ان گنت فوائد ہیں وہاں اس کے کچھ مضر اثرات بھی ہیں۔ انٹرنیٹ پر اکثر ایسا مواد پایا جاتا ہے جو کہ بچوں کے لئے مناسب نہیں ہوتا۔ اس مقصد کے لئے کئی سافٹ ویئر دستیاب ہیں جو کہ خاص طور پر ایسے مواد تک رسائی سے بچاؤ کے لئے ڈیزائن کیے گئے ہیں، لیکن آپ انٹرنیٹ ایکسپلورر کی اس سلسلے میں اندرونی سیٹنگ کو بھی تبدیل کرتے ہوئے اس کی غیر موزوں مواد تک رسائی کو محدود کر سکتے ہیں۔ اس کے لئے انٹرنیٹ ایکسپلورر کی **Tools** مینیو میں سے **Internet Options** کی کمانڈ کو چلاتے ہوئے **Content** ٹیب میں چلے جائیے۔ یہاں **Content Advisor** کے سیکشن میں **Enable** کے بٹن پر کلک کیجئے۔ یہاں آپ کو یہ اختیار حاصل ہے کہ اُن ویب سائٹ تک رسائی کو محدود کر دیں جن میں قابلِ اعتراض مواد کے پائے جانے کا امکان ہو۔ آپ کو ہر کیٹیگری کے لئے مختلف درجوں کے تحفظ کی سیٹنگ چُننے کا اختیار ہے۔ ان کا حسبِ ضرورت چناؤ کرنے کے بعد آپ جب **OK** کو کلِک کریں گے تو آپ کو ایک پاس ورڈ تجویز کرنے کو کہا جائے گا، تاکہ آپ کے سوا کوئی اور آپ کے چُنے ہوئے ان حفاظتی اقدامات کے نفاذ میں تبدیلی نہ کر سکے لیکن اس پاس ورڈ کو بھولئے مت۔ اسی طرح آپ **Approved sites** ٹیب میں مزید حفاظتی اقدامات کرتے ہوئے اُن ویب سائٹس کو بھی نامزد کر سکتے ہیں، جن تک رسائی کے لئے آپ کے پی سی کو استعمال کرنے والے کو آپ کی اجازت ہو یا قطعی اجازت نہ ہو۔

Make the Internet Secure for your family

The down side of the Internet is that it is not regulated. Some of the material splashed around the Internet is not what you would want your children to come across. You can get special software for the prevention of this, but you can certainly set some security features within the Internet Explorer. Take the **Tools - Internet Options - Content** route and click on the **Enable** button in the **Content Advisor** section. It allows you to restrict access to certain Web sites, or types of Web sites. Once Content Advisor is enabled, click each category in the list and drag the slider to set the desired level for each of them. When you click on **OK**, you will be prompted to enter a password. Remember your supervisor password for any future changes in the Content Advisor settings. You can have added control by the **Approved sites** tab in this box, which gives you manual control over the sites which escape your control settings.

اشتہارات سے نجات حاصل کیجئے

اشتہارات آپ کی انٹرنیٹ کی رفتار کو کم کرنے میں پیش پیش ہیں ان سے چھٹکارہ حاصل کرنے کے لئے مفت میں دستیاب سافٹ ویئر **'Pop-Up Stopper'** کو حاصل کیجئے۔ یہ غیر ضروری اشتہارات کو آپکی انٹرنیٹ کی رسائی میں مداخلت سے روکنے میں مددگار ثابت ہوگا۔ اس کو **www.panicware.com/product_dpps.html** سے ڈاؤن لوڈ کیجئے۔

Cut out the Ads

Ads are another contributory factor in slowing down your Internet access. Disable them by installing **'Pop-Up Stopper'**. To download it free, the full address is **www.panicware.com/product_dpps.html**.

Best of the Internet - انٹرنیٹ پر سب سے بہتر

Best and Most Useful Websites - عمدہ اور مفید ترین ویب سائٹس

ویسے تو انٹرنیٹ پر لاکھوں کی تعداد میں ویب سائٹس ہیں اور شائد ان میں سے ننانوے فیصد آپ کے لئے بے معنی ثابت ہوں لیکن اس کے باوجود انٹرنیٹ پر نہایت ہی مفید اور دلچسپ سائٹس ایک بڑی تعداد میں موجود ہیں اگرچہ مخصوص مقاصد کے لئے بنائی ہوئی ویب سائٹس کی ممبرشپ خریدنی پڑتی ہے، لیکن یہاں آپ کے لئے اُن ویب سائٹس کی تفصیل دی جارہی ہے جو کہ مُفت میں آپ کو معلومات اور تفریح مہیا کریں گے۔

There are millions of website on the Internet but 99% of these may not mean much to you. However, there is a large number of really fantastic sites about. Some of these require paid membership but I am going to list a few here which are free of charge and yet provide excellent knowledge and entertainment.

www.britannica.com

برٹینیکا دُنیا کا بہترین انسائیکلوپیڈیا ہے اور یہ ہمیشہ سے اہلِ علم (اور اہلِ دولت) کی لائبریریوں کا مرکزی حصہ رہا ہے۔ اب یہ انٹرنیٹ پر دستیاب ہے اگرچہ اس کے تفصیلات سے بھرپور آرٹیکل تک رسائی کے لئے سبسکرپشن خریدنا پڑتی ہے لیکن سرسری معلومات کے لئے یہ سب کے لئے مُفت ہے۔

This best encyclopaedia in the world was once the pride decorator of the bookshelves of the privileged elite. Now it is available on the net. Although you have to subscribe for the in-depth version, basic info is free for all.

www.refdesk.com

یہ معلومات کا ایک وسیع مرکز ہے اور آپ کے سکول و کالج کے پراجیکٹ اور ریسرچ کے لئے ایک اہم ویب سائٹ، اگر آپ کو یہاں سے مطلوبہ معلومات نہ مل سکیں تو یہ آپ کو ایسی سائٹس کے لنک مہیا کرے گی جو آپ کو ان معلومات تک رسائی دلا سکیں۔

This is a huge resource centre and an ideal place for your homework, projects and research. If it has not got the information you are looking for it will guide you to it.

www.askjeeves.com

جیوز آپ کا بٹلر ہے اور بہت حاضر جواب ہے۔ اس کے پہلے صفحے پر سوال ٹائپ کیجئے۔ جیو آپ کی خدمت سرانجام دینے کے لئے آپ کو اُن سائٹس کے رابطہ مہیا کرے گا جو آپ کے سوال کا جواب دے سکیں۔ اس کو استعمال کرنے کے بعد آپ یقیناً جیوے جیوز کے نعرے لگائیں گے!!

Jeeves is your knowledgeable butler. Type a question on the opening page and Jeeves will get you the links, which will help to answer your questions.

www.askoxford.com

یہ انگلش زبان کے الفاظ اور محاوروں وغیرہ کا مطلب جاننے کے لئے ایک نہایت ہی کارآمد سائٹ ہے، اگر آپ کو یہ پسند آئے تو **www.thesaurus.com** کو بھی ایک نظر دیکھئے۔

This is the site for the Oxford combined dictionaries for all your vocabulary needs. If you like this, also try **www.thesaurus.com** to enhance your English.

www.nhm.ac.uk

لندن میں نیچرل ہسٹری میوزیم کی ویب سائٹ۔ یقیناً آپ کی دلچسپی کا باعث بنے گی، اگر آپ کو یہ پسند آئے تو وکٹوریہ اینڈ البرٹ میوزیم (**www.vam.ac.uk**) کو بھی ایک نظر دیکھئے۔

I am sure you will enjoy this trip to the Natural History Museum in London . If you like this, also try the Victoria and Albert museum next door - **www.vam.ac.uk**

www.shakespeare.com

اگر آپ لٹریچر میں دلچسپی رکھتے ہوں تو شیکسپیئر کی ویب سائٹ کو چیک آؤٹ کریں، اگر آپ آرٹ میں بھی دلچسپی رکھتے ہوں تو **www.tate.org.uk** کو بھی ایک نظر دیکھئے۔

If you are into literature, check out this Shakespearean site. If you are also into Art, then why not visit the Tate galleries (Britain, Modern, Liverpool and St. Ives) at **www.tate.org.uk**

Best of the Internet - انٹرنیٹ پر سب سے بہتر

Pakistani & Islamic Websites - پاکستان اور اسلامی ویب سائٹس

www.musalman.com

An Islamic portal with a massive range of Deen related issues .اس اسلامی پورٹال میں آپ کو وسیع پیانے پر اسلامی معلومات ملیں گی۔

www.Ummah.net

This site offers a comprehensive range of Islam related issues دین کے متعلق ہر قسم کے آرٹیکل اور معلومات سے بھرپور سائٹ۔

www.Islamicity.com

A multi-media site on Islam with many related links ایک ملٹی میڈیا اسلامک سائٹ، جس میں اسلامی موضوعات پر کئی دوسرے لنک بھی موجود ہیں۔

www.muhaddith.com

A comprehensive downloadable Quran and Hadith resources قرآن اور حدیث کے مجموعے جنھیں آپ آئندہ استعمال کے لئے ڈاؤن لوڈ کر سکتے ہیں۔

www.qiraah.com

A wonderful collection of mesmerising recitations of the Quran by famous Qaris قرآنِ پاک کی دل آویز تلاوت کا ایک زبردست مجموعہ۔

One of the largest Urdu website in the world-**www.urdupoint.com**-دُنیا میں اردو کی سب سے بڑی ویب سائٹ میں سے ایک

The official website of Pakistan -**www.pak.gov.pk**- پاکستان کی سرکاری ویب سائٹ

For Pakistani music and more-**www.muziq.net**- پاکستانی موسیقی کے لئے

One of the best USA based Pak website .-**www.pakwatan.com**- امریکہ میں پاکستان کی ایک نمایاں ویب سائٹ

If you like Ptv broadcasts, you will like this -**www.ptv.com.pk**-اگر آپ کو پی ٹی وی کی نشریات پسند ہیں تو آپ اس سائٹ کو پسند کریں گے

www.radio.gov.pk یہ ریڈیو پاکستان کی سائٹ ہے۔ آپ یہ تو سوچیں گے کہ ریڈیو سُننے کے لئے پی سی اور وہ بھی انٹرنیٹ کے ساتھ؟ لیکن بیرونِ ملک پاکستانیوں کے لئے نہایت ہی مفید ویب سائٹ ہے کہ وہ جب بھی چاہیں اس کے تازہ ترین ریکارڈ کئے ہوئے خبرناموں اور دوسرے پروگراموں کو براہِ راست سن سکتے ہیں۔

www.radio.gov.pk Yes, it is not practical to listen to the radio on the Internet, but this is extremely useful for the overseas Pakistanis who can log on anytime for the live **as well as** freshly recorded news bulletins. .

The well known Pakistani English newspaper.-**www.dawn.com**-پاکستان کا جانا پہچانا انگلش اخبار

The familiar and the largest Urdu newspaper in the world.-**www.jung-group.com**-پاکستان کا جانا پہچانا اردو اخبار

Website for the national carrier, PIA.-**www.fly-pia.com**-قومی ایئر لائن پی آئی اے کی ویب سائٹ

Miscellaneous متفرقات

Premium Cricket site from UK's Channel 4 -**www.cricket4.com**-اگر آپ کرکٹ کے شوقین ہیں تو یہ سائٹ آپ کے لئے ہے

And if you are a big Cricket fan then check this out. -**www.cricket.org**-اور اگر آپ کرکٹ کے بہت ہی شوقین ہیں تو یہ بھی آپ کے لئے ہے

If you are into sports then try this -**www.sportal.com** اگر آپ کسی اور کھیل کے شوقین ہیں تو اس سائٹ کو دیکھئے

If you like English music, you will find plenty here -**www.mp3.com**-اگر آپ کو انگلش میوزک سے لگاؤ ہے تو یہ سائٹ آپ کے لئے ہے

If you like films, you will find a houseful here -**www.imdb.com**-اگر آپ کو فلموں سے لگاؤ ہے تو یہ شوضرور دیکھئے

For those with an interest in space travel - **www.nasa.gov** -خلائی سفر میں دلچسپی رکھنے والوں کے لئے

You will find this site a lot more than just the latest BBC -**www.bbc.co.uk**-بی بی سی کی خبروں کے علاوہ آپ یہاں بہت کچھ پائیں گے

www.mabaig.co.uk اور آخر میں پاکستان ایئر فورس، رمضان اور عیدین کے چاند اور دیگر پاکستانی اور اسلامی مسائل پر آپ کی (اور میری!) جانی پہچانی ویب سائٹ!!

And finally, your (mine!) familiar website for PAF, Moonsighting for Eids and Ramadan, and other Pak & Islam issues!!

I apologise for this cheap publicity stunt for my website! میں اپنی ویب سائٹ کی اس ناجائز اشتہار بازی کی معذرت چاہتا ہوں

Some Useful Keyboard Shortcuts for the IE Explorer۔ انٹرنیٹ ایکسپلورر کے لئے کچھ مفید کی بورڈ شارٹ کٹس

ذیل میں انٹرنیٹ ایکسپلورر کی چند مفید ترین شارٹ کٹس کی ایک فہرست دی جارہی ہیں، لیکن اس سلسلے میں آپ دائیں ماؤس کلک کو بھی بہت مفید پائیں گے۔

These are some useful short cuts in IE Explorer but you may find right mouse click more convenient in most cases.

عمل	شارٹ کٹ Short cut	Action
مدد حاصل کرنے کے لئے۔	F1	Display Help
پوری سکرین کے لئے اور دوبارہ نارمل سکرین کے لئے۔	F11	Full Screen/ Normal view
ہوم پیج پر جانے کے لئے۔	ALT+HOME	Go to your Home page
اگلے صفحہ پر جانے کے لئے۔	ALT+Rt. ARROW	Go to the next page
پچھلے صفحہ پر جانے کے لئے۔	ALT+Lt. ARROW	Go to the previous page
ایک لنک کی شارٹ کٹ مینیو کے لئے۔	SHIFT+F10	Display a shortcut menu for a link
صفحے کے اوپر والے حصے میں جانے کے لئے۔	PAGE UP	Scroll up a document
صفحے کے نیچے والے حصے میں جانے کے لئے۔	PAGE DOWN	Scroll down a document
صفحے کے آغاز میں جانے کے لئے۔	HOME	Go to the start of a document
صفحے کے آخر میں جانے کے لئے۔	END	Move to the end of a document
موجودہ صفحے پر کسی لفظ کو تلاش کرنے کے لئے۔	CTRL+F	Find on this page
موجودہ ویب پیج کا تازہ ترین ورشن لوڈ (ری فریش) کرنے کے لئے۔	CTRL+F5	Refresh the current Web page
ایک عمل کو منسوخ کرنے کے لئے۔	ESC	Stop downloading a page
ایک نئی ونڈو کھولنے کے لئے۔	CTRL+N	Open a new window
موجودہ ونڈو کو بند کرنے کے لئے۔	CTRL+W	Close the current window
موجودہ صفحے کو محفوظ کرنے کے لئے۔	CTRL+S	Save the current page
موجودہ صفحے کو پرنٹ کرنے کے لئے۔	CTRL+P	Print the current page
تلاش (سرچ) کو چلانے کے لئے۔	CTRL+E	Open Search in Explorer bar
پسند (فیورٹ) کے صفحات کو کھولنے کے لئے۔	CTRL+I	Open Favorites in Explorer bar
حالیہ (ہسٹری کے) صفحات کو کھولنے کے لئے۔	CTRL+H	Open History in Explorer bar
موجودہ صفحے کو پسند کے (فیورٹ) صفحوں میں شامل کرنے کے لئے۔	CTRL+D	Add current page to favorites
پسند کے (فیورٹ) صفحوں کو ترتیب دینے کے لئے۔	CTRL+B	Organize Favorites dialog box
سلیکٹ شدہ آئٹم کو کاٹنے کے لئے۔	CTRL+X	Cut the selected item
سلیکٹ شدہ آئٹم کو کاپی کرنے کے لئے۔	CTRL+C	Copy the selected item
کاپی شدہ آئٹم کو چسپاں (پیسٹ) کرنے کے لئے۔	CTRL+V	Insert copied item
موجودہ صفحے پر تمام اشیاء کو سلیکٹ کرنے کے لئے۔	CTRL+A	Select all items on current page

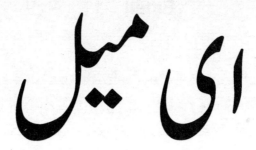

ای میل

ای میل کے کمالات

ای میل یعنی الیکٹرونک میل انٹرنیٹ کا اہم ترین اور سب سے نمایاں جزو ہے۔ اس نے مواصلات کی دنیا میں انقلاب برپا کر دیا ہے۔ ای میل نے خط و کتابت کے سالوں پرانے روایتی طریقوں کو ڈرامائی انداز میں یک دم تبدیل کر دیا ہے۔ اگرچہ اسے صدی پُرانے آلے یعنی ٹیلی فون پر انحصار کرنا پڑتا ہے، لیکن اس کے پیغامات کا طریقہء کار ٹیلیفون اور فیکس سے زیادہ موئثر اور کم خرچ ہے اور یہ صرف پیغامات کے تبادلے کا ایک فیشن ایبل طریقہ ہی نہیں ہے یہ ٹیکنالوجی کاروباری دُنیا میں بھی ایک مواصلاتی انقلاب لے کر آئی ہے۔ کاروباری ادارے اس کے استعمال سے نہ صرف کم سے کم وقت میں بلکہ کم سے کم لاگت پر دُنیا بھر تک پیغامات کا تبادلہ کر سکتے ہیں۔ ای میل نہ صرف دنیا کے دور دراز کونوں تک پیغامات پہنچانے کے لئے کام آ رہی ہے بلکہ اسے ایک کمپنی میں ہی ایک ہی عمارت کے اندر معلومات کے اشتراکی استعمال کے لئے بھی ایک منفرد طریقے سے استعمال کیا جا رہا ہے، لیکن شائد ای میل کا سب سے بڑا فائدہ اس کی یہ انوکھی بات ہے کہ خط، فیکس یا زمینی ٹیلیفون کی طرح یہ کسی مخصوص پتے کی محتاج نہیں ہے۔ یہ جس کو بھیجی جا رہی ہو اس کا گھر، شہر یا حتیٰ کہ ملک میں بھی موجود ہونا ضروری نہیں ہے۔ وہ دنیا میں کسی بھی مقام سے ایک انٹرنیٹ سے لیس کمپیوٹر کے ذریعے اس پیغام کو وصول کر سکتا ہے اور صرف پیغامات ہی نہیں ای میل تصاویر، نقشے اور دیگر ڈاکومنٹ بھی ایک اٹیچمنٹ کی شکل میں لے جا سکتی ہے، علاوہ ازیں ایک ہی پیغام کو درجنوں لوگوں تک بیک وقت پہنچایا جا سکتا ہے اور ان تمام پیغامات کے بھیجے جانے اور موصول ہونے کے اعداد و شمار کے لئے کسی (اس کا کوئی متبادل اور صحیح لفظ دیں) کی ضرورت نہیں ہے۔ یہ سبھی کچھ با تاریخ ایک ترتیب میں خود بخود محفوظ ہو جاتا ہے۔

The Wonders of Email

With all the technological advances the world has experienced during the second half of the twentieth century, communication method may have improved but essentially remained the same. Telephone, fax, letter and courier services have all been with us for decades. Within the past few years however, email has changed everything. Email, or Electronic mail, has to be the most outstanding feature of the Internet. It has totally revolutionised the way we communicate. It has replaced the 'traditional' methods of communication, unchanged for decades, in a sweeping manner. Despite the fact that it relies on a century old device, the telephone, it is cheaper and in many ways better method of relaying messages. It plays a huge part in modern day business in a very economical manner. At a fraction of the cost of a postage stamp, messages can be sent across the world within seconds rather than days. Why waste paper, carbon and telephone time to fax a document when you can scan and attach it to an email. Perhaps the most unique feature of the email is the flexibility of its delivery address. Unlike a letter, a fax, or even a land-line telephone, it is not bound to a fixed physical delivery address. Instead the recipient can access the sent message from anywhere in the world via any computer connected to the Internet. What's more, the message can carry photos, drawings, and other documents as attachments. A single message can go to dozens of people in one single despatch. And all of this can be archived neatly in a chronological order.

Email

Email - 1 - ای میل

ای میل آوٹ لُک ایکسپریس کے ذریعے (نوٹ: ایم ایس آوٹ لُک ایکسپریس اور ایم ایس آوٹ لُک دو علیحدہ اور مختلف پروگرام ہیں)

آوٹ لُک ایکسپریس ای میل کے لئے دُنیا میں سب سے زیادہ استعمال ہونے والا پروگرام ہے۔ آپ میں سے اکثریت شائد Hotmail اور Yahoo جیسے ای میل سسٹم کا استعمال کر رہی ہو اور ای میل کے لئے آوٹ لُک ایکسپریس کے استعمال سے ممکن ہے ناواقف ہو۔ کسی بھی صورت میں یہ ضروری ہے کہ آپ کو آوٹ لُک ایکسپریس کے استعمال سے آگاہ ہونا چاہیے کیونکہ کاروباری دُنیا میں اس کا استعمال عام ہے۔ بلکہ اس باب میں آوٹ لُک ایکسپریس کو ہاٹ میل کے لیے استعمال کرنے کے لئے آپ کو ایک نہایت ہی کارآمد تکنیک سکھائی جائے گی۔ اس طرح آپ اپنی ہاٹ میل کی ای میل کو آوٹ لُک ایکسپریس میں ترتیب دے سکیں گے، تاکہ آپ کی بھیجی ہوئی اور موصول شدہ ای میل کا مکمل ریکارڈ آپ کے کمپیوٹر پر ہر وقت آپ کے لئے موجود رہے۔ ہاٹ میل کے بھی اپنے فوائد ہیں اور اسے بھی اس چیپٹر میں خاص اہمیت دی جائے گی۔ ای میل کے مختلف سافٹ ویئر پیکج دو قسم کے ہوتے ہیں۔ ایک وہ جو کہ آپ کے پی سی پر ہر وقت موجود رہتا ہے جیسا کہ آوٹ لُک ایکسپریس اور ایک ایسی قسم کے جو صرف انٹرنیٹ پر دستیاب ہوتے ہیں جیسا کہ ہاٹ میل وغیرہ۔ اس میں کوئی شک نہیں کہ انٹرنیٹ طرز کے ای میل سسٹم انٹرنیٹ کا ایک نہایت ہی مفید ترین حصّہ ہیں۔ خاص طور پر اُن لوگوں کے لئے جن کے پاس کمپیوٹر نہیں ہے یا کمپیوٹر ہے لیکن انٹرنیٹ کا کنکشن نہیں ہے لیکن جس طرح کہ ہر وہ چیز جو مفت میں ہوتی ہے کے سلسلے میں کچھ سمجھوتے کرنے پڑتے ہیں اس کے بھی کچھ مسائل ہیں، یعنی کہ اس کے ذریعے وصول ہونے اور بھیجے جانے والی ای میل کا ریکارڈ انٹرنیٹ پر ہی رہ جاتا ہے اس میں موجود ریکارڈ کی ترتیب وغیرہ میں انٹرنیٹ کی رفتار بھی ایک مسئلہ ہے اگرچہ ہاٹ میل کا پیکج اب کافی ترقی کر چکا ہے یہ اب بھی آوٹ لُک ایکسپریس جیسے پروگرام کے مقابلے میں ایک محدود پیکج ہے۔ ان دونوں کو اس چیپٹر میں نمایاں اہمیت دی جارہی ہے۔

Email with Outlook Express (**Note**: Do not confuse MS Outlook Express with MS Outlook)

Outlook Express is the most used email package in the world and it comes bundled with Windows/Internet Explorer. Although, I expect majority of the readers of this book to be the users of a web-based email system like Hotmail or Yahoo, it is important that you learn how to use Outlook Express. It is the chosen email package for the business world. In fact, later in this chapter, you will be given a super tip to set up Outlook Express to be used in conjunction with Hotmail. You will learn the benefits of using Outlook Express with its operations taking place on your desktop without the need of going online. Hotmail has its own benefits and we will fully cover Hotmail too later in this chapter. Email packages can be divided into two main types, the web-based and your PC-based. Web-based emails are a great way of acquiring an email capability even without having to own a PC or the Internet connection. One can walk in to a Cyber Cafe (or a computing club) anywhere in the world and simply access their email account by logging on to the Internet to be able to send and recieve mails. However, with most things that are free, there are some drawbacks. Since, everything is happening on-line, the process is slow and less user-friendly. Although the improvements in web based systems like the Hotmail are now catching up, it is still quite a tedious job to organise your email archives and to use your address book etc. PC based Outlook Express is much more efficient and has more powerful tools to carry out a number of tasks quickly and more conveniently. Whatever system you use, we will take a look at both of them.

Email - 2 - ای میل

Outlook Express - آؤٹ لُک ایکسپریس

نئی ای میل لکھنے کے لئے

To write a new email

نئی ای میل ملنے کے بعد اسے بند کئے بغیر **Reply** بٹن کو دبانے سے اس کا جواب لکھنے کی سکرین مع پتے سامنے آجائے گی جبکہ **Reply All** ان لوگوں کو بھی ایک کاپی بھیجنے کے لئے ہے جن کو آنے والی ای میل کی کاپی بھیجی گئی تھی۔

Without closing the received email, click on **Reply** button to get a reply screen complete with auto inserted address. **Reply All** will send a copy to those who were also sent a copy of the received email.

Forward کے ذریعے آپ کے سامنے کھلی ہوئی وصول شدہ ای میل کی کاپی کسی بھی دوسرے پتے پر بھیجی جا سکتی ہے۔

Without closing the received email, click on **Forward** button to send a copy of it to any other email address.

جب آپ ای میل لکھتے ہیں تو وہ **Outbox** میں جمع ہوتی رہتی ہیں۔ **Send/Recv** بٹنوں کو نہ صرف بھیجنے کے لئے ہے بلکہ یہ آپ کی موصول شدہ ای میل کو بھی ڈاؤن لوڈ کرتا ہے۔

After you have written an email, it is stored in the **Outbox**. The **Send/Recv** button sends them off when you go on line and also downloads your incoming emails into the **Inbox**.

Delete سلیکٹ شدہ پیغام / پیغامات کو مٹانے کے لئے۔

To **Delete** the selected message /messages

Print سلیکٹ شدہ پیغام کو پرنٹ کرنے کے لئے۔

To **Print** the selected message

یہ آپ کی ایڈریس بک ہے (تفصیلات اگلے صفحات پر)۔

This is your **Address book**. (Details on this later)

ای میل اور افراد کی خودکار تلاش کے لئے۔

To do an automatic search of your messages and contacts

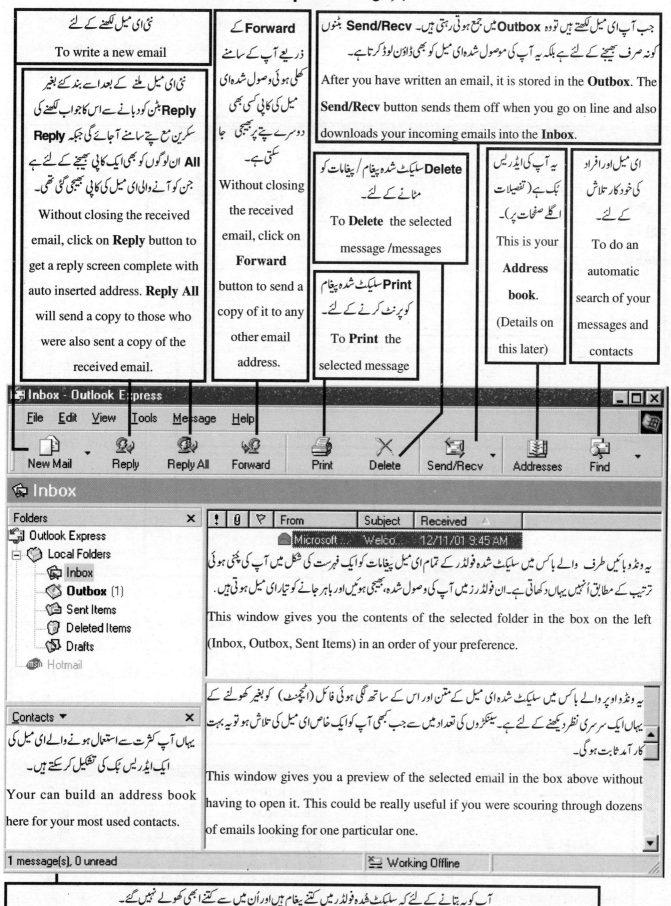

Print
Delete

یہ ونڈو بائیں طرف والے باکس میں سلیکٹ شدہ فولڈر کے تمام ای میل پیغامات کو ایک فہرست کی شکل میں آپ کی چنی ہوئی ترتیب کے مطابق اُنہیں یہاں دکھاتی ہے۔ ان فولڈرز میں آپ کی وصول شدہ، بھیجی ہوئیں اور باہر جانے کو تیار ای میل ہوتی ہیں۔

This window gives you the contents of the selected folder in the box on the left (Inbox, Outbox, Sent Items) in an order of your preference.

یہ ونڈو اوپر والے باکس میں سلیکٹ شدہ ای میل کے متن اور اس کے ساتھ لگی ہوئی فائل (اٹیچمنٹ) کو بغیر کھولنے کے یہاں ایک سرسری نظر دیکھنے کے لئے ہے۔ سینکڑوں کی تعداد میں سے جب کبھی آپ کو ایک خاص ای میل کی تلاش ہو تو یہ بہت کارآمد ثابت ہوگی۔

This window gives you a preview of the selected email in the box above without having to open it. This could be really useful if you were scouring through dozens of emails looking for one particular one.

یہاں آپ کثرت سے استعمال ہونے والے ای میل کی ایک ایڈریس بک کی تشکیل کر سکتے ہیں۔

Your can build an address book here for your most used contacts.

آپ کو یہ بتانے کے لئے کہ سلیکٹ شدہ فولڈر میں کتنے پیغام ہیں اور اُن میں سے کتنے ابھی کھولے نہیں گئے۔

This tells you the number of messages in the selected folder and how many of them are not opened yet.

Email ۔ 3 ۔ ای میل

Outlook Express۔ آوٹ لک ایکسپریس

آوٹ لک ایکسپریس کو کھولنے کے بعد نئی ای میل لکھنے کے لئے اس کے **New Mail** بٹن پر کلِک کرنے سے نیچے دی ہوئی سکرین سامنے آئے گی۔ جس کے مختلف حصوں کا مقصد ان کے ناموں سے ظاہر ہے۔ ان میں سے اہم ترین کی مختصر تفصیل نیچے دی جا رہی ہے۔

After launching Outlook Express, click on the **New Mail** button to get the following screen to compose a new email. The names of these buttons are self-explanatory. Brief detail of the most important ones is given below.

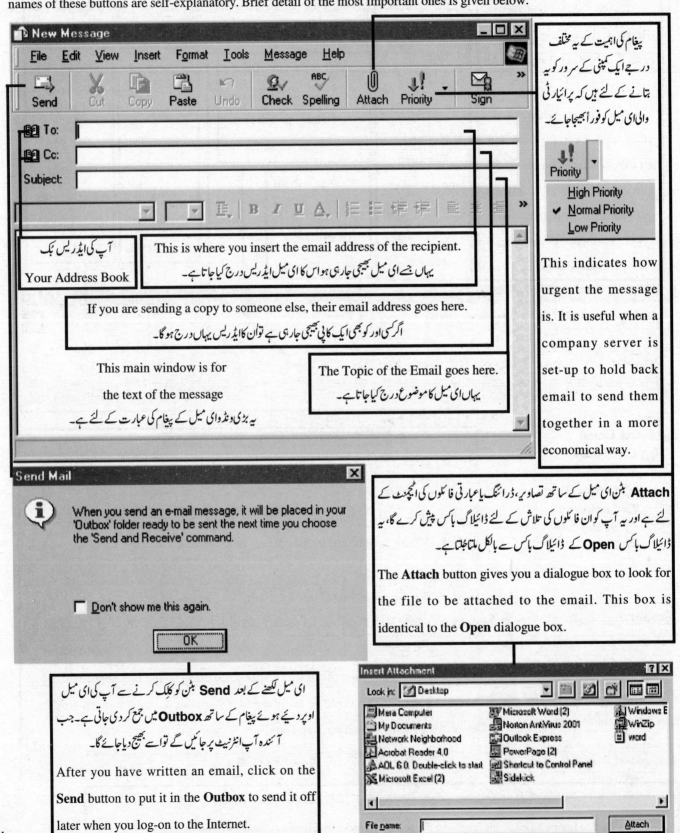

پیغام کی اہمیت کے یہ مختلف درجے ایک کمپنی کے سرور کو یہ بتانے کے لئے ہیں کہ پرائیارٹی والی ای میل کو فوراً بھیجا جائے۔

This indicates how urgent the message is. It is useful when a company server is set-up to hold back email to send them together in a more economical way.

آپ کی ایڈریس تک
Your Address Book

This is where you insert the email address of the recipient.
یہاں جسے ای میل بھیجی جا رہی ہو اس کا ای میل ایڈریس درج کیا جاتا ہے۔

If you are sending a copy to someone else, their email address goes here.
اگر کسی اور کو بھی ایک کاپی بھیجی جا رہی ہے تو ان کا ایڈریس یہاں درج ہو گا۔

This main window is for the text of the message
یہ بڑی ونڈو ای میل کے پیغام کی عبارت کے لئے ہے۔

The Topic of the Email goes here.
یہاں ای میل کا موضوع درج کیا جاتا ہے۔

When you send an e-mail message, it will be placed in your 'Outbox' folder ready to be sent the next time you choose the 'Send and Receive' command.

Attach بٹن ای میل کے ساتھ تصاویر، ڈرائنگ یا عبارتی فائلوں کی اٹیچمنٹ کے لئے ہے اور یہ آپ کو ان فائلوں کی تلاش کے لئے ڈائیلاگ باکس پیش کرے گا، یہ ڈائیلاگ باکس **Open** کے ڈائیلاگ باکس سے بالکل ملتا جُلتا ہے۔

The **Attach** button gives you a dialogue box to look for the file to be attached to the email. This box is identical to the **Open** dialogue box.

ای میل لکھنے کے بعد **Send** بٹن کو کلِک کرنے سے آپ کی ای میل اوپر دیئے ہوئے پیغام کے ساتھ **Outbox** میں جمع کر دی جاتی ہے۔ جب آئندہ آپ انٹرنیٹ پر جائیں گے تو اسے بھیج دیا جائے گا۔

After you have written an email, click on the **Send** button to put it in the **Outbox** to send it off later when you log-on to the Internet.

Email - 4 - ای میل

Outlook Express Address Book - آؤٹ لُک ایکسپریس ایڈریس بُک

اس میں کوئی شک نہیں ہے کہ آئندہ سالوں میں آپ کی ای میل ایڈریس بک بڑھتی جائے گی اس لئے اس کو منظم کرنے کے لیئے آؤٹ لُک ایکسپریس کی ایڈریس بک اس مسلے کا ایک مکمل حل ہے۔ایڈریس بک میں آپ نہ صرف ای میل بلکہ جن کی ای میل ہے ان کے متعلق کئی قسم کی مزید معلومات بھی درج کر سکتے ہیں، جن کو آپ ضرورت پڑنے پر چند ماؤس کلک کے ساتھ سکرین پر لا سکتے ہیں۔اس کے مختلف پہلوؤں کو سیکھنا بہت آسان ہے، البتہ اسے استعمال کرنے سے پہلے آپ کو اس میں معلومات شامل کرنی ہوں گی اور یہ ایک مشکل کام نہیں ہے۔اس کے کئی طریقے ہیں۔ آسان ترین طریقہ تو یہ ہے کہ جیسے ہی آپ کو ایک ای میل وصول ہو اس کو پڑھنے کے بعد اسے بغیر بند کئے **Tools** مینیو پر کلِک کیجئے اور اس میں سے **Add to Address Book** کو چنئے اور پھر یہ فیصلہ کیجئے کہ آپ صرف ای میل بھیجنے والے **Sender** کو ایڈریس بک میں شامل کرنا چاہتے ہیں یا اُن تمام افراد (**Everyone on To List**) کو بھی جن کو اس ای میل کی کاپی بھیجی گئی ہو۔اسی طرح آپ اُن ای میلز پر جو کہ کھلی ہوئی نہیں ہیں اور آپ کے **Inbox** کی فہرست میں موجود ہیں پر دائیں بٹن کی کلِک کرتے ہوئے کو نیک مینیو میں سے

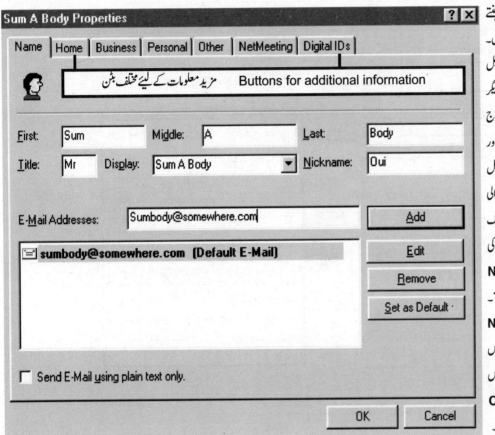

Add to Address Book کی کمانڈ کو چنتے ہوئے انہیں ایڈریس بک میں شامل کر سکتے ہیں۔ ظاہر ہے کہ ان خودکار طریقوں سے صرف ای میل ہی آپ کی ایڈریس بک میں درج ہوگی دیگر معلومات (پتہ، فون وغیرہ) کو آپ نے خود ہی درج کرنا ہوگا۔اس کے لئے ایڈریس بک کو کھولئے اور اس کی فہرست میں سے کسی ایک اندراج پر ڈبل کلِک کرنے سے دیگر معلومات درج کرنے والی سکرین سامنے آجائے گی۔ٹول بار میں ایڈریس بک کے بٹن (**Addresses**) پر کلِک کیجئے۔اس کی مینیو میں سے **New** کی کمانڈ **New Contact** کو چنئے۔ آپ ایسا **Tools** مینیو میں **Tools** - **Address Book** - **New** - **New Contact** کے ذریعے بھی کر سکتے ہیں۔ اس طرح سامنے آنے والے فارم کو بھریئے اور اس کے بعد **Add** کے بٹن کو کلک کیجئے اور پھر **OK** بٹن کو کلِک کرتے ہوئے اس فارم کو بند کر دیجئے۔

Over the months and years, your cyber contacts are only going to increase and you would need to organise them in an efficient manner. The address book in Outlook Express is just the answer to this problem. It will store all sort of information in addition to the email addresses of your contacts and will make all this available in a matter of few mouse clicks. With its easy to learn features you will compile a contact data-base, which will make your cyber life much easier. But before you can benefit from it, there is one little thing you have to do - build it! This is relatively easy. There are several ways to add addresses to the address book. The easiest way to do this is to add the email addresses of the incoming emails as they come in. With the incoming email still opened, go to **Tools** menu and simply select the **Add to Address Book** option and then select either the **Sender** only or **Everyone on To List** (including those who received the copy). You can also right click on the unopened emails, listed in your **Inbox,** and select **Add Sender to Address Book**. Naturally, to add the address this way, you will only have the email address recorded in the address book. The rest of the information, if you want to record it, will still have to be inserted manually. You obviously can add addresses manually. Click on the Address book Icon (**Addresses**) and select **New** and then **New Contact** (you can also do this through the **Tools** menu - **Tools** - **Address Book** - **New** - **New Contact**. Then, you fill all the relevant details and simply click the **Add** and then **OK** buttons to store it.

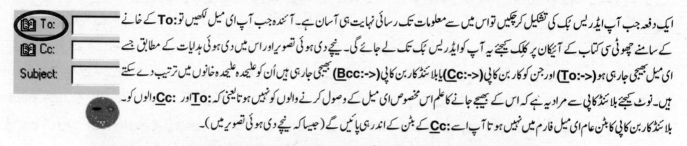

Email - 5 - ای میل

Outlook Express Address Book - آوٹ لُک ایکسپریس ایڈریس بُک

ایک دفعہ جب آپ ایڈریس بُک کی تشکیل کر چکیں تو اس میں سے معلومات تک رسائی نہایت ہی آسان ہے۔ آئندہ جب آپ ای میل لکھیں تو **:To** کے خانے کے سامنے چھوٹی سی کتاب کے آئیکان پر کلِک کیجئے یہ آپ کو ایڈریس بُک تک لے جائے گی۔ نیچے دی ہوئی تصویر اور اس میں دی ہوئی ہدایات کے مطابق جسے ای میل بھیجی جا رہی ہو (**<-:To**) اور جن کو کاربن کاپی (**<-:Cc**) یا بلائنڈ کاربن کاپی (**<-:Bcc**) بھیجی جا رہی ہیں اُن کو علیحدہ علیحدہ خانوں میں ترتیب دے سکتے ہیں۔ نوٹ کیجئے بلائنڈ کاپی سے مراد یہ ہے کہ اس کے بھیجے جانے کا علم اس مخصوص ای میل کے وصول کرنے والوں کو نہیں ہوتا یعنی کہ **:To** اور **:Cc** والوں کو۔ بلائنڈ کاربن کاپی کا بٹن عام ای میل فارم میں نہیں ہوتا آپ اسے **:Cc** کے بٹن کے اندر ہی پائیں گے (جیسا کہ نیچے دی ہوئی تصویر میں)۔

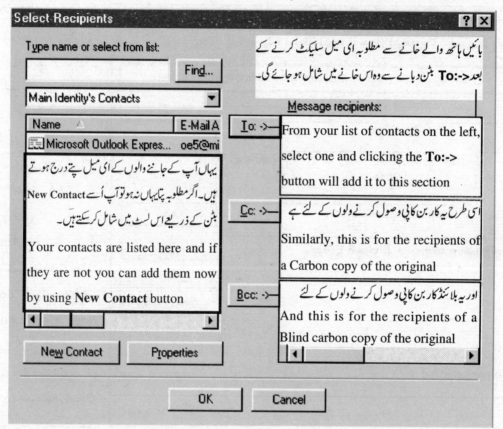

Once the book is established, accessing information from it is child's play. From then onwards, whenever you open a new email form to compose an email, simply click on the little book next to the **To:** field and chose from the contents of your accumulated list of contacts. It offers you to chose the recipient (**To:->**), those getting a carbon copy (**Cc:->**), and those getting a Blind carbon copy (**Bcc:->**). Each can be inserted into the appropriate box. A blind carbon copy is for the recipient who remains anonymous, i.e. not being revealed to all the other people receiving the email. The blind carbon copy button and field are not displayed in a standard form but you can select this field within the **Cc:->** button. This could be useful if you have two friends who don't get on very well with each other!!!!

مجھے یقین ہے کہ آوٹ لُک ایکسپریس کو کچھ عرصہ استعمال کرنے کے بعد آپ اس میں بآسانی مہارت حاصل کر لیں گے، لیکن تجربہ کے ساتھ ساتھ آپ کی بھیجی اور وصول کی ہوئی ای میل کی تعداد اگر سیکڑوں نہیں تو درجنوں تک ضرور پہنچ جائے گی لیکن آوٹ لُک ایکسپریس ایسی صورتِ حال سے نبٹنے کی پوری صلاحیت رکھتی ہے۔ آپ کے اور کی فہرستوں کو آسانی سے مطلوبہ طریقے سے ترتیب دیا جا سکتا ہے۔ آپ ان کو وصول ہونے یا ارسال کرنے کی تاریخوں کے مطابق ترتیب دے سکتے ہیں یا پھر بھیجنے والوں کے نام یا پھر ان کے ای میل ایڈریس کی ترتیب میں۔

I am sure you will master Outlook Express in no time. However, the more you are going to use it, the larger its data- base is going to become. But not to worry, Outlook Express is fully equipped to deal with such eventualities. You can sort the inevitably long lists in the Inbox and the Outbox according to the date received, date sent, sender and so on.

Email - 6- ای میل

Get Hotmail - ہاٹ میل حاصل کیجئے

مجھے یقین ہے کہ آپ میں سے ایک بڑی تعداد اپناہاٹ میل ایڈریس پہلے ہی حاصل کر چکی ہو گی اور آپ میں سے کچھ اسے شائد کئی سالوں سے استعمال بھی کر رہے ہوں لیکن اُن لوگوں کے لئے جنہوں نے ابھی ہاٹ میل حاصل نہیں کی یہاں اسے حاصل کرنے کی مختصر ہدایات دی جارہی ہیں۔ایسا کرناضروری ہے کیونکہ ہمیں آگے چل کر وڈیو کانفرنسنگ یعنی باتصویر ٹیلیفونک گفتگو کے لئے اس کی ضرورت ہو گی، لیکن یہ یاد رکھئے ضرورت سے زیادہ ای میل ایڈریس حاصل کرنے سے گریز کیجئے۔ایک یادو سے زیادہ ای میل کی دیکھ بھال آپ کے لئے ایک مسئلہ بن سکتی ہے۔
انٹرنیٹ سے رابطہ قائم کیجئے اور **www.hotmail.com** کی ویب سائٹ کولوڈ کیجئے۔

I am sure most of you already have an Hotmail address but, for those of you who have not taken the plunge yet, here is a guide for you to go get one. This is compulsory for the video conferencing chapter coming up later. A word of advice here. Do not get too many email addresses, as they can become a problem for you to maintain - trust me. Log on to the Internet and go to **www.hotmail.com**

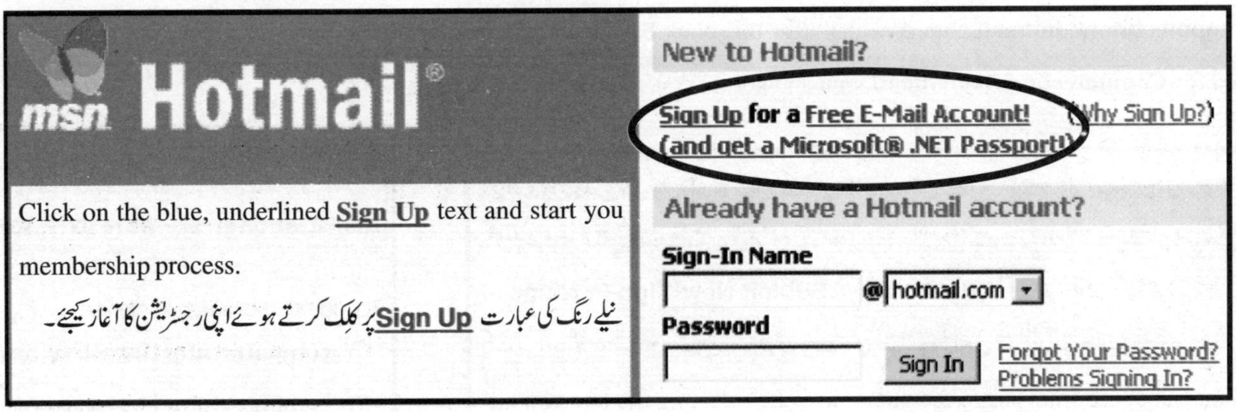

msn Hotmail®
New to Hotmail?
Sign Up for a Free E-Mail Account! (Why Sign Up?)
(and get a Microsoft® .NET Passport!)
Already have a Hotmail account?
Sign-In Name
@ hotmail.com
Password
Sign In
Forgot Your Password?
Problems Signing In?

Click on the blue, underlined **Sign Up** text and start you membership process.

نیلے رنگ کی عبارت **Sign Up** پر کلِک کرتے ہوئے اپنی رجسٹریشن کا آغاز کیجئے۔

آپ کی اس رجسٹریشن کے دوران آپ کو ایک سکرین سے اگلی سکرین تک جاتے ہوئے اگر اس قسم کی سیکیورٹی ڈائیلاگ باکس نظر آئیں تو انھیں **OK** کے بٹن کو کلک کرتے ہوئے ہٹادیں پھر آپ کو ایک رجسٹریشن فارم بھرنے کو کہاجائے گا، جس میں آپ کا نام، ملک، اور تاریخ پیدائش وغیرہ کی تفصیل شامل ہو گی۔اس کے بعد آپ کو اکاؤنٹ یعنی ای میل والی سکرین پر لے جایا جائے گا۔

You will come across some security dialogue boxes during this registration process. Click on **OK** to accept them. You will be asked to fill a simple registration form with some personal details, then move on to the next screen.

یہاں آپ کو اپنا ای میل ایڈریس چُنناہے، جیسا کہ آپ دیکھ سکتے ہیں کہ آپ کو صرف اس کا پہلا حصہ چُنناہے جبکہ @hotmail.com پہلے سے درج ہے لیکن یہ یاد رکھئے کہ کروڑوں کی تعداد میں ہاٹ میل کی ای میل پہلے سے لی جاچکی ہیں اور عین ممکن ہے کہ آپ کا مطلوبہ ای میل پہلے سے کسی نے لے لیا ہو اس لئے ممکن ہے کہ آپ کو اس میں کچھ تبدیلی کرنی پڑے۔ بہرحال اسے **Sign-In-Name** والے باکس میں ٹائپ کیجئے اور پھر اگلے باکس میں اپناپاس ورڈ ٹائپ کیجیے اور اس کے بعد پاس ورڈ کو دوسری بار ٹائپ کیجئے، علاوہ ازیں آپ کو ایک مختصر ساسوال اور اس کا جواب اگلے دوخانوں میں ٹائپ کرنا ہے۔یہ مستقبل میں آپ کے پاس ورڈ بھول جانے کی صورت میں کار آمد ثابت ہو گا۔اس کے بعد **Sign Up** بٹن پر کلِک کیجئے۔

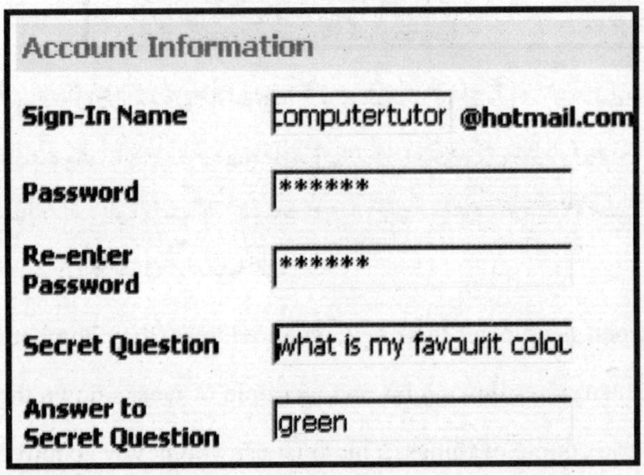

Account Information
Sign-In Name
computertutor
@hotmail.com
Password
Re-enter Password
Secret Question
what is my favourit colou
Answer to Secret Question
green

This is where you select an email address. As you can see it is going to be **'something'@hotmail.com** and it is that 'something' bit that you will have to supply. Be prepared to be disappointed, as millions of people have already taken hotmail addresses and your intended one may already have been taken. There is only one way of finding out. Enter it in the **Sign-In-Name** field followed by your password (in the next two fields). You also need to type in a simple question andanswer. It could be anything you like but something you are not likely to forget. For example the question could be 'What is my lucky number?' and the actual number can be the answer. This will be used in the future in case you forget your password. Then click on the **Sign Up** button.

Email - 7 - ای میل

Get Hotmail - ہاٹ میل حاصل کیجئے

اگر آپ کو اپنی مطلوبہ ای میل مل گئی ہے تو آپ کو مبارک ہو۔اس صورت میں آپ کے سامنے مبارک کا پیغام آپ کے ای میل ایڈریس کے ساتھ نمودار ہوگا(تصویر2)وگرنہ آپ کو معذرت کی سکرین(تصویر1) کے ساتھ آپ کے مانگے ہوئے ای میل ایڈریس سے ملتے جلتے کئی ای میل ایڈریس آپ کو تجویز کئے جائیں گے۔ جیسا کہ آپ تصویر1 میں دیکھ سکتے ہیں کہ میں نے اس کتاب کے لئے ایک مخصوص ای میل **Computertutor@hotmail.com** حاصل کرنے کی کوشش کی تھی لیکن وہ نہ مل سکی اور مجھے چند نعم البدل ای میل تجویز کی گئیں (تصویر1)۔میں نے اُن سب کو مسترد کرتے ہوئے **Computertutor1@hotmail.com** کی درخواست کی جو مجھے مل گئی۔آپ بھی اسی طرح کوشش کریں کہ آپ کو بھی ایسی ای میل مل جائے جو اگر سو فیصد آپ کی مرضی کے مطابق نہ ہو تو کم از کم اس کے قریب ترین تو ہو۔

If you are lucky enough to get your intended email then well done and you should have a congratulatory message in front of you (Fig.2). But the likely scenario is that you will get an apology with the news that someone else has already taken your intended email. In this case you will get some suggested alternatives. As you can see (Fig.1), I asked for **Computertutor@hotmail.com** especially for this book but its already gone. I did not take any of the suggested ones and tried for **Computertutor1@hotmail.com** and got it. You could try to do the same.

اگر آپ کو اپنا پسندیدہ ای میل ایڈریس نہ مل سکے تو ان تجویز کردہ میں سے ایک کو چنئے۔اگر آپ کو ان میں سے کوئی بھی پسند نہ ہو تو پھر نچلے خانے میں اپنی مرضی کے مطابق ایک بالکل نیا یا پہلے سے تھوڑا مختلف ایڈریس ٹائپ کیجئے اور **Submit New Sign-in Name** بٹن پر کلِک کیجئے۔اسی عمل کو اس وقت تک دُھرائیے جب تک کہ آپ کو مناسب ای میل ایڈریس نہ مل جائے، حتیٰ کہ نیچے دی ہوئی سکرین آپ کے سامنے آجائے۔

You can chose from suggested alternatives by selecting the one you are willing to take or use the bottom field to ask for a different one and click the **Submit New Sign-in Name** button. Stay in this circle until you are happy enough with your allocation.

1

Registration
Registration Error - We're sorry, somed
Try one of these sign-in names:
computertutor10@hotmail.com
computertutor11@hotmail.com
computertutor8@hotmail.com
computertutor9@hotmail.com
or try another of your own choosing:
computortutor1
@hotmail.com

2

Sign Up Successful!
Congratulations. Your new Sign-In Name is:
Important: For your Hotmail account to remain active, after today you must sign in at least once within the next ten (10) days. Also, after the initial 10 day period you must sign in at least once every 30 days to keep your account active.
Continue at Hotmail

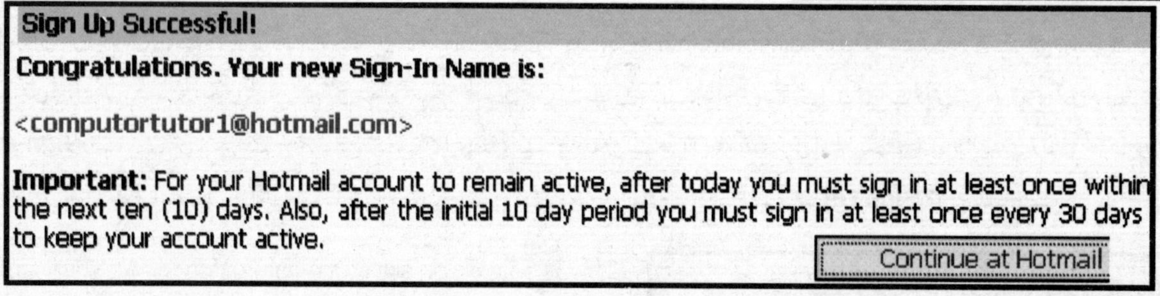

آپ کو نیا ای میل ایڈریس مبارک ہو۔اکثر یہ ہوتا ہے کہ نئی ای میل حاصل کرنے والے پہلے چند دنوں میں تو دُنیا بھر کے لوگوں کو ای میل کی بمباری کا نشانہ بناتے ہیں۔ایک ہفتہ بعد امن و امان کے پہلے آثار نظر آنا شروع ہو جاتے ہیں اور پھر دو ہفتے بعد مکمل سناٹا طاری ہو جاتا ہے۔شائد یہ ایک فطری بات بھی ہو لیکن یاد رکھئے کہ ایک تو اپنا ہاٹ میل کا اکاؤنٹ کھولنے کے دس دن کے اندر اندر آپ کو اسے کم از کم ایک بار ضرور استعمال کرنا ہے اور اس کے بعد اسے مہینے میں ایک دفعہ ضرور استعمال کرنا ہوگا وگرنہ آپ کا اکاؤنٹ منجمد کر دیا جائے گا۔یاد رکھئے ہمیں آگے چل کر ہاٹ میل اکاؤنٹ کی ضرورت ہوگی۔

Congratulations, you got yourself an Hotmail address. Very often, when people get their new email address, they bombard the world out there with email messages. A week or so later, the intensity dies down a bit and a couple of weeks down the road, its total blackout. Perhaps this is human nature but do remember a couple of things. You must use you newly acquired email within ten days and you must use it at least once a month to be able to keep it opened or else it will be frozen. And don't forget we need this Hotmail account for later chapters.

Email - 8 - ای میل

Get the most out of Hotmail Tools - ہاٹ میل کے آلات کا پورا فائدہ اُٹھائیے

ہاٹ میل کو استعمال کرنے والوں کی اکثریت اس کے پوشیدہ رازوں سے بے خبر اسے صرف ای میل کے پیغامات کو ایک بنیادی اور سادہ عبارت ہی میں ٹائپ کرنے پر اکتفا کرتی ہے حالانکہ ہاٹ میل میں آپ کی ای میل کو سنوارنے، آپ کے پیغامات کو سنبھالنے اور آپ کو پیغامات بھیجنے والوں کے ایڈریسز کو ایک ایڈریس بُک میں محفوظ کر لینے کے لئے کئی آلات موجود ہیں۔ آیئے پہلے اس کے اُن آلات کو ایک نظر دیکھیں جو کہ ای میل کو دلکش بنانے کے کام آتے ہیں۔ ہاٹ میل کی سکرین میں نئی ای میل لکھنے کے لئے **Compose** کے ٹیب پر کلِک کرتے ہوئے اسے کھولئے۔ اس کی بائیں جانب **Tools** کی مینیو کو کھولئے اور اس میں سے **Rich Text Editor On** کی کمانڈ کو چنئے۔ چند لمحوں بعد آپ کی ای میل سکرین دوبارہ لوڈ ہوتے ہوئے چند جانے پہچانے بٹنوں پر مشتمل ایک ٹول بار کے ساتھ نمودار ہوگی۔ ان میں سے تقریباً تمام بٹن آپ استعمال کر چکے ہیں اور مجھے یہ بھی آپ کو یاد دلانے کی ضرورت نہیں ہے کہ ان کے اثرات و کمالات سے اپنی عبارت کو سنوارنے کے لئے عبارت کا سلیکٹ (ہائی لائٹ) کیا جانا لازمی ہے۔ ان بٹنوں کی مدد سے آپ ای میل کے پسِ منظر کا رنگ، اس کی عبارت کا رنگ اور سائز، اس میں بُلٹ پوائنٹ، کٹ اور پیسٹ بھی استعمال کر سکتے ہیں۔ آپ عبارت کو دلچسپ بنانے کے لئے اس میں گرافک کا استعمال بھی کر سکتے ہیں۔ اس مقصد کے لئے پیلے رنگ کے گول چہرے والے بٹن پر کلِک کیجئے۔ آپ کو چھوٹے چھوٹے کارٹون نما آئیکان پیش کئے جائیں گے۔ ان میں سے مطلوبہ آئیکان پر کلِک کرنے سے یہ آپ کی عبارت میں شامل ہو جائے گا۔

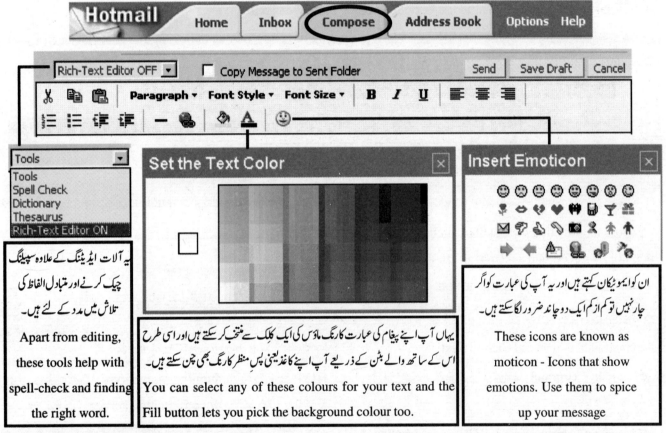

یہ آلات ایڈیٹنگ کے علاوہ سپیلنگ چیک کرنے اور متبادل الفاظ کی تلاش میں مدد کے لئے ہیں۔

Apart from editing, these tools help with spell-check and finding the right word.

یہاں آپ اپنے پیغام کی عبارت کا رنگ ماؤس کی ایک کلِک سے منتخب کر سکتے ہیں اور اسی طرح اس کے ساتھ والے بٹن کے ذریعے آپ اپنے کاغذ یعنی پسِ منظر کا رنگ بھی چن سکتے ہیں۔

You can select any of these colours for your text and the Fill button lets you pick the background colour too.

ان کو ایموٹیکان کہتے ہیں اور یہ آپ کی عبارت کو اگر چار نہیں تو کم از کم ایک دو چاند ضرور لگا سکتے ہیں۔

These icons are known as moticon - Icons that show emotions. Use them to spice up your message

Most people use Hotmail, the popular web-based email service, without making the most of its added features. These improved features offer you the chance to decorate your message, organise your mail into folders, compile and maintain an address books from received messages. First of all, you can make your message a little less boring by adding some colour and character to it by using its somewhat hidden features. When you log on and want to write an email, click on the **Compose** tab to get the email writing screen. Click on the drop-down menu **Tools** and select the **Rich Text Editor On** option. Wait for a few moments and your screen will reappear with an additional tool bar comprising some familiar icons. Earlier in the book, you learnt how to use most of these to enhance your text. Therefore, I really shouldn't have to remind you that to apply an intended effect to your text, it must be selected (highlighted). With these, you can change the background colour, font colour and size. You can use bullet points, indentations and cut and paste features too. You can even use graphics to jazz up your message. Click on the yellow smiley face and you will be presented with a host of icons, which you can include in your message with a click.

Use Outlook Express for Hotmail

ہاٹ میل کے لئے آوٹ لُک ایکسپریس کا استعمال کیجئے۔

(1) آپ پچھلے چند صفحات سے یہ اخذ کر چکے ہوں گے کہ آوٹ لُک ایکسپریس ایک اعلیٰ درجے کا ای میل پروگرام ہے لیکن مجھے احساس ہے کہ آپ میں سے ایک بڑی اکثریت غالباً ہاٹ میل کا استعمال کرتی ہو گی اور آپ یہ بھی دیکھ چکے ہیں کہ ہاٹ میل بھی اب کئی نئے فیچرز سے لیس ہے۔ اس لئے کیا بہتر نہ ہو کہ آوٹ لُک ایکسپریس کو ہاٹ میل کے لئے استعمال کیا جا سکے؟ آپ کو یہاں بالکل ایسا ہی کرنے کی ترکیب بتائی جا رہی ہے۔ نوٹ کیجئے کہ اس مرحلے کو مکمل کرنے کے لئے آخر میں ہمیں تھوڑی دیر کے لئے انٹرنیٹ سے رابطہ درکار ہو گا۔ آوٹ لُک ایکسپریس کو کھولئے (اگر انٹرنیٹ پر لے جانے والا کوئی ڈائیلاگ باکس سامنے آئے تو اُسے بند کر دیجئے) اور **Tools** مینیو میں سے **Accounts** پر کلِک کیجئے۔

(1) As is evident from the contents of the last few pages, Outlook Express is an outstanding email management package. However, I expect a very large number of readers to be the users of web-based free email services like Hotmail. Although Hotmail features have improved considerably (see Make the most of Hotmail Features), it is still less than a match for the desktop-based Outlook Express. But if we were to combine the force of the two, we would have best of both worlds. Let's do just that by adopting Hotmail to use Outlook Express. Please note you will have to go on-line to complete this task. Open Outlook Express (close any dialogue boxes prompting to go on-line) and click on the **Tools** menu and select **Accounts**.

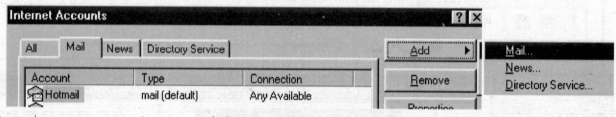

Internet Accounts
All
Mail
Account
Hotmail
Add
Mail...

(2) سامنے آنے والے ڈائیلاگ باکس کے **Mail** ٹیب میں سے **Add** کی مینیو میں سے **Mail** پر کلِک کیجئے۔ اگلے باکس میں اپنا نام ٹائپ کرنے کے بعد **Next** کے بٹن پر کلِک کیجئے۔

(2) From the resulting dialogue box, in the **Mail** tab, click on **Add** and select **Mail**. In the next screen, type your name and click on **Next**.

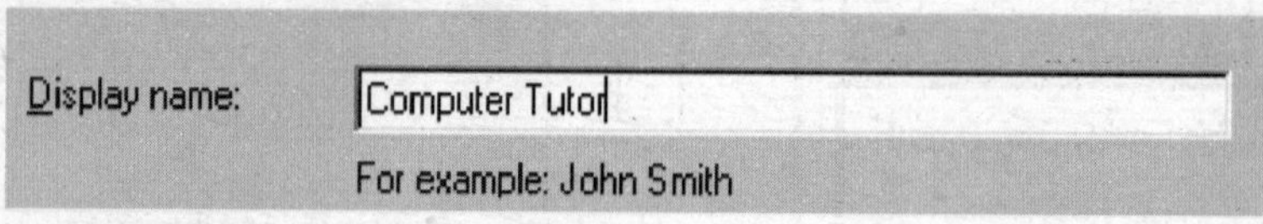

Display name:
Computer Tutor
For example: John Smith

(3) اگلی سکرین پر ای میل ایڈریس کے خانے میں اپنا ہاٹ میل ایڈریس ٹائپ کرنے کے بعد **Next** پر کلِک کیجئے۔

(3) In the next screen type your Hotmail address in the email address field and click on **Next**.

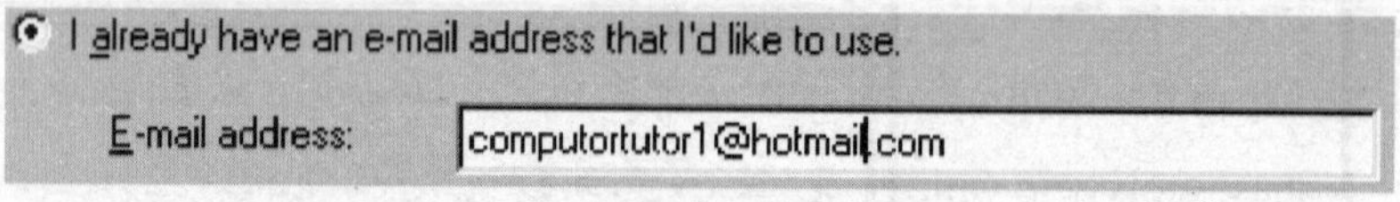

I already have an e-mail address that I'd like to use.
E-mail address:
computortutor1@hotmail.com

(4) اس سے اگلی سکرین میں **Incoming mail server** کی مینیو میں سے **HTTP** کو چنئے اور اسی طرح اس سے نچلے خانے کی مینیو میں سے **Hotmail** کو چنئے۔ آپ دیکھیں گے کہ تیسرے خانے میں **Incoming mail server** کی معلومات خود بخود آ جائیں گی۔

(4) In the next screen, select **HTTP** as the **Incoming mail server** from the drop down menu. Similarly, select **Hotmail** as the service provider in the next field. **Incoming mail server** field will automatically be filled.

Hotmail

(5) Click on **Next** and you will get the account name and password dialogue box. Fill in these and click on the **Next**.

Account name:
computortutor1
Password:
Remember password

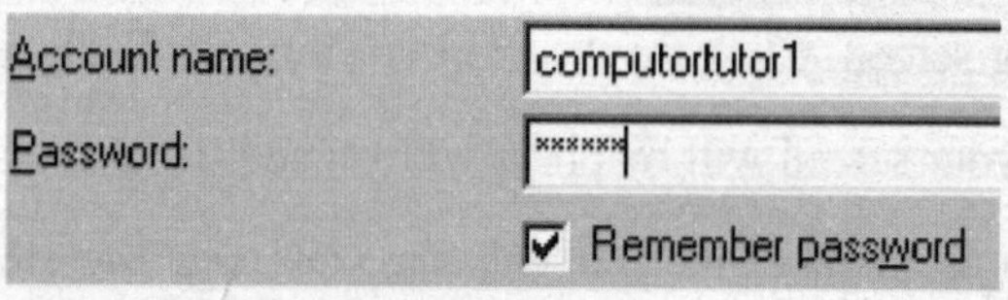

(5) اس کے بعد **Next** پر کلِک کرنے سے اکاؤنٹ کے نام اور پاس ورڈ کا باکس سامنے آئے گا اس میں ان کو درج کرنے کے بعد **Next** پر کلِک کیجئے۔

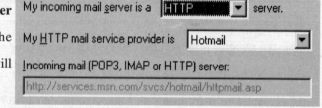

(6) On the congratulatory screen, click **Finish** and you are almost done.

Congratulations
You have successfully entered all of the information required to set up your account.
To save these settings, click Finish.

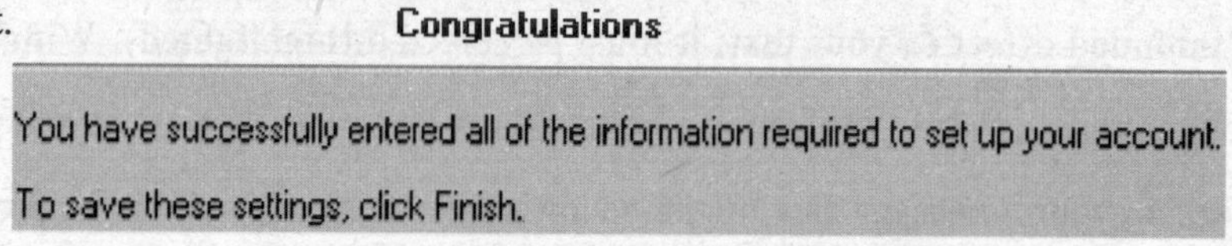

(6) پھر **Next** کو کلک کرنے پر مبارک باد کے پیغام والی ایک سکرین سامنے آئے گی۔

See next page....... باقی اگلے صفحے پر

Use Outlook Express for Hotmail

ہاٹ میل کے لئے آؤٹ لُک ایکسپریس کا استعمال کیجئے

مبارک باد کے پیغام والی سکرین میں **Finish** کے بٹن پر کلک کرنے سے آپ دوبارہ **Accounts dialogue** کے باکس میں آجائیں گے، جہاں آپ کا نیا اکاؤنٹ درج ہے۔ اب **Close** بٹن پر کلِک کرنے سے آپ سے پوچھا جائے گا کہ میل کے فولڈرز کو ہاٹ میل کے سرور سے ڈاؤن لوڈ کرنے کے لئے کہ کیا آپ انٹرنیٹ پر جانا پسند کریں گے؟ **Yes** کے ساتھ اس کا جواب دیتے ہوئے اس عمل کو کامیابی کے ساتھ ختم کیجئے۔ اس طرح اب آپ اپنی ہاٹ میل کی ای میل کو نہ صرف اپنے کمپیوٹر پر ڈاؤن لوڈ کر سکتے ہیں بلکہ ہاٹ میل کی ای میلز کو انٹرنیٹ سے کنیکٹ کرنے سے پہلے ٹائپ کر سکتے ہیں، جس کے فوائد ظاہر ہیں۔ اس طریقہء کار کا سب سے بڑا فائدہ یہ ہے کہ آپ کی بھیجی ہوئی اور وصول شدہ ای میل آپ کے کمپیوٹر میں موجود رہتی ہیں اور ان کی ضرورت پڑنے پر آپ کو انٹرنیٹ پر جانے کی ضرورت نہیں پڑے گی لیکن یاد رکھئے کہ آؤٹ لُک ایکسپریس کے ریکارڈ میں صرف وہ ای میل مکمل طور پر دستیاب ہوں گی جنہیں آپ آن لائن کھولیں گے۔ Inbox کی فہرست میں باقی ماندہ ای میل نظر تو آئیں گی، لیکن ان کو پڑھنے کے لئے آپ کو آن لائن جانا پڑے گا۔ لیکن یہ ایک مسئلہ ہونے کی بجائے آپ کے لئے ایک فائدے مند بات ہو سکتی ہے کہ آپ اس فہرست کو آن لائن مطالعہ کرنے کی بجائے اسے آف لائن تفصیلاً چیک کر سکتے ہیں تاکہ یہ فیصلہ کر سکیں کہ کون سی ای میل ضروری ہے اور کون سی غیر ضروری یعنی کہ جنک میل (Junk mail) ہیں۔ آپ کا آؤٹ لُک ایکسپریس میں ہاٹ میل اکاؤنٹ نیچے دی ہوئی تصویر کی مانند نظر آنا چاہیے۔

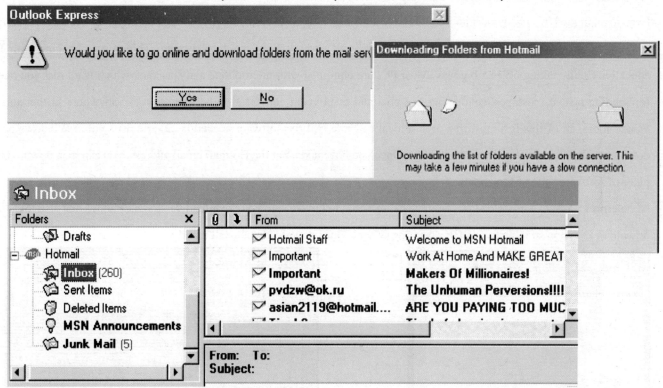

On the congratulatory screen, click on **Finish** and you will see your account listed in the Internet **Accounts dialogue** box. Click on **Close** and you will be asked if you would like to go on-line to download mail folders from the mail server you added. Click Yes to connect to the Internet to complete the task. Now, not only can you download your hotmail emails on to your computer for reference, you can also compose emails off-line and then go on-line to send them off . You use the Send/Recv button for this. The real bonus is that when you need to browse your archives for any emails received to date, you do not have to log on to the Internet, you simply open your Outlook Express and find them all listed there. But do note that only those emails are recorded into the archives of Outlook Express which are opened on-line. Those that are not opened will be listed in Outlook Express with their name and title but will not be available to be read off-line. But you can turn this to your advantage - by having the list of emails by their email address and subject you can take a good look at all of them offline (instead of wasting time while on-line) and decide which ones you are going to go back for downloading and which ones are going to be deleted. This will be a blessing when you start getting a lot of junkmail. As you can see in the screen shot above I received 260 emails in one week, most of which are junk mail. Your email account entry in Outlook Express should look like the picture above.

Chat, Talk and Video Via the Internet - 1 - انٹرنیٹ کے ذریعے فون، پیغامات اور وڈیو

میرا مشاہدہ ہے کہ اکثر لوگ پی سی کی صلاحیتوں کا بھرپور فائدہ نہیں اُٹھا پاتے، حتیٰ کہ برطانیہ جیسے ملک میں جہاں تقریباً ہر گھر میں پی سی اور انٹرنیٹ موجود ہے، لوگوں کی اکثریت کمپیوٹر کو صرف ای میل اور محدود درجے کی ورڈ پروسیسنگ کے علاوہ بہت کم استعمال کرتی ہے، لیکن اب کمپیوٹنگ کی تعلیم اور تربیت کے عام ہو جانے سے تبدیلیاں آ رہی ہیں۔ آپ کے پی سی کو چیٹ یعنی کی بورڈ کی مدد سے پیغامات کا تبادلہ، براہِ راست بات چیت اور وڈیو کانفرنسنگ (یعنی بات چیت کے ساتھ ساتھ وڈیو تصاویر کا براہِ راست تبادلہ) کے لئے اب بآسانی استعمال کیا جا سکتا ہے۔ اگر آپ کے پی سی میں انٹرنیٹ کے علاوہ مائیکروفون اور سپیکرز لگے ہوئے ہیں تو آپ دُنیا میں کسی بھی ایسے شخص سے جس کے پاس بھی یہ آلات موجود ہیں مفت بات کر سکتے ہیں۔ اگر مائیکروفون اور سپیکرز نہ بھی ہوں یا وہ کام نہ کر رہے ہوں تو بھی آپ کی بورڈ کو استعمال کرتے ہوئے ٹائپ کئے گئے پیغامات کے ذریعے خاموش گفتگو کر سکتے ہیں۔ اس کے لئے آپ کو ہاٹ میل کی ای میل چاہیئے جو کہ آپ یقیناً حاصل کر چکے ہوں گے اور جہاں تک سافٹ ویئر کا تعلق ہے تو یہ انٹرنیٹ پر مفت میں دستیاب ہے۔ اس کا نام مائیکروسافٹ میسینجر (M S Messenger) ہے۔

ایم ایس میسینجر: اسے آپ www.msn.com سے ڈاؤن لوڈ کر سکتے ہیں لیکن یہ یقین کر لیجئے کہ اس کا ورشن 4 یا اس سے زیادہ ہو اور یہ بھی کہ یہ آپ کے ونڈوز کے ورشن کے لئے مناسب ہو۔ اگر آپ ونڈوز ایکس پی استعمال کر رہے ہیں تو یہ اس میں پہلے سے موجود ہے۔ اس کو انسٹال کرنے کے بعد اسے چلائیے۔ آپ کے سامنے نیچے دی ہوئی (1) سکرین آئے گی۔

It is my personal observation that most people do not utilise the full potential of their PC or simply do not know how to. Even here, in the UK, where most households have a PC and Internet access, majority of the people rarely use their powerful machines more than just a little net browsing, email and perhaps light word processing. Things are changing with IT education finally taking off in a big way. Most PCs are equipped with microphone and speakers, which is all that you need for sending instant messages, conducting live chat and even vocal conversation between two PC anywhere in the world. What's more, all of this is almost free or at a local call rate. All the software needed is either exists within Windows or is downloadable from the Internet free of charge. Once you have taken out the Hotmail email address, you can then download a piece of software called **Messenger.**

Messenger: You can download this from www.msn.com but make sure you download version 4 or above and also that you download a version suitable for YOUR operating system. Once downloaded, install it and run it.

1

2

میسینجر کی سیٹ اپ کے لئے آپ کا انٹرنیٹ پر ہونا ضروری ہے۔ انٹرنیٹ سے رابطہ ملتے ہی میسنجر کو چلائیے۔ میسنجر کی آسان سیٹ اپ کا آغاز **Click here to sign in** پر کلِک کرتے ہوئے کیجئے۔ یاد رہے کہ اس سیٹ اپ کے بعد بھی یہی سکرین (1) آپ کو میسنجر تک رسائی دلایا کرے گی۔ اگلی سکرین (2) میں اپنا ہاٹ میل والا ای میل ایڈریس اور پاس ورڈ ٹائپ کیجیے۔ آپ کی سیٹ اپ تقریباً مکمل ہے۔ اب اس میں کنٹیکٹ (جن لوگوں سے آپ رابطہ کرنا چاہتے ہیں) کو شامل کرنے کے لئے آپ کو صرف اُن کے ہاٹ میل والے ای میل کی ضرورت ہوگی۔ آپ اُن کو ابھی یا بعد میں جب چاہے شامل کر سکتے ہیں۔ جب آپ اُن کو اپنی فہرست میں شامل کریں گے تو میسینجر آپ کے شامل کئے گئے کنٹیکٹ کو ایک ای میل بھیج کر اُنہیں اس کی اطلاع کر دے گا۔ آپ اپنے کنٹیکٹ کو اپنی ہاٹ میل ایڈریس دے کر ایسے ہی اُن کی لسٹ میں شامل ہو سکتے ہیں۔

You need to log on to the Internet to set up Messenger. When connected, launch Messenger to get this screen. This is also the initial screen you will get every time you launch Messenger. Click on the **Click here to sign in** prompt. The next screen (2) asks you for your hotmail address and a password. To add contacts you only need their Hotmail Email addresses. When you add people, messenger can send an email to them to inform them about this. Give your contacts your email address so that they can add you to their list in a similar way.

یہ میسنجر کی مرکزی سکرین ہے، البتہ اس کے اجزاء کے ناموں سے عیاں ہے کہ اُن کا مقصد کیا ہے، لیکن پھر بھی ان کی یہاں سرسری تفصیل دی جا رہی ہے۔

This is MSN Messenger's main screen. Most of the functions are self-explanatory but here are some guidelines.

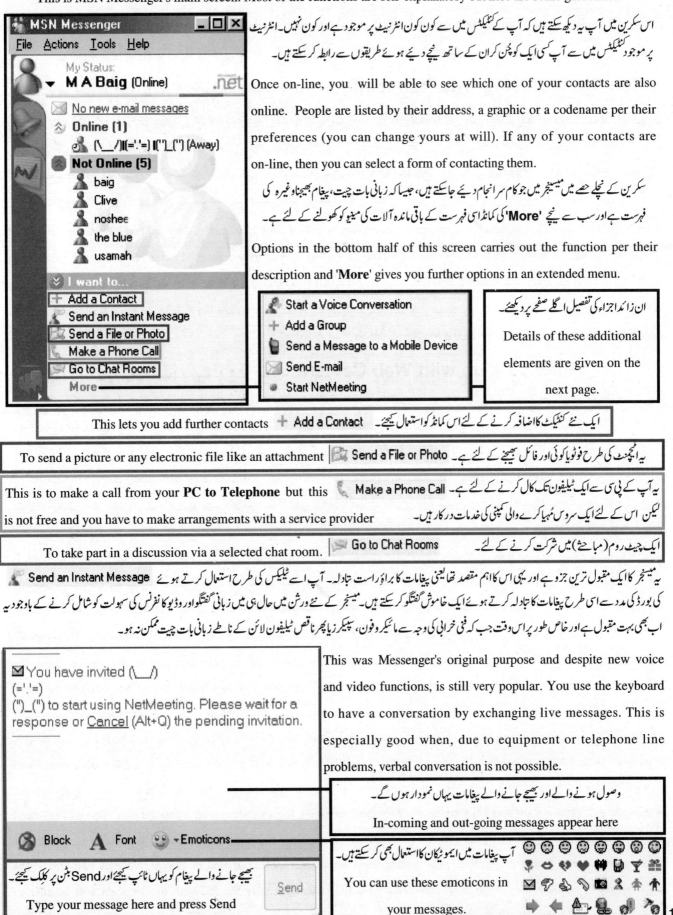

Send an Instant Message

اس سکرین میں آپ یہ دیکھ سکتے ہیں کہ آپ کے کنٹیکٹس میں سے کون کون انٹرنیٹ پر موجود ہے اور کون نہیں۔ انٹرنیٹ پر موجود کنٹیکٹس میں سے آپ کسی ایک کو چُن کر ان کے ساتھ نیچے دیئے ہوئے طریقوں سے رابطہ کر سکتے ہیں۔

Once on-line, you will be able to see which one of your contacts are also online. People are listed by their address, a graphic or a codename per their preferences (you can change yours at will). If any of your contacts are on-line, then you can select a form of contacting them.

سکرین کے نچلے حصے میں میسنجر میں جو کام سرانجام دیئے جا سکتے ہیں، جیسا کہ زبانی بات چیت، پیغام بھیجنا وغیرہ کی فہرست ہے اور سب سے نیچے **'More'** کی کمانڈ اسی فہرست کے باقی ماندہ آلات کی مینیو کو کھولنے کے لئے ہے۔

Options in the bottom half of this screen carries out the function per their description and '**More**' gives you further options in an extended menu.

ان زائد اجزاء کی تفصیل اگلے صفحے پر دیکھئے۔

Details of these additional elements are given on the next page.

This lets you add further contacts | Add a Contact | ایک نئے کنٹیکٹ کا اضافہ کرنے کے لئے اس کمانڈ کو استعمال کیجئے۔

To send a picture or any electronic file like an attachment | Send a File or Photo | یہ اٹیچمنٹ کی طرح فوٹو یا کوئی اور فائل بھیجنے کے لئے ہے۔

This is to make a call from your **PC to Telephone** but this is not free and you have to make arrangements with a service provider | Make a Phone Call | یہ آپ کے پی سی سے ایک ٹیلیفون تک کال کرنے کے لئے ہے۔ لیکن اس کے لئے ایک سروس مہیا کرنے والی کمپنی کی خدمات درکار ہیں۔

To take part in a discussion via a selected chat room. | Go to Chat Rooms | ایک چیٹ روم (مباحثے) میں شرکت کرنے کے لئے۔

Send an Instant Message یہ میسنجر کا ایک مقبول ترین جزو ہے اور یہی اس کا اہم مقصد تھا یعنی پیغامات کا براہِ راست تبادلہ۔ آپ اسے ٹیلیکس کی طرح استعمال کرتے ہوئے کی بورڈ کی مدد سے اسی طرح پیغامات کا تبادلہ کرتے ہوئے ایک خاموش گفتگو کر سکتے ہیں۔ میسنجر کے نئے ورشن میں حال ہی میں زبانی گفتگو اور وڈیو کانفرنس کی سہولت کو شامل کرنے کے باوجود یہ اب بھی بہت مقبول ہے اور خاص طور پر اس وقت جب کہ فنی خرابی کی وجہ سے مائیکروفون، سپیکرز یا پھر ناقص ٹیلیفون لائن کے ناطے زبانی بات چیت ممکن نہ ہو۔

Send

This was Messenger's original purpose and despite new voice and video functions, is still very popular. You use the keyboard to have a conversation by exchanging live messages. This is especially good when, due to equipment or telephone line problems, verbal conversation is not possible.

وصول ہونے والے اور بھیجے جانے والے پیغامات یہاں نمودار ہوں گے۔

In-coming and out-going messages appear here

بھیجے جانے والے پیغام کو یہاں ٹائپ کیجئے اور Send بٹن پر کلک کیجئے۔

Type your message here and press Send

آپ پیغامات میں ایموٹیکان کا استعمال بھی کر سکتے ہیں۔

You can use these emoticons in your messages.

Chat, Talk and Video Via the Internet - 3 - انٹرنیٹ کے ذریعے فون، پیغامات اور وڈیو

For PC to PC conversation using a microphone and speakers. Start a Voice Conversation

یہ مائیکروفون اور سپیکرز کو استعمال کرتے ہوئے پی سی سے پی سی کے درمیان بات چیت کرنے کے لئے ہے۔

This is for sending a short message to a mobile Send a Message to a Mobile Device یہ ایک موبائل فون تک مختصر پیغام بھیجنے کے لئے ہے۔

You can use this to send a quick email from here. Send E-mail آپ اس کے ساتھ یہیں سے ای میل بھی بھیج سکتے ہیں۔

Video Conferencing with Netmeeting Start NetMeeting نیٹ میٹنگ کے ساتھ وڈیو کانفرنسگ

مجھے یاد ہے کہ سٹار ٹریک میں کیپٹن کرک اور ان کے عملہ کا وڈیو فون استعمال کرنا ۷۰ کی دھائی میں کوئی بڑا عجوبہ نہیں لگتا تھا۔ انسان چاند پر قدم رکھ چکا تھا ٹیکنالوجی سے بے حد توقعات وابستہ تھیں۔ اگلے پچیس سال میں کچھ شعبوں میں توقعات سے زیادہ ترقی ہوئی اور کچھ میں کم لیکن ٹیلی فون کے کانسپٹ میں سوائے موبائل کے کوئی خاطر خواہ تبدیلی نہیں آئی لیکن انٹرنیٹ کی اچانک مقبولیت نے اب وڈیو فون کے خواب کو بھی شرمندۂ تعبیر کر دیا ہے۔ اس مقصد کے لئے ویب کیم (Web Cameras) نے نہ صرف یہ بلکہ وڈیو کانفرنس کو ایک عام ٹیلیفون کال سے بھی کم قیمت پر ممکن بنا دیا ہے۔ یاد رہے کہ میسنجر کی اس فنکشن کے لئے آپ کو ویب کیمرہ کی ضرورت ہے۔

Remember captain Kirk and his crew using those videophones in Star Trek? Strangely, they did not look so far-fetched in the early seventies, a post moon landing era of high expectations. However, they continued to remain a distance dream even in the early nineties. Enter the Internet, and it is a reality now. All you need is a couple of economically available webcams (web cameras) and yes Mr. Spock, we receive you loud and clear. Well, may be not very clear yet but it will improve. You need Web Camera for this function of the MSN Messenger.

Video Link-up with Web Camera - ویب کیمرہ کے ذریعے وڈیو رابطہ

ویب کیمرہ ایک ڈجیٹل کیمرے کی مانند کام کرتا ہے، لیکن یہ وڈیو تصاویر کو انٹرنیٹ کے ذریعے ای میل کی طرح ایک کمپیوٹر سے دوسرے کمپیوٹر تک براہِ راست منتقل کرنے کی اہلیت رکھتا ہے۔ یہ نہ صرف وڈیو کانفرنسگ کے کام آتا ہے بلکہ اس کو روایتی تصاویر کے لئے بھی استعمال کیا جا سکتا ہے علاوہ ازیں اس کے ساتھ مختصر وڈیو کلپ تیار کر کے ای میل کی اٹیچمنٹ کے ساتھ بھی بھیجا جا سکتا ہے۔ یہ آج کل ایک عام کیمرے کی قیمت سے بھی کم قیمت پر بآسانی دستیاب ہے۔ اگر آپ کے پاس ویب کیم پہلے سے موجود نہیں ہے اور آپ اسے حاصل کرنا چاہتے ہیں تو یاد رکھیئے کہ آج کل تمام ویب کیم متوازی پورٹ کی بجائے **USB** پورٹ کے ساتھ بن رہے ہیں اور ان کو آپ کے پی سی میں لگانے کے لئے آپ کے پی سی میں **USB** پورٹ کا ہونا ضروری ہے۔ اگر آپ کے پی سی میں ایسی پورٹ موجود نہیں ہے تو گھبرایئے مت۔ **USB** پورٹ کا اڈیپٹر یا **PCI** کارڈ آپ کے لوکل کمپیوٹر ڈیلر سے بآسانی دستیاب ہونا چاہئے البتہ اگر آپ ونڈوز 95 کا پہلا ورشن استعمال کر رہے ہیں تو یہ بھی ممکن ہے کہ اس میں USB کی اہلیت نہ ہو۔ ایسی صورت میں آپ کو ونڈوز کی اپ گریڈ کرنی پڑے گی یا پھر پیرالل پورٹ کا ویب کیم تلاش کرنا پڑے گا۔ اگر آپ کے پاس ویب کیمرہ موجود ہے تو آپ کو مزید کسی سافٹ ویئر کی بھی ضرورت نہیں ہے۔ کیمرے کو چلانے کے لئے اس کا ڈرائیور سافٹ ویئر اس کے ساتھ مُہیا کیا جاتا ہے جو کہ اس کے ساتھ آنے والی CD کی مدد سے بآسانی سیٹ اپ کیا جا سکتا ہے جبکہ باہمی رابطے کے لئے سافٹ ویئر ونڈوز میں پہلے ہی سے موجود ہے۔ اس کو **Netmeeting** کہتے ہیں اگر یہ آپ کے پی سی میں موجود نہیں ہے یا آپ کے پاس موجود ورشن **3** سے کم ہے تو اس کو آپ **www.microsoft.com** سے مُفت میں ڈاؤن لوڈ کر سکتے ہیں نوٹ: دو طرفہ وڈیو کانفرنسگ صرف اسی صورت میں ممکن ہے جب کہ دونوں طرف ویب کیم موجود ہو گا۔ صرف ایک طرف ویب کیم کے ہونے کی صورت میں وڈیو کی ترسیل بھی یک طرفہ ہی ہو گی۔ کیا مُجھے یہ کہنے کی ضرورت تھی؟!!

A Web camera works like a digital camera capable of transmitting live video images from a PC to another PC using the Internet. It can also capture still images, which you can print like traditional photos. Furthermore, you can capture short video clips and send them as email attachments to those without a web camera. Webcams are not very expensive anymore. If you do not have one already and want to buy one, then do make sure that it would be compatible with your PC. You do this by having checked out whether your PC is equipped with a **USB** port or not. If not, do not despair. **USB** ports can be fitted in most PC's by adapters or **PCI** cards. And one more thing, if you are using an early version of Windows 95, you must get an upgrade as it does not support **USB** protocol, or alternatively, look for a webcam with a parallel port. You will not need any software as it already exists within Windows - its called **Netmeeting**. If you do not have it by any chance or you do not have version **3** or higher, then get the latest version from **www.microsoft.com** free of charge. Note: A two-way video conferencing is possible only when both ends have webcam, otherwise, only the PC with the webcam will be able to transmit video. Did I need to explain that?!!!

More on Netmeeting ● Start NetMeeting نیٹ میٹنگ کے متعلق مزید معلومات

وڈیو کانفرنسنگ کے لئے ہم NetMeeting کا استعمال میسنجر ہی میں سے کریں گے۔ جیسے ہی آپ اس کی Start NetMeeting کمانڈ کو چلائیں گے، نیٹ میٹنگ اگر آپ کے سسٹم پر انسٹال شدہ ہے تو یہ یکدم لوڈ ہونا شروع ہو جائے گی۔ اگر یہ آپ کے سسٹم پر موجود نہیں ہے یا بہت پرانے ورشن میں موجود ہے تو اسے انٹرنیٹ سے ڈاؤن لوڈ کیجئے جو کہ مائیکروسافٹ کی ویب سائٹ سے مفت میں دستیاب ہے۔ اس کو پہلی دفعہ چلاتے وقت آپ کو چند ایک سکرین پیش کی جائیں گی جن کی مدد سے آپ اپنے مائیکروفون اور سپیکرز کو ٹیسٹ کر سکتے ہیں کہ یہ صحیح طرح سے کام کر رہے ہیں یا نہیں۔ بہتر ہو گا کہ آپ یہ سب کچھ اپنی پہلی نیٹ میٹنگ سے پہلے ہی NetMeeting کو چلا کر چیک کر لیں۔

We will launch NetMeeting from within the Messenger by using its Start NetMeeting command. If NetMeeting is on your system, then it will automatically launch itself. However, it is not or you have a version that is older then version 3, then you can down load the latest version from Microsoft's website free of charge. When running it for the first time, it will take you through routines for checking your speakers and microphone. It would be best to check these before going 'live'.

جب آپ میسنجر میں اپنے کنٹیکٹس میں سے کسی کو انٹرنیٹ پر موجود پائیں تو ان کو نیٹ میٹنگ کے لئے مدعو کرنے کے لئے **Start NetMeeting** کو چلایئے۔ میسنجر آپ کے چنے ہوئے کنٹیکٹ کو ایک دعوتی پیغام بھیجے گا اور ساتھ ہی **Microsoft NetMeeting** خود بخود حرکت میں آجائے گی اور چند لمحوں بعد آپ کی سکرین پر نیٹ میٹنگ کا (نیچے تصویر میں دیا ہوا) باکس نمودار ہو گا۔ آپ کے کنٹیکٹ کا آپ کی دعوت قبول کرتے ہی یہ رابطہ قائم ہو جائے گا۔ نیٹ میٹنگ کی سکرین کے اہم ترین اجزاء کی تفصیل یہاں دی جا رہی ہے۔

When you find any of your contacts on-line, click on **Start NetMeeting**, it will send an instant invitation to your selected contact and also launch **Microsoft NetMeeting** software, and after a few moments, you will see the NetMeeting screen shown below. As soon as your contact accepts the invitation, NetMeeting will kick-in (start). The important components of NetMeeting, needed for its video-conferencing functions, are explained here.

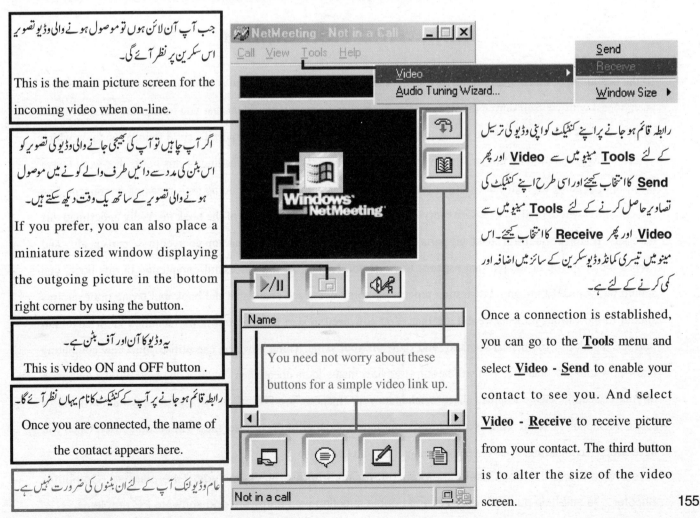

NetMeeting - Not in a Call
Windows NetMeeting
You need not worry about these buttons for a simple video link up.

Video

جب آپ آن لائن ہوں تو موصول ہونے والی وڈیو تصویر اس سکرین پر نظر آئے گی۔

This is the main picture screen for the incoming video when on-line.

اگر آپ چاہیں تو آپ کی بھیجی جانے والی وڈیو کی تصویر کو اس بٹن کی مدد سے دائیں طرف والے کونے میں موصول ہونے والی تصویر کے ساتھ یک وقت دیکھ سکتے ہیں۔

If you prefer, you can also place a miniature sized window displaying the outgoing picture in the bottom right corner by using the button.

یہ وڈیو کا آن اور آف بٹن ہے۔

This is video ON and OFF button .

رابطہ قائم ہو جانے پر آپ کے کنٹیکٹ کا نام یہاں نظر آئے گا۔

Once you are connected, the name of the contact appears here.

عام وڈیو لنک آپ کے لئے ان بٹنوں کی ضرورت نہیں ہے۔

رابطہ قائم ہو جانے پر اپنے کنٹیکٹ کو اپنی وڈیو کی ترسیل کے لئے **Tools** مینیو میں سے **Video** اور پھر **Send** کا انتخاب کیجئے اور اسی طرح اپنے کنٹیکٹ کی تصاویر حاصل کرنے کے لئے **Tools** مینیو میں سے **Video** اور پھر **Receive** کا انتخاب کیجئے۔ اس مینیو میں تیسری کمانڈ وڈیو سکرین کے سائز میں اضافہ اور کمی کرنے کے لئے ہے۔

Once a connection is established, you can go to the **Tools** menu and select **Video - Send** to enable your contact to see you. And select **Video - Receive** to receive picture from your contact. The third button is to alter the size of the video screen.

..........اور یاد رکھیے

میں نے اس کتاب کے آغاز میں آپ سے وعدہ کیا تھا کہ اس کے آخری صفحہ پر کمپیوٹر لٹریسی (literacy) آپ کی منتظر ہے۔ اگر آپ نے دیانتداری سے دل لگا کر اس کتاب کا مطالعہ کیا ہے تو میں پورے اعتماد سے کہہ سکتا ہوں کہ آپ نے یہ اعزاز حاصل کر لیا ہے بلکہ آپ اب ان بنیادوں پر کمپیوٹنگ میں مزید مہارت کی تعمیر جاری رکھ سکتے ہیں۔ تاہم ہمارا معاہدہ یہ نہ تھا کہ آپ کتاب کے پہلے صفحے سے لے کر آخری صفحے تک محض اسے پڑھ کر ختم کریں۔ ایسا کرنا تو حساب کی ایک کتاب کو بغیر اس کے سوالات و مسائل کو سمجھتے ہوئے پڑھنے کے مترادف ہوتا۔ شرط یہ تھی کہ آپ اس کے ہر صفحے کو نہ صرف ذہن نشین کر لیں بلکہ سکھلائے جانے والے طریقۂ کار سے مکمل واقفیت حاصل کر لیں۔ اگر آپ محسوس کریں کہ اس کتاب کے کچھ حصوں کو آپ اچھی طرح سے سمجھ نہیں سکے تو اُن کا دوبارہ مطالعہ کیجئے اور اس سلسلے میں Help فائل سے بھی مدد حاصل کیجئے۔ جب آپ اس کتاب کو کامیابی کے ساتھ مکمل کر چکیں تو اپنا امتحان لینے کے لئے اُن پراجیکٹ سے ملتی جلتی مشقیں کیجئے جن کو ہم نے کتاب کے مختلف ابواب میں مکمل کیا۔ آپ نے جو کچھ سیکھا ہے اسے اپنی عملی زندگی میں کام لانے کی کوشش کیجئے۔ اپنے گھر کے مالی بجٹ کی ایک سپریڈ شیٹ بنائیے، اپنے مشغلے (ڈاک ٹکٹ، میوزک سی ڈی، کتابیں وغیرہ) کا ایک ڈیٹا بیس بنائیے جو کہ ایکسل یا ایکسیس دونوں میں بنایا جا سکتا ہے۔ پاور پوائنٹ میں کچھ تخلیق کیجئے یا ورڈ میں ایک ٹیمپلیٹ ترتیب دیجئے۔ اس تکنیکی علم کو استعمال میں لانے کی تراکیب نکالتے رہئے ورنہ آپ یہ سب کچھ بھول بھی سکتے ہیں۔ ایک دفعہ کمپیوٹنگ کو اپنا لینے کے بعد اسے اپنی روزمرّہ کی زندگی کا حصہ بنا لیجئے۔

اگر آپ نے اس کتاب کو کار آمد پایا تو امید ہے کہ میری آئندہ آنے والی کتب کو بھی پسند کریں گے جن میں "کمپیوٹر شوٹر" بھی آپ کو پسند آئے گی۔ پاکستانی محاوراتی طرز کے نام والی یہ کتاب کمپیوٹر کے روزمرّہ استعمال کے دوران پیش آنے والے مسائل کو حل کرنے کی ایک گائیڈ ہو گی۔ اس کا مقصد کمپیوٹر استعمال کرنے والوں کو ایسے مسائل کا خود ہی حل نکالنے میں مدد کرنا ہو گا جن کے حل کے لئے اکثریت کو اپنا پیشہ ورانہ میکنگ کی قیمتی مدد حاصل کرنا پڑتی ہے۔

.........And Remember

At the beginning of this book, I promised you that computer literacy awaited you at the end of this book. If you have been honest with yourself during the study of this book, then I am very confident that you have achieved that goal. I would even say that, not only have you acquired computer literacy, you have acquired a solid foundation upon which you can now go on to build further. However, our deal did not entail the mere reading of this book; that would have been same as going through a book of mathematical problems without understanding their meaning or concept. The pre-condition was to digest and absorb every aspect of it. The condensed nature of the book markedly underlined this necessity. If you are doubtful about any parts of it, I will strongly recommend that you go over those parts again - and do use the Help file of the relevant package to assist you further. At the successful completion of this book, you should put yourself through a self-testing process by going over each chapter of the book and trying out exercises similar to the various projects we did together. You now need to start putting your newly acquired knowledge into practice. Think of hypothetical scenarios and show off your skills. Think how you can utilise your new computing know-how into practical life. You will be surprised how many doors open when you turn one key. Build a data-base of your collection, create a spread sheet to calculate your finances, use PowerPoint to create something original or create a template in Word. Find excuses to use your newly acquired skills or else, they will become rusty. Once you have adopted computing, make it a permanent part of your life.

If you have found this book useful then lookout for my future projects including the planned "Computer Shooter" - a self-help guide to resolving and trouble shooting your hardware and software PC problems.